D1096938

Les preuves scientifiques
d'une Vie après la vie

Dr Jean-Jacques
CHARBONIER

Les preuves scientifiques d'une Vie après la vie

Communiquer avec l'invisible

Collection dirigée
par Florent Massot

Une locution proverbiale qualifie de « foi du charbonnier » une manière simple et naïve de croire et de prendre la vie. Cet état d'esprit élémentaire semble relever d'un sous-développement alors qu'il manifeste d'un degré d'intelligence supérieur à celui des brasseurs d'idées patentés[1].

Henry BABEL,
docteur honoris causa de l'université de
Chicago

L'une des plus grandes douleurs que la nature humaine ait à supporter est l'arrivée d'une nouvelle idée.

Walter BAGEHOT

---

1. BABEL H., *Dieu dans l'univers d'Einstein*, éd. Ramsay/Naef, 2006, p. 268.

Sommaire

PREMIÈRE PARTIE

LES QUESTIONS ESSENTIELLES

CHAPITRE 1

POURQUOI CE LIVRE ?

Au départ, mon essai devait s'intituler *Le Lien*, mais j'ai dû renoncer à ce titre qui avait déjà été choisi par un auteur de romans sadomasochistes… Je vous rassure tout de suite, rien à voir avec l'ouvrage que vous avez entre les mains ! Alors, me direz-vous, pourquoi « le lien » ?

Par définition, un lien est ce qui sert à assembler, à unir des choses ou des personnes entre elles. C'est bien là toute l'ambition de ce travail, mon objectif étant de rassembler, de réunir des individus très différents issus de cultures distinctes, autour d'une idée aussi révolutionnaire que sempiternelle, à savoir notre propre survivance.

Indéniablement, nous pouvons lire aujourd'hui bien plus de textes scientifiques qui tendent à prouver l'existence d'une après-vie que de travaux ou de publications présentant la mort comme étant le néant absolu, et les millions de témoignages d'expériences de mort imminente sont là pour nous le confirmer.

Nous savons aussi que la plupart des religions du monde prônent à leurs disciples la promesse d'une éternité dont le déroulement serait étroitement dépendant de notre vécu terrestre. Ces notions très manichéennes de l'après-vie se retrouvent dans « l'enfer-paradis » des chrétiens et dans les chaînes de vies karmiques des hindous ou des bouddhistes. Le pécheur irait en enfer et n'aurait pas accès aux bienfaits du paradis, tandis que des mauvaises actions feraient chuter l'âme lors de la prochaine naissance dans un karma difficile mais mérité. En fait, selon cette dernière hypothèse, notre progression se réaliserait au cours de nos multiples vies avec l'obtention d'un idéal toujours perfectible par le biais d'un accroissement d'informations et d'expériences. Chaque degré d'évolution nous faisant atteindre une dimension supérieure à la précédente, en sachant qu'il n'y aurait pas au final de bonnes ou de mauvaises expériences, mais simplement des karmas successifs nous donnant l'opportunité de nous améliorer.

Les croyances orientales et occidentales s'opposent sur l'éventualité d'un retour terrestre après la mort, bien qu'il semble que l'Ancien Testament évoque également la réincarnation comme une possibilité bien réelle. Cependant, les théologiens catholiques ont rejeté l'influence de l'Orient en considérant la réincarnation comme une hérésie dès 553, lors du concile de Constantinople, et toutes les références à ce phénomène ont été systématiquement éliminées de la Bible[1]. À l'inverse, les adeptes du spiritisme, disciples d'Allan Kardec, centrent leur doctrine sur ce principe.

Si les avis divergent sur la façon dont notre après-vie va s'organiser, le continuum de la vie après la mort fait néanmoins la quasi-unanimité au sein de l'ensemble de l'humanité et les lois de la physique quantique ne font que confirmer cette belle intuition. En l'occurrence, la notion d'éternelle survivance fut pressentie très tôt par les scientifiques dans la célèbre loi de Lavoisier : « Rien ne se perd, rien ne se crée, tout se transforme. »

Alors, dans ces conditions, pourquoi ne pas crier à la face du monde que l'après-vie existe et que tout ne s'arrête pas stupidement au moment de la mort ? Pourquoi ne pas annoncer cette excellente nouvelle qui changerait l'ensemble de nos comportements égocentriques axés sur les valeurs matérielles et éphémères nous contraignant à vivre dans l'urgence ? La réponse est simple : entre les scientifiques et les adeptes de

---

1. CHOPRA D., *La Vie après la mort*, Guy Trédaniel Éditeur, 2007, p. 108.

spiritualité, le lien n'existe pas ! Chacun semble vouloir garder l'exclusivité de la démonstration de notre survivance avec les outils spécifiques de sa propre idéologie. Coincés dans le carcan de leurs dogmes ou de leurs croyances, religieux, médecins, philosophes, mathématiciens, physiciens et partisans d'ésotérisme éclairent avec un mince faisceau laser un océan de connaissances plongé dans la pénombre. La petite parcelle de savoir jalousement gardée et mise en lumière par celui qui tient la torche apparaît bien nette et précise pour son observateur, tandis que le reste, tout le reste, demeure dans le noir le plus complet. Oh ! bien sûr, le chercheur solitaire voit d'autres éclaireurs qui l'entourent, mais il pense que ses voisins sont dans l'erreur parce que ces explorateurs méprisables ne dirigent pas leurs faisceaux dans la même direction que lui et, obstiné, il ne veut même pas connaître le résultat de leurs investigations. Ce n'est pas très intelligent !

Aussi différentes que soient nos personnalités ou nos façons d'appréhender les phénomènes qui nous entourent, nous appartenons tous à un même Univers et nous sommes les étoiles de cet Univers. Nos éloignements sont des leurres ; nous sommes tous unis. « Nous sommes comme des îles dans la mer, dissociés à la surface mais reliés par le fond », a écrit le philosophe William James.

Je connais aussi un certain nombre de scientifiques qui se disent spécialistes des états de mort imminente et qui refusent de prendre en compte les autres états de conscience modifiée comme la télépathie, la médiumnité, la méditation ou la prière, car ils prétendent travailler sur un sujet trop complexe pour avoir le temps de se préoccuper d'autres données qui leur paraissent trop éloignés de leur champ d'investigation ou de recherche. Quelle erreur ! Les choses deviendraient certainement moins difficiles pour eux s'ils acceptaient d'autres concepts, d'autres approches intellectuelles, et en particulier s'ils savaient s'ouvrir au monde de la spiritualité. En agissant ainsi, ils se comportent comme des spécialistes de « la roue de bicyclette qui tourne » qui passeraient toutes leurs vies et déploieraient toutes leurs énergies à essayer de comprendre les mécanismes de la rotation de la roue sur son axe en niant obstinément l'existence du pédalier, de la chaîne de transmission et même du vélo, ou, encore plus absurde... en ignorant totalement celui qui pédale et qui fait tourner la roue !

Une approche très ciblée des choses ne peut donner qu'une compréhension aussi partielle que partiale de la réalité car, on le devine, tout est lié. Oui, lié, intriqué, associé et même indissociable.

Je sais qu'un certain snobisme intellectuel rejette avec mépris les pensées spiritualistes et qu'il est aujourd'hui de bon ton, lorsque l'on se dit « scientifique », de les qualifier de « new age » avec une moue de dédain péremptoire. Cet ouvrage, et en particulier sa conclusion, n'échappera pas à cette critique. Aucune importance, je déteste la mode !

En fait, en matière de connaissance, notre plus grand défaut est le manque d'humilité. Et pourtant, nous avons de bonnes raisons d'être humbles. L'humanité vient de naître ! Elle n'a pas plus de deux à trois millions d'années sur une espérance de vie évaluée à au moins quatre-vingts millions d'années – cette estimation étant faite compte tenu de la durée moyenne des espèces issues des nappes zoologiques qui nous précèdent[1]. Autrement dit, si nous transposions l'âge de l'humanité à celui d'une vie humaine, nous ne serions que des bébés de trois ans sachant à peine parler et n'allant même pas à l'école maternelle ! C'est dire le travail qu'il nous reste encore à faire...

La mort est le plus grand tabou de nos sociétés occidentales. Nous refusons notre mort et celle de

_____

1. FADUILHE G., *Sous l'arbre de la connaissance*, éd. de l'Auteur, 2004, p. 35.

nos proches, mais nous récusons avec tout autant de force notre propre immortalité alors que nous disposons aujourd'hui de suffisamment d'arguments pour divulguer cette inestimable bonne nouvelle. Oui, nous sommes tous immortels. Immortels malgré tout. Immortels malgré nous.

Ce livre tentera de le démontrer.

CHAPITRE 2

POURQUOI NIER
LE PARANORMAL ?

Toute grande vérité passe par trois phases : elle est d'abord ridiculisée, puis violemment combattue, avant d'être acceptée comme une évidence.

Arthur SCHOPENHAUER

Nous avons une tendance naturelle à écarter les phénomènes paranormaux de nos champs de vision. Et ce rejet peut atteindre un niveau de violence surprenant chez certains scientifiques trop « rationalistes ».

Pourtant, le paranormal a une relativité spatio-temporelle évidente. Ce qui est vrai sur notre planète ne l'est pas obligatoirement sur une autre, et ce qui est réalisable ici et maintenant ne l'était pas nécessairement il y a seulement quelques décennies. Le paranormal actuel sera le normal de demain, de la même manière que le normal d'aujourd'hui était le paranormal d'hier. Par exemple, parler dans un petit boîtier à un interlocuteur situé à plusieurs dizaines de milliers de kilomètres était autrefois assimilable à du paranormal ; idem pour les bras robotisés actionnés par la seule volonté de celui à qui on a greffé ce genre de bioprothèse. Or, nous le savons bien, tout cela est actuellement possible.

LA DISSONANCE COGNITIVE

Lors de mes nombreuses conférences données sur le sujet des états de mort imminente, j'explique ce qu'est le phénomène de dissonance cognitive[1] induit par un événement paranormal avec mon trousseau de clés que je tiens à bout de bras au-dessus du pupitre qui m'est généralement alloué et, après l'avoir lâché, je dis :

« Tout le monde a vu ce qui s'est passé : mes clés sont tombées ! »

---

1. La dissonance cognitive est un concept élaboré par Leon Festinger dans les années 1950. Selon cette théorie, l'individu en présence de cognitions incompatibles entre elles ressent un état de tension désagréable motivant sa réduction (Festinger, 1957, *A Theory of Cognitive Dissonance*). Bien entendu, à cette époque, ce chercheur en neurophysiologie ignorait le phénomène des expériences de mort imminente.

Puis, lorsqu'un grand point d'interrogation semble se dessiner au-dessus de l'assistance, je reprends :

« Imaginez maintenant qu'un extraterrestre soit téléporté parmi nous... »

Un deuxième point d'interrogation encore plus énorme flotte alors dans la salle.

« ... Cet extraterrestre a la particularité d'avoir la même constitution physique et psychique que la nôtre. Il est même très intelligent et très instruit. Il est intellectuellement honnête et représente l'équivalent d'un prix Nobel de physique sur notre planète. Imaginons ça. Supposons aussi que dans son monde les lois de la gravité terrestre n'existent pas, si bien que chez lui, lorsqu'il lâche un objet, celui-ci ne tombe pas mais reste sur place. Ce que vient de voir à l'instant notre extraterrestre – les clés qui tombent lorsque je les lâche –, va venir bouleverser complètement tous ses paradigmes en contrant tout ce qu'il connaît et surtout tout ce qu'il a appris, assimilé et compris. La visualisation de ce phénomène nouveau va rentrer en dissonance au niveau de sa cognition. Et pour pallier ce véritable scandale intellectuel, son inconscient va lui envoyer, à son insu, un message de sauvegarde le conduisant à minimiser, voire même, ce qui est plus grave encore, à nier l'événement et il pourra soutenir avec un formidable aplomb que les clés ne sont jamais tombées et qu'il a été victime d'une illusion ou d'une hallucination. Et même si vous êtes très nombreux à lui affirmer qu'il se trompe et que les clés sont bel et bien tombées, il ne vous croira pas et vous traitera de menteur ou de charlatan ! »

Cet exemple très « visuel » illustre de façon très concrète ce dysfonctionnement du raisonnement appelé « dissonance cognitive ». Le bruit des clés qui tombent sur un bureau a aussi l'avantage de réveiller certains auditeurs qui auraient tendance à s'assoupir pendant mes conférences. Mais, comme le souligne un psychiatre, le Dr Jean-Michel Rotty, dans la lettre qu'il m'a adressée, on peut aussi choisir d'autres métaphores pour illustrer cette fameuse dissonance cognitive :

Cher confrère, j'ai assisté à votre conférence de Rennes et ai été très sensible à votre information sur la dissonance cognitive, processus que je ne connaissais pas mais qui est bien illustré par le principe de sécurisation de notre système informatique cérébral central qui, bloquant des informations « contradictoires » non souhaitées, se met aussi en blocage pour d'autres informations qui pourraient lui être profitables et il se bloque alors sans objectivité possible dans sa croyance personnelle bloquée...

J'avais déjà compris ce modèle métaphorique avec certains patients paradoxaux « bloqués » dans leur comportement et incapables d'en changer car se protégeant dans cette attitude d'isolement de « fire wall » massif.

Je leur explique alors qu'ils sont bloqués dans la peur d'attraper un virus dans leur ordinateur et, n'allant donc plus sur Internet, ils se privent de la possibilité d'aller télécharger le dernier antivirus efficace... mais qu'avec une aide extérieure « sécurisée » thérapeutique, dans un autre mode de pensée, ils peuvent se sortir du piège...

En termes de vaccination, ayant peur d'attraper un virus négatif dangereux, ils se privent d'un vaccin atténué positivement vaccinant... Peur de l'autre à transformer en processus de confiance. Expérienceur prudent, je travaille actuellement sur des outils de modélisation dérivés de l'hypnose qui permettent rapidement d'apprendre aux « pas-scients » à se réaliser eux-mêmes heureux... en « chaman-médecin » hors du commun... Le modèle Erickson actualisé dernière version Internet...

La route est sinueuse en clinique, mais autant à l'hôpital...

Merci infiniment pour votre action.

En relisant le très pertinent courrier de ce confrère je me demande : et si l'obscurantisme de certains rationalistes était un virus cérébral dont la NDE (Near Death Expérience, expérience de mort imminente) serait l'antivirus ?

Les récits des personnes qui ont vécu des NDE rentrent en dissonance au niveau des cognitions des scientifiques en raison de deux phénomènes connexes : la dissociation du corps et de la conscience, autrement dit de la matière et de l'esprit, d'une part, et la possibilité de survie à la mort biologique d'autre part. D'où la grande difficulté de pouvoir communiquer autour de ce sujet assimilé par bien des gens à une expérience paranormale, inexpliquée et inexplicable dans l'état actuel de nos connaissances.

CHAPITRE 3

QU'EST-CE QUE LA MORT ?

UNE DÉFINITION ALÉATOIRE

Si nous admettons aujourd'hui que la mort est « l'arrêt complet et définitif des fonctions vitales d'un organisme vivant, suivi de la destruction progressive de ses tissus et organes »[1], sa définition, ou plutôt son diagnostic, a évolué au fil des siècles et des progrès médicaux.

Autrefois, le croque-mort déclarait le décès d'une personne si celle-ci ne manifestait aucune réaction à la morsure du gros orteil. Plus tard, l'arrêt de la fonction respiratoire matérialisé par l'absence de buée sur un petit miroir placé devant la bouche suffisait à conclure que la vie s'était arrêtée. Plus près de nous dans le temps, la constatation de la cessation des battements cardiaques était l'élément déterminant.

---

1. Définition du dictionnaire médical Masson, édition 1997.

Combien de personnes ont dû être enterrées vivantes dans ces conditions ? Sûrement un très grand nombre, puisque l'on sait que certains comas, certaines apnées prolongées ou même certaines arythmies cardiaques paroxystiques peuvent être spontanément résolutifs. Nous pouvons imaginer alors avec horreur le réveil possible de nos ancêtres dans leur propre sépulture avant de mourir – cette fois-ci pour de bon – d'une asphyxie plus ou moins prolongée. Les traces de griffures d'ongles retrouvées sur les parois des cercueils provisoires confectionnés à la hâte pour les soldats américains abattus pendant la guerre de Corée sont là pour le prouver. Ce n'est que lors du transfert des corps pour une mise en bière définitive aux États-Unis que ce phénomène a réellement été pris en considération.

C'est assurément entre le xviie et le xviiie siècle que les histoires d'enterrés vivants furent les plus atroces. En effet, à cette époque, ces situations n'étaient pas exceptionnelles, et la peur des revenants empêchait de porter secours aux malheureux qui se réveillaient dans leur sépulcre. Pire encore, il n'était pas rare que devant pareille situation le boucher le plus proche soit amené à devenir bourreau en plantant un pieu dans le cœur et en tranchant la tête du prétendu vampire !

L'aventure de Juan Cacerès survenue à Séville en 1977 est assez édifiante. Après un accident de voiture, cet homme, déclaré mort, fut ramené dans son village natal et son corps resta en attente quelques jours dans un casier réfrigéré de la morgue avant d'être inhumé.

Au bout de cinq jours, on retira le corps de Juan Cacerès du casier réfrigéré et on le transféra chez lui pour les préparations de l'inhumation. Mais voilà, les choses ne furent pas aussi simples que prévues car Juan Cacerès était toujours vivant ! Paralysé et incapable de communiquer, le voilà spectateur impuissant du terrible spectacle à travers ses yeux mi-clos. Installé sur le lit conjugal, il se rendit compte qu'on effectuait sa toilette funèbre. Certains pleuraient, d'autres se lamentaient ou priaient, tandis que des membres de sa famille discutaient âprement du partage de ses biens. Et lui, étendu en costume de mariage et bien conscient de l'imminence de son ensevelissement, était toujours dans l'impossibilité de manifester le moindre signe d'éveil.

Mais un événement aussi sordide qu'inattendu permit de le sortir miraculeusement de cette horrible situation : le cercueil était trop petit, les mesures avaient été mal prises. On essaya bien de replier ses jambes et d'incliner sa tête dans tous les sens, mais rien à faire, Juan Cacerès était bien trop grand pour que l'on puisse fermer le couvercle ! Sans trouver de solution à ce problème très concret, les croque-morts décidèrent alors de lui casser les jambes. Au premier coup de marteau sur le tibia, le malheureux Juan parvint à pousser un cri. À la grande stupéfaction de son entourage, il se redressa comme un diable à ressort éjecté de sa boîte et hurla : « Ah, mon Dieu, merci ! J'ai tant prié, merci de votre aide, merci, merci[1] ! »

Actuellement, le diagnostic de fin de vie est beaucoup plus rigoureux et la crainte d'être enseveli vivant ne paraît plus justifiée, tout au moins dans nos contrées.

Dans les services de réanimation, pour déclarer le décès d'un patient plongé dans le coma, il faut que celui-ci présente un état d'inconscience totale, une absence de respiration spontanée et deux électroencéphalogrammes plats pendant au moins trente minutes à quatre heures d'intervalle, ou une angiographie cérébrale blanche en dehors de conditions d'hypothermie ou de prise de médicaments dépresseurs du système nerveux[2]. Lorsque ces conditions sont remplies, on peut arrêter la réanimation et débrancher le respirateur ou bien la poursuivre en vue d'un prélèvement d'organe. On voit bien là les limites de la définition de la mort « matérielle » d'un individu puisque certaines « pièces détachées » qui le constituent, comme le cœur, les poumons,

---

1. BESSIÈRE R., *Les morts parlent aux vivants*, éd. Trajectoire, 2005, p. 124.

2. Définition de la mort cérébrale dans le dictionnaire médical Flammarion, édition 2005.

le foie ou les reins, pourront continuer leur vie dans un corps receveur.

LES DONS D'ORGANES

On me demande souvent lors de mes conférences si le patient qui reçoit un organe peut être influencé par la personnalité du donneur puisqu'une certaine proportion de l'individu décédé fait, par ce biais, partie intégrante de son nouveau corps.

À mon avis, admettre ce mécanisme simpliste reviendrait à dire que nous sommes exclusivement constitués de matière et que ce serait précisément cette matière qui caractériserait notre identité. Cela est faux, bien entendu ! L'entité profonde qui fait de nous ce que nous sommes habite, le temps d'une vie terrestre, une enveloppe qui est quittée au moment de la mort. Curieusement, cette entité, appelée « âme », « corps astral » ou encore « corps éthérique » pour certains, n'a encore aucun nom en médecine.

Il est vrai que nos organes sont, comme les végétaux ou les minéraux, chargés d'énergies vibratoires. Ces énergies laissent parfois des traces, des empreintes identitaires qui peuvent être ressenties par des personnes sensibles, au même titre que des objets sacrés ou des murs d'habitation imprégnés d'un passé, mais rien de plus.

On le comprend bien, ce n'est donc pas une partie de l'individu qui est passée dans le greffon, mais simplement son passé vibratoire. Il ne faut pas confondre empreinte et individu, ombre projetée et silhouette réelle.

On doit également préciser qu'il n'existe à ce jour aucun retour possible à la vie lorsque les conditions actuelles de prélèvement d'organes sont remplies : toutes les expériences de mort imminente avec électroencéphalogramme plat n'ont pas eu lieu selon les critères très stricts et codifiés qui sont détaillés plus haut dans la définition de la mort cérébrale. Il faut absolument insister sur ce genre de fausses croyances car elles peuvent être des freins considérables aux dons d'organes.

Notre identité est quelque chose de bien trop subtil pour être uniquement représentée par de la matière, et il n'y a aucune crainte à avoir lorsque l'on prélève un organe à un donneur puisque son entité est déjà partie au moment du prélèvement. Nos organes ne doivent être considérés que comme des pièces détachées qui peuvent rendre des services considérables en sauvant d'autres vies. Rien de plus. Et comme dit mon ami Jean Morzelle, qui a acquis la sagesse de ceux qui ont vécu une expérience de mort imminente : « N'oubliez pas que les cimetières sont vides ! »

Nous avons la fâcheuse tendance de croire que nous ne sommes qu'un corps animé, exclusivement composé de matière. Il n'y a pas très longtemps on situait l'âme au niveau du cœur. Aujourd'hui, on n'a guère évolué puisque certains matérialistes pensent encore que la conscience est localisée dans le cerveau ! On s'apercevra de l'absurdité de cette croyance le jour où on sera capable de greffer des cerveaux ! Car, j'en suis persuadé, cela arrivera bien un jour ; la médecine a encore d'énormes progrès à faire et nous ne sommes qu'au tout début des possibilités de cette science.

Au moment où j'écris ces lignes, il y a en France plus de 12 000 patients en attente d'une greffe[1]. Mais à l'heure actuelle, plus d'une famille sur trois oppose un refus catégorique à toute demande de prélèvement sur le corps d'un parent promis à la mort. C'est dire le chemin qu'il reste à parcourir pour que tout un pays comprenne enfin, comme le disait le Pr Jean Dausset, prix Nobel de médecine, qu'il faut « préserver ce joyau de solidarité humaine qu'est le don bénévole et anonyme ».

Pourtant, il suffit parfois d'une simple information sur le sujet pour éveiller les consciences. Par exemple, la disparition tragique du chanteur

---

1. Statistique de France ADOT (Association pour le don d'organes et de tissus humains) ; voir leur site : www.france-adot.org.

Grégory Lemarchal, décédé le 30 avril 2007, a fait exploser la demande de cartes de donneurs d'organes. Victime de la mucoviscidose, une maladie génétique grave, le jeune chanteur, vedette de la « Star Ac », était en attente d'une greffe de poumons qui aurait pu le sauver. C'est l'appel au don d'organes lancé au lendemain de sa disparition sur TF1 dans l'émission « Grégory, la voix d'un ange » qui a servi de déclencheur à un élan de générosité sans précédent : en moins d'un mois, France ADOT, a enregistré quelque 33 000 demandes de cartes de donneurs. Par comparaison, sur toute l'année 2006, l'association n'en avait délivré que 54 000 !

En fait, il faut savoir qu'une simple lettre manuscrite exprimant clairement sa volonté d'être prélevé en cas d'accident mortel suffit à faire de nous des donneurs potentiels. J'incite le lecteur à faire cette démarche car, en dépit des belles histoires relayées par les médias et l'inlassable sacerdoce de l'association France ADOT, le don d'organes est loin de satisfaire aux besoins des malades. De nombreux patients meurent régulièrement par ce manque d'organes qui ne sont, je le répète, que les pièces détachées d'un véhicule terrestre.

LE PROCESSUS DE MORT
CHEZ LES BOUDDHISTES

Selon les bouddhistes, la mort repose sur la dissolution de quatre éléments symboliques : la terre, l'eau, le feu et l'air[1].

La terre correspond à la solidité ; à la mort, la peau du corps change d'aspect : elle devient blanche et perd de sa souplesse. L'eau et le feu disparaissent lorsque la circulation sanguine se fige et que l'ensemble de l'organisme se refroidit. Vient ensuite la dissolution de l'élément air avec l'arrêt des mouvements respiratoires. Mais après la cessation de la respiration, il y a encore quatre stades supplémentaires dans les transformations relatives à la mort qui sont décrits en termes d'expériences visionnaires et durant lesquelles persistent des énergies subtiles. À la fin de la huitième étape, après la dissolution graduelle de toutes les énergies, l'énergie la plus subtile quitte définitivement le corps. Mais cette énergie extrêmement subtile ne s'évanouit pas pour devenir inexistante. Non, pas du tout, bien au contraire : elle continue sa vie en se séparant du corps. Son lien avec le corps est alors coupé. Cette coupure de la dépendance au corps de l'énergie subtile est utilisée dans les pratiques bouddhistes tibétaines du transfert de conscience.

---

1. RINPOCHÉ S., *Le Livre tibétain de la vie et de la mort*, éd. La Table Ronde, 1993.

LA DISSOCIATION DU CORPS
ET DE LA CONSCIENCE

J'ai compris cette dissociation du corps et de la conscience il y a plus de vingt ans, en effectuant une de mes premières gardes d'urgentiste au SAMU de Toulouse.

Ce jour-là, j'étais le seul médecin disponible envoyé sur un accident grave. En arrivant sur place j'ai ressenti une sorte de malaise. La vision de deux cadavres recouverts d'un drap blanc sur le bord de la route, les nombreux gyrophares, la foule de badauds, les débris de tôle et de verres étalés sur le goudron, les personnes affolées qui couraient dans tous les sens en criant ; toute cette ambiance de guerre me donna subitement envie de vomir et mes genoux se mirent à trembler.

Je me demandais pourquoi j'avais choisi ce métier et je me disais au fond de moi-même que je n'étais vraiment pas fait pour ça.

Un pompier me conduisit vers un amas de ferraille situé en contrebas de la route et me dit qu'il fallait pénétrer à l'intérieur de cette sorte de bloc métallique qui ne ressemblait plus à une voiture, car il y avait une personne coincée à l'intérieur. Je me faufilais par l'arrière du véhicule découpé par des pinces hydromécaniques en faisant glisser ma mallette d'urgence devant moi. Le jeune homme que je découvris devait avoir une vingtaine d'années tout au plus. Seuls son buste et sa tête émergeaient d'un enchevêtrement de tôles et de plastique. On échangea quelques mots. Sa peau était tuméfiée et constellée de microcoupures. Sa lèvre était fendue. Il pleurait. Je lui dis qu'il ne fallait pas s'en faire et que j'allais le sortir de là, mais je savais déjà que je lui mentais et je devinais que lui aussi savait qu'il allait mourir. Dans ces cas-là pour éviter que le blessé exsangue ne meure rapidement par désamorçage de la pompe cardiaque, il faut rapidement perfuser de grosses quantités de liquide de substitution dans les veines.

Mon inexpérience mais aussi ma très grande émotion, ont fait que je ne suis pas parvenu à poser cette maudite perfusion. Le réseau vasculaire aplati par l'hémorragie était quasiment invisible et ma vision se troublait de plus en plus car je transpirais à grosses gouttes.

Après plusieurs tentatives infructueuses arriva l'irréparable : la vie quitta doucement le corps du jeune homme. Doucement au début, puis très rapidement ensuite. Lorsque cela s'est produit, je n'étais qu'à quelques centimètres de lui. C'était la première fois que j'assistais à une mort « en direct. » J'ai vu ses pupilles se dilater comme une flaque de pénombre. Une tache d'encre inondant un buvard. Tous les traits de son visage se sont détendus. Il n'y avait plus aucun signe de souffrance sur son faciès meurtri. Au contraire, une indicible lumière s'est éteinte dans son regard, et surtout, oui, surtout, une « présence palpable » est sortie de lui. Elle est sortie par le sommet de son crâne, pour être plus exact.

C'était comme une libération, une sorte de délivrance. Le souffle que j'ai perçu n'était ni de l'air, ni du vent, ni un fluide. Non, cette chose était indéfinissable, indescriptible, mais en tout cas terriblement vivante et, je dirais même, terriblement joyeuse. Elle m'a frôlé le visage sur la droite et s'est élevée à une vitesse incroyable au-dessus de moi.

À partir de cet instant précis, j'ai acquis la certitude que l'après-vie existait.

Bien sûr, j'ai vu depuis lors mourir bien des gens. Bien sûr. Les services de réanimation sont ceux dans lesquels on meurt le plus. Mais même si j'ai presque chaque fois ressenti le départ du mourant dans son regard, je n'ai jamais plus ressenti cette formidable sensation de souffle de vie rempli d'allégresse et d'amour.

Cette expérience m'a transformé de la même manière que peuvent l'être des personnes qui ont vécu une expérience de mort imminente. Avec elle, je fis une découverte essentielle, comme une formidable illumination : celle de l'existence d'une vie après la mort. La peur de la mort s'évanouit aussitôt puisque l'on est certain que tout commence après.

Mais ne plus avoir peur de la mort ne veut pas dire que l'on déteste la vie et que l'on souhaite disparaître au plus vite de ce monde. Bien au contraire. La vie prend une saveur toute particulière.

Elle se déguste, se savoure, un peu comme la première partie d'un spectacle longtemps attendu.

La notion d'entité, de corps énergétique, de corps astral, de corps bioplasmique ou de corps spirituel quittant l'enveloppe corporelle terrestre au moment de la mort est souvent évoquée par le personnel soignant qui assiste à de nombreux décès comme c'est le cas dans les services de réanimation. Bien sûr, ces termes au parfum ésotérique ne sont jamais employés par les infirmiers ou les médecins, mais le phénomène est parfaitement décrit et, lorsque la mort est là, « ce qui n'a pas encore de nom en médecine » s'échappe du corps en dégageant une image lumineuse, vaporeuse ou en induisant une sensation de déplacement d'air ou de glissement palpable.

« Nous rangions notre matériel de réanimation et je m'apprêtais à annoncer le décès à sa femme lorsqu'un air glacé est sorti de son corps ; c'était comme une vapeur froide, une présence qui s'en allait du corps », me confia un soir le Dr L., médecin urgentiste au SAMU de Montpellier.

« C'était comme un mince filet nuageux bleuâtre. C'est sorti de sa tête doucement et après c'est

monté vers le plafond. Elle venait de mourir »
– Nathalie, infirmière en chirurgie digestive.

« Je perçois très souvent les entités qui quittent les corps au moment du décès. D'ailleurs, je leur dis : "Envolez-vous, c'est le moment de partir !" Il m'arrive même d'ouvrir la fenêtre pour faciliter leur départ » – Geneviève, aide-soignante en médecine.

« J'ai vu cette sorte de silhouette transparente qui s'élevait au-dessus de son corps quand j'ai décidé d'arrêter le massage cardiaque. J'ai rien dit à personne. Je veux pas passer pour un doux dingue. Encore aujourd'hui, je fais gaffe, j'en parle qu'à des gens qui peuvent comprendre ces trucs » – Dr X., médecin urgentiste toulousain.

Il n'est donc pas nécessaire d'être médium pour percevoir ce genre de phénomène…
L'entité dégagée du corps terrestre peut aussi manifester sa présence par un contact physique bien après le décès comme cela semble être le cas pour ce médecin, le Dr Meurin, qui m'écrit :

Cher confrère, je souhaite vous raconter le décès de papa survenu le 2 mai 1987 pour vous aider dans vos recherches.
Lorsque le téléphone s'est mis à sonner vers 13 heures, la voix de maman, très angoissée, me demande de venir tout de suite chez eux car,

me dit-elle, papa est tombé dans le jardin. Il avait déjà fait deux infarctus du myocarde et, sentant la gravité de la situation, je demande à ma femme d'appeler le SMUR.

Sur les lieux, je trouve papa allongé sur la table du salon (le voisin l'y avait installé), cyanosé, inanimé. Je tente un massage cardiaque et un bouche-à-bouche, le SMUR arrive, pose d'un scope, intubation...

Mon frère également médecin est là aussi et avait appelé le cardiologue qui suivait papa à l'époque. Malgré tous les efforts, le tracé est désespérément plat. Abasourdi, j'emmène maman dans la cuisine, lui demande d'avoir beaucoup de courage et lui explique tendrement que papa est parti et qu'il n'y a plus rien à faire. Là-dessus, des cris d'étonnement nous viennent du salon, le scope signale un retour d'une activité cardiaque régulière. On se regarde stupéfaits. Le cardiologue bredouille : « Tentons une dernière chance à l'hôpital. »

Sur la route (2 kilomètres), avec mes frères, je m'interroge sur le devenir potentiel d'une réanimation après de longues minutes d'anoxie cérébrale.

Dans la salle de déchoquage, le médecin de garde pratique tous les gestes qu'il connaît, y compris une intracardiaque d'adrénaline. Mais rien n'y fait vraiment.

À ce moment, je sentis nettement une douce mais ferme pression dans le dos qui m'emmena hors du service des urgences et ne cessa qu'une fois que je fus dans le jardinet jouxtant l'hôpital (inutile de préciser que personne de physiquement présent n'était l'auteur de ce geste). J'étais bien conscient de ce que j'avais ressenti, mais incapable d'en donner la moindre explication. Depuis, je me suis dit que j'avais, par mon chagrin, retardé le départ de papa. Je le regrette bien, mais crois sincèrement qu'il ne m'en tient pas rigueur.

Soyez assuré, cher confrère, de mon cordial soutien dans votre entreprise que j'imagine très difficile.

La médium Doris Stone, qui avait assisté dans un hôpital au décès d'un patient, raconte : « Je vis une traînée de brun, de la fumée, aurait-on dit, sortant du sommet de la tête de la vieille dame. "C'est pour bientôt", dis-je. La patiente soudain reconnut son mari décédé : "Oh ! Henri", s'exclama-t-elle. Je vis alors le corps spirituel qui est tout à fait semblable au corps matériel, vêtu d'une manière identique mais allongé la face vers le sol et planant au-dessus de la femme. Le corps spirituel s'éleva un peu et je vis qu'il était attaché au corps physique par un cordon d'argent, comme un cordon ombilical. Au bout d'un certain temps, le corps spirituel pris de l'altitude... et le cordon se rompit. "Maintenant elle est morte", dis-je. Les doigts sur son pouls, le médecin souffla : "Mon Dieu, c'est vrai[1]." »

Malheureusement, nos contemporains occidentaux n'ont toujours pas accepté cette conception de corps éthérique s'échappant du corps matériel au moment de la mort. Nous devons pourtant nous rendre à l'évidence que nous sommes des êtres spirituels avant d'être des machines biologiques !

L'expérience de perception extracorporelle survenant au seuil de la mort s'inscrit dans une vieille tradition théologique et philosophique qui accepte le concept de la séparabilité du corps et de l'âme. Les courants de pensée ésotériques ont toujours exprimé cette idée en mettant en évidence, parallèlement au corps astral et indépendamment du corps physique, un corps éthérique qui assure le bon fonctionnement des fonctions vitales. Ainsi seraient distingués la psyché et le physique, autrement dit l'âme et le corps, ces deux « éléments » jouant un rôle complémentaire et indissociable tout au long de la vie jusqu'au moment de la mort.

1. DRAPEAU E., « Le départ du corps spirituel », *La revue de l'au-delà*, n° 118, novembre 2007, p. 12.

ON MEURT TOUS LES ANS...

Pour clore ce chapitre consacré à la définition de la mort, il faut insister sur le caractère très relatif de son concept rationnel. En effet, au cours de notre vie 500 000 cellules meurent chaque seconde pour être régulièrement remplacées. Ce qui revient à dire que dans ce processus de désintégration-intégration permanent, le cycle matière morte-matière vivante est constant.

Le remplacement de nos cellules se fait à une vitesse incroyablement rapide que l'on ne peut mesurer. Les réactions chimiques induisant le renouvellement métabolique par désintégration et synthèse sont programmées à la vitesse de la lumière à l'intérieur de nos cellules grâce à des enzymes eux-mêmes contrôlés par des gènes[1].

En sachant qu'il faut environ une année pour remplacer 98 % des atomes de notre corps, on peut considérer que les milliards de cellules fabriquées tous les jours font de nous un être totalement renouvelé au bout d'un an.

Alors, on peut raisonnablement se poser les mêmes questions que le Dr Pim Van Lommel, ce cardiologue des Pays-Bas, qui a beaucoup étudié les états de mort imminente :

---

1. MURAKAMI K., *Le Divin Code de vie*, Guy Trédaniel Éditeur, 2007, p. 59.

Une personne « est-elle » son corps ou bien « avons-nous » un corps ?

D'où vient la continuité de ce corps perpétuellement changeant ?

Qui est le Grand Architecte ?

Qu'arrive-t-il à la conscience lorsque nous mourons ?

CHAPITRE 4

QU'EST-CE QU'UN COMA ?

Un coma est « un état caractérisé par la perte des fonctions de relation (conscience, mobilité, sensibilité), avec conservation de la vie végétative (respiration, circulation)[1]. »

Le métier d'anesthésiste-réanimateur que j'exerce depuis plus de vingt ans consiste à surveiller, traiter, et même souvent à provoquer des états comateux.

En réanimation, la plupart des patients sont inconscients et sont plongés dans un coma plus ou moins profond, c'est-à-dire plus ou moins réversible. Ceux qui ont déjà rendu visite à des proches hospitalisés dans ce genre de service ont pu être impressionnés par la complexité de la machinerie qui permet de les maintenir en vie. Branchés à des respirateurs, relayés par des

---

1. Le Petit Larousse, édition 2007.

câbles à des moniteurs compliqués, alimentés artificiellement par des sondes digestives et des perfusions, ces malheureux ressemblent davantage à des personnages de science-fiction qu'à de véritables êtres humains, et, bien sûr, dans ces conditions, la communication avec eux semble tout à fait illusoire. Mais cela n'est qu'une illusion ! Nous y reviendrons.

Ces états neurologiques si particuliers sont consécutifs à des atteintes directes du cerveau – par un traumatisme crânien, par une pathologie tumorale ou vasculaire –, ou indirectes comme dans certaines maladies cardio-respiratoires induisant des hypoxies cérébrales.

Il arrive aussi que les anesthésistes-réanimateurs provoquent volontairement des comas durant plusieurs jours, plusieurs semaines, voire même plusieurs mois, le but de ces techniques de « coma artificiel » étant de mettre au repos un organisme épuisé en supprimant les phénomènes douloureux tout en facilitant les soins.

En ce qui concerne l'anesthésie, l'autre volet de ma spécialité, les choses sont bien différentes. Il s'agit lors d'anesthésie générale de produire un coma rapide, réversible mais aussi suffisamment profond pour que l'opéré ne ressente plus aucune douleur. Pour ce faire, nous disposons de trois sortes de produits : un *narcotique* pour endormir, un *morphinique* pour supprimer la douleur et un *curare* pour paralyser les muscles. Il faut savoir que cette dernière classe de médicaments n'est employée que dans certaines opérations exigeant le relâchement parfait du patient.

L'exercice de notre spécialité n'a jamais été aussi sûr qu'actuellement puisqu'il n'y a aujourd'hui en France qu'un seul accident grave sur 200 000 anesthésies alors qu'il y en avait dix fois plus en 1990[1]. Cette amélioration spectaculaire de la sécurité anesthésique est consécutive à une meilleure surveillance des opérés lors de ces « voyages » si particuliers.

On peut effectivement parler de voyage, tant il est vrai que l'anesthésie générale ressemble beaucoup à un vol en avion. L'endormissement rapide est analogue au décollage : il faut mettre les gaz et monter en puissance le plus vite possible, tandis que le réveil peut être plus ou moins bien contrôlé comme l'est un atterrissage sur une piste plus ou moins bien goudronnée. Entre ces deux moments stratégiques : la traversée, avec aux commandes un inconnu qui doit prendre des décisions à l'instant T en choisissant chaque fois la meilleure. Et en plus, comble de l'angoisse, les passagers ignorent tout de la façon dont le pilote va surveiller leur vol. Partant de ce constat, j'ai eu l'idée de tourner un film dans un bloc

---

1. Statistique 2007 de la SFAR (Société française d'anesthésie et de réanimation) ; voir site : www.sfar.org

opératoire pour expliquer le déroulement de la surveillance d'une anesthésie générale[1]. Dans ce documentaire, j'interviens à la manière d'un pilote de ligne faisant visiter son cockpit à des voyageurs trop craintifs. Le but semble atteint puisque les spectateurs se disent rassurés à la fin de la projection.

Beaucoup de personnes me disent qu'elles redoutent davantage l'anesthésie que la chirurgie, ou bien qu'elles ont peur de ne pas se réveiller, ou encore qu'elles craignent de ne pas être bien surveillées pendant leur opération. Je réponds à ce genre de réflexion par une évidence : « Si vous faites un problème médical quelconque, il vaut mieux que vous le fassiez pendant votre anes-thésie que tout seul dans votre salle de bains car c'est le moment de votre vie où vous serez le mieux surveillé ! »

Les anesthésistes ont une connaissance parfaite des drogues qu'ils utilisent et ils maîtrisent avec précision les différentes phases d'une anesthésie générale. Nous savons très bien ce qui se passe au niveau des différentes fonctions de l'organisme d'un sujet endormi, sur le plan tant respiratoire que cardio-vasculaire ou même métabolique, mais il faut bien admettre avec humilité que, dans ces moments-là, nous ignorons à peu près tout

---

1. *Le Mystère de l'anesthésie*, Debowska Productions, collection « Science et Conscience » ; voir site : www.debowska.fr

du devenir de la conscience. En effet, nul ne peut expliquer le vécu de certains opérés qui, au cours de leur anesthésie générale et en dehors de tout danger vital, se sont vus déplacés au-dessus de leur corps et ont pu raconter à leur réveil les moindres détails de leur chirurgie, ou même, encore plus stupéfiant, ce qui se passait au même moment dans un bloc opératoire voisin, et tout cela sans erreur !

Ces récits récurrents démontrent bien que les expériences de sortie de corps n'ont absolument rien à voir avec une hallucination, et il faut bien reconnaître notre incompréhension totale des réelles capacités de perceptions des états de conscience modifiés induites par les anesthésies générales.

De la même façon, bon nombre de témoignages d'anciens comateux prouvent que l'on peut avoir des facultés cognitives et sensorielles exception-nelles avec une activité cérébrale quasi nulle, puisque certains d'entre eux ont eu la possibilité de voir et d'entendre avec une formidable acuité des détails précis situés à distance de l'endroit où ils se trouvaient « physiquement », comme l'habillement des visiteurs installés dans une salle d'attente distante de plusieurs dizaines de mètres du lit sur lequel ils reposaient.

L'exemple le plus démonstratif est sans nul doute celui de Pamela Reynolds[1], cette jeune violoniste de trente ans opérée d'un anévrisme du tronc cérébral par le Dr Robert Spetzler, de l'hôpital Saint-Joseph de Phoenix, en Arizona.

Cette chirurgie délicate imposa de plonger la malade dans un état de mort clinique pendant plus d'une heure. Durant cette période, la circulation artérielle cérébrale fut interrompue tandis que le sang veineux du cerveau fut entièrement retiré par aspiration. Pour éviter des dégâts cérébraux qui seraient dans ces conditions irréversibles, la température corporelle fut abaissée à 15,5 °C.

Comme on pouvait s'y attendre, l'activité électrique du cerveau, exsangue et hypothermique, mesurée au niveau du potentiel évoqué auditif et de l'électroencéphalogramme, resta nulle pendant toute la durée de l'intervention. Cela semble normal car, en l'absence de sang et d'oxygène, toute conduction neuronale par échange biochimique s'avère impossible.

Pourtant, en dépit de toute logique, Pamela Reynolds raconta à son réveil l'intégralité du déroulement de son intervention. Elle put décrire sans erreur les instruments utilisés, les différents

---

1. Témoignage recueilli par le cardiologue Michael Sabom relaté dans son livre *Light and Death – One Doctor's Fascinating Account of Near-Death Experiences*, Zondervan Publishing Company, 1998.

temps opératoires, la conversation du chirurgien avec le cardiologue venu assister à son intervention. Et tout cela alors que son cerveau ne fonctionnait plus ! Pamela a « entendu » avec autre chose que ses oreilles. Elle a « vu » avec autre chose que ses yeux. Elle a « intégré » et « compris » la situation dans laquelle elle se trouvait avec autre chose que son cerveau. Oui mais voilà, c'est bien là la question : avec quoi ? Comment ?...

Le livre de bord opératoire atteste la réalité de ce que Pamela aperçut au cours de sa chirurgie. Cette musicienne a raconté avoir été au cours de cette expérience en contact avec « un être de Lumière qui était la respiration de Dieu ou l'essence même de tout dans l'univers ». Elle a également traversé un tunnel et a pu rencontrer des amis et des parents décédés.

En ce qui concerne mon expérience personnelle, j'ai effectué en plus de vingt ans un très grand nombre de réanimations pour tenter de faire repartir des cœurs. Bon nombre de ces thérapeutiques ont atteint leur but et, parmi les ressuscités, certains ont pu décrire les gestes effectués sur leur propre corps comme s'ils avaient assisté en spectateur passif et presque indifférent à leur tentative de sauvetage.

Je me souviens notamment de cette jeune femme électrocutée à domicile pour laquelle j'avais mis en place une voie veineuse centrale et qui m'avait dit à son réveil : « J'étais derrière vous pendant que vous me massiez le cœur. Je me disais : "C'est drôle, il me comprime le thorax et je ne ressens absolument rien." Et tout ce sang qui coulait dans votre seringue me donnait la nausée. » Ou de ce vieux monsieur hospitalisé en réanimation qui subissait contre son gré mon massage cardiaque : « Je vous ai vu faire ! Vous me secouiez comme un prunier et moi je vous disais : "C'est bon, laissez tomber", mais vous n'entendiez rien ! » Ou encore de ce prêtre qui avait vu son corps sursauter à chaque électrochoc : « C'était très étrange pour moi de voir mon corps décoller quand vous faisiez passer le courant dans mon cœur pour le faire repartir. »

Le Dr Pim Van Lommel raconte que l'un de ses patients réanimés avait vu une infirmière mettre son dentier dans le tiroir d'un chariot alors que ce geste s'était effectué pendant que ce malade était dans un coma profond et en plein processus de réanimation[1].

Les exemples sont nombreux et tous les médecins réanimateurs ont pu entendre ce genre de récit. Ces expériences démontrent bien que les sorties de corps effectuées dans ces circonstances

---

1. Le Dr Pim Van Lommel a publié cette anecdote en même temps que les résultats d'une enquête portant sur 344 patients réanimés après un arrêt cardiaque, dans la revue *The Lancet* du 15 décembre 2001.

ne sont pas des hallucinations puisque les différents événements perçus pendant les arrêts cardiaques se sont réellement produits.

On peut considérer aujourd'hui qu'un arrêt cardiaque constaté est synonyme de fonctionnement
cérébral nul. En effet, de nombreuses études chez
l'homme et l'animal ont montré que la fonction
cérébrale était sévèrement altérée très tôt après
l'arrêt cardiaque puisque les premières modifications ischémiques de l'électroencéphalogramme
(EEG) surviennent en moyenne 6,5 secondes
après, tandis que les enregistrements électriques
du cortex cérébral et des structures du cerveau
restent plats entre 10 et 20 secondes à partir
du début de l'arrêt cardiaque. Dans le cas d'une
interruption vasculaire dépassant 37 secondes,
l'activité EEG normale ne reprend que plusieurs
minutes, voire même plusieurs heures après la
restauration de la fonction cardiaque[1].
Compte tenu du fait que les manœuvres de
réanimation ne peuvent débuter après un arrêt
cardiaque que bien au-delà de ce délai de 37
secondes, on peut facilement admettre que
le cerveau n'a aucune activité au moment du
massage cardiaque. Même dans les secteurs de

1. BEAUREGARD M., CHARBONIER J.-J., DETHIOLLAZ S.,
JOURDAN J.-P., MERCIER E.-S., MOODY R., PARNIA S., VAN
EERSEL P., VAN LOMMEL P., *Actes du colloque – Martigues
17 juin 2006*, éd. S17 Production, 2007, p. 48.

réanimation, pour des raisons de logistique évidentes, il paraît difficile d'intervenir dans les 40 secondes qui suivent l'arrêt cardiaque, et ce délai incompressible passe dans le meilleur des cas à 15 minutes en moyenne dans les interventions SAMU. Le pronostic vital étant étroitement dépendant de la rapidité de prise en charge de l'inefficacité des battements cardiaques, il est nécessaire de pouvoir diffuser le plus largement possible l'emploi des défibrillateurs semi-automatiques (DSA). Ces appareils, qui peuvent être manipulés par n'importe quelle personne assistant à une perte de connaissance, ne se mettent en route qu'en cas de nécessité absolue. En effet, par le biais de capteurs disposés sur le thorax de la victime, un DSA est capable d'analyser la situation avant de délivrer la charge électrique nécessaire pour redonner à un cœur défaillant des contractions suffisantes pour rétablir un débit sanguin cérébral.

Toutes les perceptions qui se sont avérées possibles en dehors d'un fonctionnement cérébral effectif permettent de tirer un certain nombre de conclusions venant bouleverser les paradigmes traditionnels des scientifiques :

 — **Un état de conscience modifié est possible lorsque le cerveau s'arrête de fonctionner**, et cela avec conservation des fonctions mentales supérieures comme la perception, les émotions, la mémoire et la conscience de soi.

— **La conscience ne se situe pas au niveau du cerveau** puisqu'elle se poursuit avec une formidable acuité en dehors de tout fonctionnement cérébral. On peut donc facilement admettre que le cerveau n'est pas « une glande » qui sécrète la conscience comme le foie sécrète la bile ! Pourtant, beaucoup de médecins de haut niveau pensent encore que les choses fonctionnent ainsi...

— **Un état de conscience modifié subsiste après la mort**, puisque la définition actuelle de la mort est l'arrêt du fonctionnement cérébral.

— **Une forme d'après-vie est donc possible** avec une conscience conservée et des perceptions effectives.

CHAPITRE 5

COMMENT COMMUNIQUER AVEC LES COMATEUX ?

NE PAS ABANDONNER LES COMATEUX

Au cours de ma carrière de médecin-réanimateur, j'ai pu constater maintes fois que les comateux qui avaient la chance de pouvoir bénéficier d'un entourage familial ou amical très important et très présent récupéraient bien mieux que ceux qui se retrouvaient seuls sans recevoir la moindre visite.

J'ai eu au cours de mes recherches sur les états de conscience modifiés des conversations passionnantes avec des guérisseurs qui travaillent sur des patients plongés dans des comas profonds. L'action de ces thérapeutes sur l'amélioration des états neurologiques est difficilement contestable, comme l'ont bien démontré les récents travaux du Dr Lawrence LeShan, un spécialiste du cancer qui a étudié l'effet bénéfique des guérisseurs sur la maladie[1]. Ces soignants, trop souvent méprisés par un corps médical vaniteux, ont pourtant bien des choses à nous apprendre. Ils travaillent la plupart du temps bénévolement et à la demande des familles pour améliorer l'état de santé des comateux. Tout cela se passe dans la clandestinité car, se sachant rejetés par la médecine traditionnelle, ces hommes et ces femmes de bonne volonté doivent se présenter auprès du personnel soignant comme étant des amis proches du malade tout en restant très discrets sur leurs pratiques ou rituels. Il n'est bien sûr pas question de battre un tambour de chaman dans un box de réanimation !

J'ai interviewé bon nombre de ces guérisseurs pour mieux connaître la façon dont ils procèdent.

Ils agissent en fait sur le comateux par télépathie en entrant en connexion avec lui par un véritable état de conscience modifié. Certains s'imaginent être eux-mêmes à la place du patient qu'ils ont à traiter ; ils désactivent leur ego, font abstraction de toute leur personne et « se mettent dans la peau » de celui qu'ils veulent guérir. C'est quelquefois très pénible pour eux car ils peuvent ressentir les douleurs physiques et morales des comateux. En période de soins, certains disent sortir de leur corps et éprouver

1. LESHAN L., *The Medium, the Mystic and the Physicist – Toward a General Theory of the Paranormal*, Allworth Press, 2003.

un amour inconditionnel qui les font fusionner avec le malade. Ils ne font plus qu'un avec leur patient et deviennent le patient. D'autres guérisseurs agissent différemment, en s'identifiant à un être mystique, à un ange gardien ou à un guide spirituel qui viendrait « délivrer » le comateux de son état de torpeur. Les séances sont tellement épuisantes du point de vue énergétique qu'il leur est tout à fait impossible de répéter l'expérience plus d'une fois dans la même journée.

Françoise intervient souvent comme guérisseuse bénévole auprès des comateux. Voici ce qu'elle dit à propos des soins qu'elle prodigue :

D'abord, je me prépare à la rencontre. Avant d'être auprès du comateux, j'ai déjà prié chez moi dans la tranquillité devant sa photo que je demande toujours à la famille avant la visite. J'ai besoin de savoir qui je dois traiter car en priant je fusionne avec lui, je suis lui et je me bats contre la maladie avec toute mon énergie de prière et d'amour. Il arrive même que, sans que j'aie besoin de me déplacer, on m'avertisse de l'amélioration de l'état de santé du comateux. Par exemple, l'un d'entre eux s'est réveillé le jour même où je suis rentrée en prière avec lui alors qu'il était dans le coma depuis plusieurs semaines. Quand je suis à côté du comateux, je visualise très rapidement son corps astral qui est au-dessus de lui et qui est rattaché à son corps de chair par le cordon d'argent. Je rentre en contact avec le corps astral et je fusionne avec lui. Là, je ressens les douleurs du corps de chair qui empêchent le corps astral de réintégrer le corps matériel. Ce peut être de violents maux de tête, des crampes à l'estomac, des douleurs dans la poitrine, des nausées, une très grande colère ou encore une très grande tristesse, ça dépend. En tout cas, je ressens tout ça et c'est souvent très pénible. Lorsque toutes ces douleurs sont bien installées en moi, je prie intensément en me concentrant sur l'Amour de Dieu et sa miséricorde jusqu'à ce que les douleurs disparaissent. Cela peut durer longtemps, vingt, trente minutes, parfois plus... Ensuite je remercie mes guides de Lumière et tous les médecins du Ciel qui m'ont permis de chasser les douleurs de la maladie. Je fais une dernière prière et je rentre chez moi complètement épuisée. Je ne pourrais pas faire ce genre de chose tous les jours. Je le fais simplement lorsqu'on me le demande pour aider les gens. Je refuse d'être payée pour faire ça car cette grâce qui m'est accordée par le Ciel ne doit pas être transformée en un banal commerce.

Il est important de savoir que, quelles que soient la gravité et la profondeur d'un coma, la communication reste possible. Les médecins qui prétendent le contraire et qui traitent les comateux de « légumes » sont des ignorants qui ne sont pas dignes d'exercer leur métier.

Ce sont précisément ces propos que je tenais à l'antenne de Sud Radio où j'étais invité à participer à une émission interactive en direct sur les comas lorsqu'une jeune maman a appelé :

C'est formidable ce que vous venez de dire, docteur, à propos des comateux. Je me suis arrêtée au bord de l'autoroute pour vous téléphoner. Mon fils de huit ans est dans le coma et l'anesthésiste vient de me dire que cela ne servait plus à rien de venir le voir vu qu'il ne pouvait plus m'entendre. J'étais désespérée. Heureusement, je viens d'écouter ce que vous venez de dire à la radio. Demain, je retournerai le voir et je lui parlerai comme avant.

On ne doit jamais abandonner les comateux.

Il faut leur rendre visite régulièrement, leur parler, les toucher, les caresser, leur faire entendre leur musique favorite, les entourer de photos, d'objets familiers, d'affection, bref, leur donner de l'amour. Ils en ont besoin.

Dans les centres d'éveil, on commence depuis peu à avoir cette approche car de façon empirique on sait que, même les yeux clos et apparemment insensibles aux sons et au toucher, les comateux profonds sont capables de voir, d'entendre et de sentir.

Mireille est une infirmière anesthésiste intérimaire avec laquelle j'ai le plaisir de travailler bien souvent. Elle a la sagesse de ceux qui ont beaucoup voyagé et appris en ayant des expériences spirituelles et professionnelles diverses. Elle connaît bien le Brésil pour y avoir séjourné un long moment.

Mireille m'a révélé au cours d'une conversation sur les états modifiés de conscience qu'elle avait déjà eu l'occasion de se rendre compte que les perceptions des comateux étaient possibles à des stades très avancés de coma. Par exemple, à son réveil, un enfant lui avait rapporté le dialogue qu'elle avait eu avec une amie alors que celui-ci était en coma dépassé dans un service de réanimation de neurochirurgie à Bordeaux et que les médecins envisageaient de stopper la poursuite des soins sans soupçonner que le principal intéressé entendait ce que l'on envisageait de faire pour son avenir !

Autre particularité que je partage avec Mireille : elle a déjà eu l'occasion de ressentir physiquement la fuite des entités au moment de la mort.

Les soignants doivent être extrêmement vigilants en présence des comateux. À la fin d'une de mes conférences qui portait sur les possibilités télépathiques chez les comateux, une femme assise au fond de la salle a saisi le micro pour raconter sa terrible expérience :

Ils étaient trois médecins au pied de mon lit pour discuter de mon cas. Le plus jeune disait qu'il fallait encore insister en essayant un nouvel antibiotique qui pouvait me sauver et les deux autres disaient que non, que ça ne servirait à rien, que de toute façon c'était foutu et qu'il valait mieux tout arrêter maintenant vu que mon cerveau avait déjà trop souffert. Et moi je pensais : « Ayez pitié, essayez encore cet antibiotique, je ne veux pas mourir encore, j'ai trois enfants à élever et la plus petite n'a que deux ans ! » Ils ont finalement écouté le jeune médecin. Heureusement, car s'ils ne l'avaient pas écouté, je ne serais pas là aujourd'hui pour vous le raconter ! Je ne sais pas si les deux médecins qui voulaient tout arrêter ont écouté celui qui voulait essayer le nouveau traitement ou si c'est moi qui ai influencé leur décision en leur demandant par télépathie de ne pas m'abandonner. Je n'en sais rien, mais ça a marché. En tout cas, je peux vous dire que vous avez raison, docteur : quand on est dans le coma, on entend et on comprend tout !

Louis Benhedi est, avec Jean-Claude Carton, un des rares journalistes de radio français qui traite avec sérieux les phénomènes paranormaux lors d'émissions interactives faites en direct. L'un comme l'autre donnent très librement la parole aux auditeurs. J'ai le privilège d'être très souvent leur invité. Un soir, Gilbert, un mécanicien d'Orléans, a téléphoné à Louis Benhedi pour raconter à l'antenne son expérience de coma. Son témoignage semble nous démontrer que l'état d'inconscience d'un malade immobile et figé dans un lit de réanimation ne peut être en fait qu'une apparence trompeuse :

Lorsque, à nouveau, j'ai ouvert les yeux, j'ai vu un malade allongé devant moi dans un lit d'hôpital. Il était branché à toute une série d'appareils qui bipaient, des tuyaux de perfusion sortaient de dessous les draps... j'avais la sensation qu'il y en avait partout. Il m'a fallu quelques secondes pour que je m'aperçoive qu'il s'agissait de moi ! Debout au pied du lit, je m'observais allongé, inconscient et relié à toute une batterie d'engins auxquels je ne comprenais rien. [...] J'ai ainsi vu tout ce qui se passait autour de moi mais sans aucune notion de temps. J'ai l'impression d'être toujours resté au pied de mon lit ; je ne me suis pas déplacé ou je n'ai pas pu, je ne sais pas. Mais une chose est sûre, lorsque je suis sorti du coma, je connaissais les prénoms de toutes les infirmières qui s'étaient occupées de moi. Toutes me disaient des mots gentils, elles me disaient bonjour en entrant dans ma chambre, elles me parlaient du temps, me disaient que j'allais m'en sortir. Enfin elles s'adressaient à mon corps sans se douter que je voyais et entendais tout. [...] Mes parents venaient tous les jours. Ils entraient à tour de rôle et s'asseyaient invariablement du même côté du lit, à gauche, sur la seule chaise de la chambre. Ces moments étaient éprouvants pour eux car ma mère pleurait fréquemment en me tenant la main. Elle me parlait, me donnait des nouvelles de mon frère, des membres de ma famille. Un jour, elle m'a même annoncé que ma petite amie s'était consolée avec un autre ! Mon père était moins bavard, moins enclin à montrer ses sentiments, mais je le sentais très abattu.

À plusieurs reprises j'ai tenté de leur parler ou de les toucher mais sans succès. Mes paroles ne résonnaient pas, ne produisaient pas de son. Mes mains ne touchaient rien, elles passaient à travers les rares objets qui étaient à ma portée.

Durant tout ce temps, que je suis incapable de mesurer, je me sentais très calme. Je n'avais aucune angoisse quant à l'issue de cette histoire, une issue qui aurait pu être fatale. Je ne me souciais même pas de ma santé. En fait, je n'avais aucune préoccupation[1]... »

J'ai reçu un jour une lettre surprenante d'une mère de famille, Nicole Guay Aumâtre, qui argu-

---

1. BENHEDI L., MORISSON J., *Les NDE, expériences de mort imminente*, éd. Dervy, 2008, pp. 15-19.

mente parfaitement la nécessité de la présence et de l'amour des proches pour aider les comateux à refaire surface.

Docteur,

Au hasard de mes lectures sur Internet, j'apprends que vous vous intéressez aux personnes plongées dans le coma.

À la suite d'un accident de la circulation, mon fils Clément âgé de huit ans a été victime d'un œdème majeur du tronc cérébral et a passé plusieurs semaines dans le coma.

Au cours des six semaines, nuit et jour auprès de lui, à l'hôpital de Limoges, j'ai vécu une expérience que je qualifie d'« animale » et je sais que j'ai joué un rôle dans sa récupération inespérée, au même titre que l'équipe du service, l'entourage et bien sûr son père qui, exerçant le même métier que vous puisqu'il est chef de service en pédiatrie au CHR d'Orléans, a eu les gestes urgents sur le lieu de l'accident. Sans lui Clément serait mort sur place.

Si mon témoignage vous intéresse, dites-le-moi ; c'est un sujet dont j'ai peu parlé mais il est essentiel que tous sachent que bien sûr les gens dans le coma ont une perception exacte de ce qui se passe autour d'eux.

Peut-être à bientôt.

Après cette lecture, j'ai téléphoné à Nicole pour avoir des précisions sur ce qu'elle avait vécu avec son fils Clément.

J'ai enregistré son interview. Le voici dans sa partie la plus émouvante.

— *Clément a violemment percuté une voiture avec son vélo. C'était en avril 1984. Il n'avait que huit ans. Son père médecin était sur les lieux de l'accident. C'est lui qui lui a donné les premiers soins. Clément avait reçu un énorme impact sur le crâne et il était dans le coma. D'emblée mon mari a vu que c'était grave et il pensait qu'il ne s'en sortirait pas. Il lui a fait du bouche-à-bouche en attendant le matériel nécessaire pour l'intuber. Ensuite, ils l'ont transporté au CHU de Limoges en réanimation pédiatrique et néonatale. Au bout de quelques heures d'observation, ils ont diagnostiqué un coma dépassé et tout le monde voulait le débrancher et arrêter la réanimation. Même son père. Mais moi, je ne voulais pas !*

— *Pourquoi ?* demandai-je timidement.

— *Pourquoi je ne voulais pas qu'on le débranche ?*

— *Oui, pourquoi, puisque les médecins ne vous donnaient plus aucun espoir ? – Parce que moi, sa mère, je ne voulais pas qu'il meure et je savais au fond de moi qu'il n'allait pas mourir. Je le savais dans mes tripes.*

— *Et on vous a écoutée ?*

— *Bien sûr, ils n'avaient pas le choix, j'étais trop déterminée. Mon mari était effondré mais moi,* face à cette mort scandaleuse j'avais une énergie incroyable qui aurait pu renverser des montagnes. Je ne voulais pas qu'il meure et je savais que grâce à mon énergie il n'allait pas mourir.

— Dans votre lettre vous écrivez que vous avez eu avec lui une « expérience animale ». Vous pouvez préciser ça ?

— Oui, c'était complètement animal cette relation avec lui. Pendant un mois et demi, je ne l'ai jamais quitté. J'étais tout le temps avec lui. Personne n'osait me demander de partir du box de réanimation, vu que l'on pensait qu'il allait mourir. Les premiers temps, j'étais nuit et jour avec lui. Il était nu et moi aussi. Je me serrais contre lui, mon ventre contre son dos, recroquevillée. Je voulais qu'il sente ma chaleur de maman, ma peau, mon odeur. Je priais tout le temps. Je lui donnais tout mon amour de mère comme s'il était un tout petit bébé venant de naître.

— Qu'est-ce qui vous a poussée à avoir cette attitude ?

— Je ne saurais pas vous le dire, mais je savais que c'était ce qu'il fallait que je fasse.

— Et vous pensez que c'est grâce à ça qu'il a pu s'en sortir ?

— Absolument certaine. Je lui donnais mon énergie, vous comprenez ? Toute mon énergie. Il n'y avait absolument pas de place pour rien d'autre ni pour personne d'autre.

— Clément est fils unique ?

— *Non, au moment du drame son frère Victor avait quatre ans et sa sœur Amélie, six ans. Victor est resté prostré longtemps après cet accident. C'est ma mère qui s'est occupée d'eux pendant tout ce temps. Quand j'étais avec Clément je ne pouvais rien faire d'autre que lui transmettre mon énergie ! Si je voulais faire autre chose, il fallait que je me concentre terriblement. Par exemple, pour fermer le bouchon du dentifrice, il fallait que je me concentre sur ce geste pour le faire correctement. J'évoluais comme Clément. Les progrès, on les a faits ensemble.*

— *Vous avez vite repris espoir ?*

— *Je n'ai jamais perdu espoir !*

— *Mais votre mari, les médecins, tout le monde pensait au début qu'il allait mourir puisqu'ils voulaient le débrancher, non ?*

— *Oui, mais les progrès sont arrivés assez vite. Au bout de quinze jours on a pu l'extuber car il respirait tout seul. Ensuite, il y a eu encore un mois et demi d'hospitalisation. Et puis ils m'ont proposé de l'envoyer à Garches dans un centre de rééducation.*

— *Il y est allé ?*

— *Non, je n'ai pas voulu. Je l'ai pris dans ma voiture pour rentrer à la maison. Je n'ai même pas voulu de leur ambulance ! Nous avons franchi ensemble toutes les étapes, lui et moi, rien que tous les deux.*

— *Et votre mari ?*

— *Nous avons divorcé. Nous avons habité un tout petit appartement.*

— Avec Victor et Amélie, c'est ça ?

— Oui aussi avec Victor et Amélie, mais ma mère les prenait souvent avec elle.

— Et après, comment ça s'est passé chez vous ?

— Un peu dur au début. Clément a mis quatre ans à s'en remettre. Mais aujourd'hui je suis fière de lui, il vit en Angleterre. Après avoir passé son bac et fait des études supérieures, il est maintenant expert en droit international. Il ne reparle plus de toute cette histoire et fait comme si rien ne s'était passé. Il a parfois du mal à se concentrer et peut avoir quelques faiblesses musculaires du côté droit quand il est fatigué, mais c'est tout. Il a une vie tout à fait normale. Je l'ai revu il y a peu de temps pour fêter ses trente et un ans.

— Je suppose que vous avez dû rester très proches ?

— Oui, mais je suis heureuse que nous soyons suffisamment détachés l'un de l'autre maintenant qu'il a toute son autonomie. Jusqu'à l'âge de vingt et un ans il se réveillait toutes les nuits en criant : « Maman, maman ! »

Cette histoire bouleversante montre bien que l'amour d'une mère est capable d'induire de véritables miracles puisque Clément est ressorti presque indemne d'un état clinique où il était considéré par les spécialistes comme un comateux irrécupérable.

Il faut aussi préciser au lecteur que les critères de débranchement d'un respirateur visant à arrêter une réanimation de ce genre étaient très aléatoires en 1984 ; ce n'est bien sûr plus le cas aujourd'hui grâce aux progrès considérables de cette spécialité.

En 1987, Yves-Alain Duranleau fit une NDE à la suite d'un grave accident d'automobile. Après cinq minutes d'arrêt cardiaque, il plongea dans un coma profond et les médecins-réanimateurs qui le traitaient ne pensaient pas le tirer d'affaire. Pourtant, contre toute attente et avec l'aide de sa mère, le jeune homme ouvrit les yeux au bout de soixante-quatorze jours de coma. Neuf ans plus tard, il a récupéré suffisamment de facultés mentales pour raconter son expérience dans un livre magnifique publié au Canada : *La Vie le rappelle à la Vie*. Son témoignage est très intéressant car il permet non seulement de comprendre l'importance de la relation affective pour optimiser la récupération et l'autonomie des comateux, mais aussi de savoir que quelles que soient les apparences un comateux est capable de percevoir les présences qui l'entourent.

Pendant soixante-quatorze jours, je fus plongé dans un état comateux, avec perte de sensibilité, de motricité et de conscience provoquée par diverses affections nerveuses. On dut pratiquer une trachéotomie afin que je respire de façon adéquate.

[...] On pense qu'un comateux est inconscient. Non. Il est dans un état différent de conscience. Sa perception est infiniment aiguisée. [...] La communication s'établit avec les comateux même s'ils demeurent inertes. Ils ne vous donnent aucun signe extérieur d'entendement. Ils perçoivent la qualité de votre présence, c'est pourquoi tout ce qui émane de vous est d'une extrême importance. Vous pouvez leur dire qu'ils ont toujours leur place parmi vous, que vous les aimez profondément. Souvenez-vous que, dans ce type de communication, c'est surtout l'intensité et la force de votre amour qui seront perçues. [...] Ceux qui sont réduits à l'état soi-disant végétatif captent tout à un niveau subtil de vibration. Vous êtes l'autre et il est vous ! Imaginez tout le réconfort que votre présence peut apporter ! [...] Ma mère s'adressait à moi de la même façon qu'elle le faisait quand j'étais ce garçon plein de vitalité, ce fils qu'elle a toujours connu et vu grandir. Je suis incapable, encore aujourd'hui, d'exprimer toute la richesse de cette communication alors que je végétais aux soins intensifs, mais je puis témoigner maintenant de son efficacité[1].

Il n'est pas nécessaire d'être un expert pour communiquer avec un comateux. N'importe qui

---

1. DURANLEAU Y.A., *La Vie le rappelle à la Vie*, éd. DyaD, Canada, 1996, pp. 19, 20, 21.

peut donner de l'amour dans ce genre de relation à condition d'être « vrai », sans faux-semblants, sans hypocrisie, et je dirais même sans pudeur ; il faut se comporter comme si le comateux était soi-même en se demandant comment nous aimerions être traités dans ce genre de situation. Aimerions-nous que l'on s'apitoie sur nous ? Que l'on pleure sur notre sort ? Que l'on n'ose même pas nous toucher ni nous parler ? Que l'on nous cache la vérité des sentiments ? Que l'on refuse de nous voir tels que nous sommes ? Que l'on nie la gravité de notre état en nous racontant des salades ? Non, sûrement pas, bien au contraire. L'honnêteté, l'humanité, la sincérité et l'acceptation sont les valeurs les plus efficaces pour apporter un peu de réconfort à celui ou celle qui est isolé dans le carcan de la peur induite par sa maladie. Et l'amour est le seul moteur qui puisse permettre d'utiliser ces valeurs.

Dans *Le Livre Tibétain de la Vie et de la Mort*, Sogyal Rinpoché, qui comme tous les bouddhistes envisage la mort comme un processus normal, écrit :

> *Vous pouvez procurer beaucoup de réconfort aux malades graves en leur prenant simplement la main, en les regardant dans les yeux, en les massant doucement, en les tenant dans vos bras ou bien en respirant doucement au même rythme qu'eux. Le corps a sa manière propre d'exprimer*

l'amour. Utilisez sans crainte son langage : vous apporterez aux mourants apaisement et réconfort[1].

Alexis Ambre n'a que quarante-deux ans lorsqu'elle est déclarée « cliniquement morte ». Trois heures et demie plus tard, son cœur recommence à battre alors qu'elles est sur le point d'être transférée à la morgue. Aujourd'hui, après cette NDE hors du commun racontée dans son étonnant récit autobiographique *Qui dit que la mort est une fin ?,* elle atteste comme tous les expérienceurs qu'il existe bien une survie de la conscience après la mort.

À propos du coma elle écrit :

Parlez aux personnes dans le coma, ne croyez pas qu'elles soient sourdes. N'ayez pas peur d'être ridicule devant un être absent à votre regard et silencieux à votre oreille. Parlez-lui avec gentillesse. Et vous, infirmières, n'intubez pas vos patients avec violence ni ne les piquez en pensant qu'ils ne sentent rien. Non seulement vous leur faites mal, mais ils entendent toutes vos pensées, vos peurs et vos règlements de comptes personnels, intimes, dont ils font souvent les frais. Si vous avez besoin de vous venger, faites comme

1. RINPOCHÉ S., *Le Livre Tibétain de la Vie et de la Mort,* nouvelle édition augmentée. éd. La Table Ronde, 2003, p. 325.

moi, râlez... dans le vide !... Quoique, un bon
coup de pied dans la porte, ça fait du bien[1].

Mathieu Blanchin est un homme qui se sou-
viendra toute sa vie du 21 avril 2002. Connaissant
l'intérêt que je porte à l'étude des comas, il m'a
très gentiment contacté pour me confier ce qu'il
avait vécu ce jour-là.

À l'époque, je n'avais que trente-sept ans et
j'étais en parfaite santé. C'était une journée d'avril
comme les autres, mis à part une migraine et
une douleur au niveau de la jambe gauche appa-
rues dans la matinée. Ensuite, tout est allé très
vite. Les maux de tête sont devenus si violents
et si intenses que mon hospitalisation s'imposa.
J'avais de plus en plus de mal à m'exprimer par
la parole et les médecins décidèrent de me faire
un scanner cérébral. Celui-ci montra une collec-
tion de sang qui avait le volume d'une grosse
orange au niveau du lobe temporal droit. Il fallait
m'opérer en urgence. À partir de là, je ne sais
plus très bien dans quel ordre se sont déroulées
les choses. On m'a opéré et j'ai fait vingt jours
de coma avant de me réveiller progressivement.
J'ai tout d'abord été accueilli par un collège
d'êtres lumineux et souriants. Ils me disaient

1. AMBRE A., *Qui dit que la mort est une fin ?*, éd. Clair de
Terre, 2005, p. 158.

que ce n'était pas le moment, que c'était pour plus tard et qu'il fallait que je retourne de là où je venais. Ils me parlaient par télépathie. Je ressentais un amour très puissant, très grand. En réalité quand j'étais dans le coma, je ne pensais pas être dans le coma car moi je voyais et j'entendais tout le monde. Je pouvais même lire les pensées ou l'état d'esprit de mes visiteurs. Je criais, mais ils ne m'entendaient absolument pas. Quelquefois, je les voyais bien avant qu'ils soient auprès de moi. Par exemple, je les voyais arriver par la porte principale de l'hôpital ou dans les couloirs. Ma fille, ma femme, mes amis : toutes ces visites me réconfortaient... Je pouvais lire la bonté des gens que j'aimais, leur qualité, leur « sourire intérieur ». Pour les gens qui venaient me soigner, c'était la même chose. La plupart étaient d'un formidable soutien car ils me considéraient comme une personne à part entière. À l'inverse, d'autres se comportaient avec moi comme de véritables tortionnaires. Je me souviens notamment d'un kiné qui me remuait comme un vulgaire paquet de viande. Celui-là, je peux vous dire qu'il n'était pas à sa place dans ce service. Dès qu'il commençait son travail, il n'avait qu'une seule hâte, finir au plus vite pour pouvoir rentrer chez lui ! Je savais ce qu'il pensait : pour lui, j'étais devenu complètement insensible à tout, alors inutile de prendre des gants pour me donner les soins qu'il avait à me *prodiguer. Il se trompait lourdement, mais je n'avais aucun moyen de lui faire comprendre son erreur. Pendant mon coma, je suis allé très loin. Je suis même allé au Canada et en Australie. Je sentais bien que je me déplaçais complètement nu au-dessus des routes, mais je ne voyais pas mon corps et je n'avais aucune sensation de chaud ou de froid. Simplement cette sensation physique de formidable déplacement. Je savais que j'étais au Canada car en suivant les voitures j'avais vu leurs plaques minéralogiques sur lesquelles on pouvait lire : « Québec ». J'ai pu vérifier ensuite la réalité de l'existence de ces plaques.*

LE CORPS SUBTIL DU COMATEUX

Dans le service de réanimation dans lequel je travaille, je reçois régulièrement les familles et les proches des comateux. Bien souvent, l'issue est incertaine et les malheureux n'ont qu'une crainte, qu'un désir, exprimé de façon récurrente toujours par la même phrase : « Au moins, docteur, faites qu'il (ou elle) ne souffre pas ! »

Je ne peux que les rassurer, car dans l'immense majorité des cas les comateux ne ressentent plus aucune douleur. Pour eux, la plupart du temps, c'est le trou noir et ils n'ont à leur réveil aucun souvenir de ce voyage si particulier. En revanche, tous ceux qui ont une expérience à raconter (moins de 8 % des comateux) décrivent un moment de béatitude extraordinaire jamais connu auparavant. Et si le retour est pénible avec la réapparition des souffrances corporelles, la période de coma à proprement parler est ressentie comme un moment très agréable.

En fait, tout se passe comme si le comateux était un corps physique relié par un lien à un corps subtil situé à distance. Si on a ce schéma dans la tête, on sait comment se comporter face à un comateux.

Il ne faut pas être trop impressionné par le corps physique souvent mutilé ou transformé par des blessures, des hématomes ou des gonflements. Le véritable corps : le corps subtil – qui est l'entité profonde qui constitue chacun d'entre nous –, est ailleurs, intact et bien présent, surtout au moment des visites.

Après une période prolongée de coma, le patient peut se réveiller sans séquelle, mais aussi parfois avec une personnalité totalement modifiée. Certaines métamorphoses sont si flagrantes que l'entourage peut penser avoir affaire à un inconnu. Dans ces cas-là, le comateux émerge de sa période d'inconscience sans rien reconnaître de son ancienne vie tandis que ses proches, ses amis, sa famille, voire même son conjoint ou ses enfants sont devenus à ses yeux de véritables étrangers. Le corps médical parle alors d'amnésie postraumatique. Un praticien de médecine tibétaine, Sergui Thigou, suggère que, dans ces circonstances, un nouveau corps subtil occupe le corps physique de l'ancien comateux. Il faut bien se rendre à l'évidence, en toute objectivité et compte tenu de nos connaissances actuelles, rien ne permet aujourd'hui de contredire cette surprenante hypothèse.

Ce chercheur a étudié les victimes de troubles comportementaux graves qu'il a regroupés sous l'appellation de « syndrome des personnalités multiples ». Selon lui, lorsque cesse un coma, ce n'est pas obligatoirement le même être qui réintègre le corps physique. Dans son livre *La Violence faite à l'esprit*, Sergui Thigou raconte l'histoire d'un patient qui à la sortie d'un coma de trois jours ne reconnaît ni sa mère, ni son père, ni l'infirmière et le médecin qui le soignent. Arrivé chez lui, il demande où sont les toilettes et la salle de bains de la maison. Sa famille apprend à l'« étranger » une histoire qu'il n'a jamais vécue et qui n'est donc pas la sienne. La substitution est bien sûr niée par la médecine qui préfère botter en touche en assimilant ce « dérèglement » de la personnalité à un dysfonctionnement biochimique du cerveau de cause inconnue... À propos des anesthésies générales qui ne sont en fait que des comas chimiques réversibles, cet auteur écrit :

Si l'anesthésie fait décoller les corps subtils en douceur, l'accident (induisant un coma) provoque une fracture énergétique facilitant non seulement le décollage mais aussi le décrochage. Les deux situations, bien que sur des modes différents, sont donc propices à la pénétration de personnes subsidiaires[1].

Le lien qui relie le corps subtil au corps matériel – appelé « cordon d'argent » par les spirites – est plus ou moins fin, plus ou moins solide en fonction des pathologies, et il suffit parfois de très peu de chose pour le rompre.

Si la principale préoccupation du médecin est de consolider ce cordon pour que le corps matériel poursuive une vie animée, il arrive dans certaines circonstances que la rupture soit plus que souhaitable. La réanimation excessive maintenant une vie artificielle à tout prix avec une issue fatale certaine est condamnable et préjudiciable pour tout le monde ; d'abord pour le patient lui-même, bien sûr, mais aussi pour son entourage, sa famille, ses amis et pour l'équipe soignante tout entière.

---

1. THIGOU S., *La Violence faite à l'esprit*, éd. Qetzal podi, 2002, p. 138.

L'ACHARNEMENT AFFECTIF

Mais l'acharnement thérapeutique n'est pas le seul écueil au départ du comateux. Il peut exister également une attitude de l'entourage du patient en fin de vie qui est tout aussi préjudiciable et que j'appelle « l'acharnement affectif ». Ce comportement qui consiste à vouloir retenir à tout prix l'être aimé près de soi dans une sorte d'amour possessif peut empêcher l'entité subtile de se dégager du corps matériel.

Lorsqu'il n'existe plus aucun espoir de retour à une vie terrestre, il faut savoir couper le cordon en donnant à nos proches l'autorisation de monter vers la Lumière. Cette autorisation doit se donner avec amour et compréhension en se débarrassant de toute pensée égoïste. Oui, je dis bien égoïste, car lorsque nos amours s'en vont, c'est sur nous que nous pleurons, pas sur eux. Cette réflexion est valable même pour ceux qui ne croient pas à l'existence d'une vie après la mort car ils peuvent dans ce cas rejoindre le point de vue minimaliste d'Épicure au sujet de la mort :

> *Ainsi la mort n'est rien pour nous, puisque lorsque nous existons, la mort n'est pas là et lorsque la mort est là, nous n'existons pas. Donc la mort n'est rien pour ceux qui sont en vie, puisqu'elle n'a pas d'existence pour eux, et elle*

n'est rien pour les morts puisqu'ils n'existent plus[1].

J'ai dirigé récemment une thèse de doctorat en médecine[2] sur les NDE et l'étudiant avait choisi de mettre en exergue cette pensée philosophique dénuée de toute spiritualité. Cette démarche est toujours bien vue lorsque l'on veut traiter un pareil sujet devant un jury scientifique, surtout si celui-ci est exclusivement composé de médecins !

J'ai eu un jour une conversation dans mon bureau avec une femme d'une quarantaine d'années qui ne comprenait pas pourquoi son père refusait de mourir. Le malheureux était dans un coma profond au-delà de toute ressource thérapeutique depuis un bon mois et il ne restait plus qu'à attendre son départ pour le grand voyage. Un départ qui, en l'occurrence, tardait à arriver.

Sa fille lui rendait visite chaque jour et passait son temps à pleurer toutes les larmes de son corps à son chevet. Je lui ai recommandé d'aller dire à son père qu'elle comprenait que la fin de sa vie était arrivée et qu'il ne fallait plus montrer de tristesse en sa présence. Elle parut surprise

---

1. PENISSON P., "Lettres à Ménécée" dans Épicure – Texte sur le plaisir, éd. Hatier, 1984, p. 46.
2. QUEVAREC E. : « Données médicales sur les NDE (Near Death Experience) et apport à la description des derniers instants de vie ». Thèse de doctorat en médecine soutenue le 6 juillet 2007 à l'hôpital Bichat de Paris.

de mes propos et roula de gros yeux ronds en m'écoutant sans rien dire.

Mais pourtant, elle revint me voir très rapidement pour me féliciter du conseil que je lui avais donné :

Vous savez, docteur, j'ai suivi vos instructions ; j'ai fait exactement ce que vous m'aviez dit de faire et ça a marché. Papa est mort tout de suite après avoir entendu ce que j'avais à lui dire. Juste avant de mourir, je lui tenais la main et il a serré la mienne, alors qu'il ne bougeait plus rien depuis bien longtemps. Je suis sûre qu'il m'a entendue. Vous aviez raison. Je ne sais pas comment je pourrais vous remercier.

Mme Thibon est la présidente d'une association d'aide aux personnes en deuil, Le Chaînon des deux Mondes, située à Aix-en-Provence. Avant que je fasse ma conférence sur les NDE, elle m'invita à déjeuner et me raconta son histoire avec beaucoup d'émotion. Le hasard n'existant pas, sans savoir pourquoi, je lui avais exposé brièvement ma conception de la prise en charge des comateux et ma définition personnelle de l'acharnement affectif. Je m'empressai de noter sur une serviette en papier les détails de son émouvant témoignage. Sa fille Isabelle était décédée depuis plus de dix ans, emportée rapidement par la même maladie qui avait tué son mari quelques années plus tôt :

un glioblastome, une des tumeurs les plus redoutables du cerveau. Après une opération réussie en 1998, Isabelle sombra dans un coma profond le 2 août 1999. Les médecins firent part à sa mère du caractère irréversible du coma. Dix jours plus tard, comprenant que la vie terrestre de sa fille s'achevait, la maman résolue vint à son chevet et lui dit : « Je te donne la permission de monter. Va rejoindre papa et dis-moi comme c'est bien là-haut. » Aussitôt, Isabelle ouvrit les yeux, tourna son regard vers celui de sa mère et lui sourit avant de pousser un dernier souffle de vie. Dès le lendemain, Mme Thibon put entendre une voix lui dire : « Maman, prends un crayon ! » Elle recueillit alors un formidable message d'espoir en écriture inspirée : « Maman, ma vie sera désormais plus belle qu'avant. Je suis au pays des fées comme tu me le disais. J'ai retrouvé papa. Priez pour nous. Vos prières nous font du bien. »

*

Le Dr Bernie Siegel, chirurgien et enseignant à l'université de Yale, s'est imposé en tant que pionnier de la médecine du corps/esprit. Il a comme moi remarqué dans le cadre de son exercice professionnel l'importance déterminante de l'acharnement affectif. Dans l'un de ses livres, il écrit à propos d'une patiente plongée dans un coma profond :

Je parle aux comateux pour les tenir informés de leur état. Un jour, j'ai dit à une femme, dans le coma depuis trois mois sans le moindre signe d'amélioration, que sa famille lui donnait la permission de mourir si elle le désirait, et qu'en s'en allant elle ne faillirait pas à son rôle de mère. J'ajoutai qu'elle serait regrettée mais que rien ne l'empêchait de s'abandonner. Elle mourut en un quart d'heure[1].

Yves-Alain Duranleau nous fait passer le même message dans son livre.

Auprès d'un malade, d'un agonisant, rejoignez cet état de calme profond qui cimentera toute la qualité de communication non verbale entre vous et l'autre. Il favorisera son rétablissement ou son passage dans l'autre dimension. Si vous saviez à quel point c'est grandiose ! Je sais, maintenant, qu'on peut retenir indûment quelqu'un qui est prêt pour le grand passage. [...] Retenez simplement que ces victimes auront besoin de votre force intérieure et non de vos lamentations. Si vous manquez de confiance, demandez-la en pensée et elle vous sera donnée spontanément[2].

1. SIEGEL B., *L'Amour, la Médecine et les Miracles*, éd. J'ai lu, 2004, p. 74.
2. DURANLEAU Y.-A., *La vie le rappelle à la vie.*, *op. cit.*, pp. 24-25.

Pour ma part, il m'arrive souvent d'avoir la même démarche que celle de mon confrère Bernie Siegel. Lorsque l'un de mes patients est dans le coma et que je sais qu'il n'y a plus aucun espoir de guérison, je vais auprès de lui pour faciliter son départ. Cela se passe très simplement. Je serre sa main dans la mienne ou je touche son corps ; ce peut être son avant-bras ou son thorax, quelquefois son front, mais j'éprouve le besoin de ce contact physique pour avoir une relation télépathique avec lui. Ensuite, j'essaye de me détendre le plus possible en respirant calmement et profondément. Je ferme les yeux et j'imagine une grande sphère d'énergie et d'amour qui nous entoure tous les deux. Je visualise une couleur spéciale qui m'évoque la liberté ; ce peut être un beau bleu lumineux, un vert pastel très clair ou encore un blanc teinté de violet, et lorsque cette boule s'est formée et nous englobe, je donne au patient la permission de monter ; je demande à son entité de se dégager du corps terrestre pour rejoindre l'au-delà en m'adressant à Marie, la mère de Jésus. En fait, je prie. Je prie sans réciter de prière. Je prie à ma façon, sans parler ni prononcer dans ma tête la moindre parole. Tout se passe par la pensée. Des pensées sans phrase et sans mot. Je prie Marie. En général, le résultat de ma prière ne se fait pas attendre bien longtemps ; dans les minutes ou les heures qui suivent, le patient enfin libéré quitte pour toujours son enveloppe corporelle.

Marylène Coulombe est médium. À propos de la séparation qui survient au moment de la mort, elle écrit :

Il faut comprendre que nous pouvons crier, hurler, pleurer, mais il faut aussi comprendre, et cela est très important pour leur évolution, que nous devons les laisser aller vers la lumière. Il est même souhaitable de les aider à s'élever vers cette lumière, par nos prières. Souvent, ce sont nos pleurs et nos paroles qui empêchent ces esprits d'évoluer. Plus ces esprits nous verront apprendre à vivre sans leur présence physique, plus il sera facile pour eux d'évoluer. Ces esprits savent bien que vous ne les oublierez jamais. Le plus beau cadeau que vous pouvez vous faire et le plus beau cadeau que vous pouvez leur faire est l'acceptation. L'acceptation de leur départ, tout en sachant qu'un jour vous serez réunis. Pensez qu'ils vous attendent et qu'au moment de votre départ ce seront eux qui vous escorteront dans le tunnel de lumière[1].

LES MALADES MENTAUX

On me demande quelquefois ce qu'il faut penser des malades psychiatriques, par exemple des

1. COULOMBE M. *Les morts nous donnent signe de vie.*, éd. Edimag, Canada, 2005, p. 31.

patients atteints de la maladie d'Alzheimer. Ceux qui me posent ce genre de questions veulent prendre à défaut le concept que je propose, à savoir celui d'une entité subtile habitant un « véhicule » terrestre.

Je me souviens notamment d'un débat radiophonique où mon contradicteur zététitien[1] essayait de tourner en ridicule mes propos :

Vous dites, docteur Charbonier, que l'entité subtile qui habite notre corps de matière représente notre personnalité profonde. Vous ne pouvez pas nier que certaines fois, cette « entité subtile », comme vous dites, puisse se dérégler de façon singulière en devenant complètement débile ou Alzheimer. Dans ce cas, la personnalité profonde en prend un sérieux coup, non ?... et votre belle théorie aussi par la même occasion !

J'avais répondu à ce monsieur qu'il fallait considérer les patients atteints de maladies mentales de la même façon que les comateux. Leur entité subtile s'est déjà détachée de leur corps physique et un simple cordon relie les deux corps. En revanche, à leur départ, lorsque le cordon est définitivement rompu et que l'entité subtile est

---

1. Zététitien : adepte de la zététique, qui est une discipline fondée par Henri Broch, professeur de physique, dans les années 1980. Ce mouvement de pensée propose d'apporter des réponses rationnelles à tous les phénomènes dits paranormaux.

complètement dégagée, la personnalité recouvre la pleine possession de sa conscience.

La maladie d'Alzheimer n'existe pas dans l'au-delà.

Il faut reconnaître que je n'apprécie guère l'attitude psychorigide des zététitiens qui affichent délibérément un profond mépris pour tout ce qui touche au paranormal et au spirituel. J'ai d'ailleurs déjà eu l'occasion de traiter l'un d'entre eux de « terroriste intellectuel » sur un plateau-télé ! L'émission a été diffusée plusieurs fois. Il faut croire que les médias adorent les polémiques stériles...

LA TÉLÉPATHIE CHEZ LE COMATEUX

S'il est aujourd'hui classique de dire que les personnes qui ont eu une expérience de mort imminente ont été capables de deviner les pensées de leur réanimateur ou de leur chirurgien, et cela de façon très précise[1], il est moins courant d'admettre une perception télépathique non pas dans le sens du soignant vers le soigné mais plutôt du patient vers celui qui lui prodigue les soins.

Dans ma pratique professionnelle, il m'est arrivé à plusieurs reprises d'avoir ce type de commu-

---

1. MAURER D., *Les Expériences de mort imminente*. éd. du Rocher, 2005, p. 129.

nication. Par exemple une idée obsédante m'a amené à effectuer sur un comateux des gestes de réanimation que mon entourage professionnel jugeait alors inutiles ou déplacés et qui pourtant avaient un sens. La patiente dont la vie a été ainsi sauvée m'a confirmé ensuite qu'elle tentait bien de me transmettre le « message » qui m'obsédait.

Une autre personne, qui était pourtant en coma dépassé, et donc incapable de communiquer la moindre information par les moyens classiques, m'a demandé de fouiller dans son portefeuille dans lequel se trouvait un papier très important pour la suite de sa réanimation. Et comme l'on peut facilement l'imaginer, sans cette transmission de pensée, il ne me serait jamais venu à l'idée d'aller fouiller dans le portefeuille d'un comateux[1] !

Yves-Alain Duranleau a également été capable de communiquer par télépathie avec ses visiteurs et avec sa mère au cours de sa longue période de coma. Dans son ouvrage, il nous dit avoir été sensible aux pensées positives d'amour mais aussi à d'autres beaucoup plus négatives émanant tristesse ou désespoir. Il avait la sensation d'être « un énorme buvard qui absorbait les émotions des autres ». Il assimile cette faculté de communication particulière à un « échange vibratoire » très

---

1. CHARBONIER J.-J., *L'après-vie existe*. CLC Éditions, 2006, pp. 158-163.

performant ; bien plus performant que n'importe quel système de communication dans la réception mais aussi dans l'émission de messages.

La communication est quelque chose de beaucoup plus vaste que ce que nos centres de perception peuvent traduire habituellement. On émet et on reçoit plus que les mots, les gestes ou le regard. [...] J'insiste sur la richesse insoupçonnée de la communication non verbale également par reconnaissance pour le personnel médical du centre hospitalier universitaire de Sherbrooke qui avait l'expérience consciente de cette communication[1].

De nombreuses personnes m'ont contacté pour me dire qu'elles avaient eu, elles aussi, ce genre d'expérience télépathique avec des comateux.

Comme Nicole, cette infirmière de réanimation qui n'avait aucune raison d'aller soulever la fesse gauche d'un comateux qui venait de bénéficier des soins de nursing. Le geste qu'elle qualifie elle-même d'obsédant lui a permis de retrouver un objet contondant qui blessait le malade. Nicole ne sait toujours pas ce qui l'a motivée à effectuer cette manœuvre de soulèvement, totalement illogique compte tenu des circonstances.

1. DURANLEAU Y.-A., *La vie le rappelle à la Vie.*, *op. cit.*, pp. 24, 25.

Grit Van Milleghem a été mariée à un Toulousain. Séparée, elle vit aujourd'hui au Portugal avec un dentiste et exerce sa médiumnité bénévolement pour, dit-elle, « rendre service aux gens ». Un jour, elle se trouve auprès d'une patiente plongée dans le coma depuis plusieurs mois. La fille de la comateuse tient absolument que Grit donne son avis sur l'avenir de sa maman. La médium reçoit des informations télépathiques : les pieds de la patiente sont en train de geler. L'infirmière soutient que non, puisque en faisant sa toilette il y a très peu de temps on n'avait rien remarqué de particulier à ce niveau. Mais Grit insiste, la comateuse a très froid aux pieds et tient à ce que cela se sache. On vérifie et… oui, les deux pieds sont glacés et nécessitent des soins urgents de réchauffement. Grit reçoit aussi un autre message de la comateuse : la mamie veut réunir tous les hommes de sa famille avant de partir pour l'au-delà. Après la « démonstration des pieds froids », l'entourage prend très au sérieux l'information télépathique reçue par la médium et parvient tant bien que mal à rassembler tous les sujets masculins de la famille. La comateuse décède immédiatement après cette belle réunion.

J'ai aussi reçu beaucoup de courrier dans ce sens. En voici quelques extraits.

Cher Monsieur,

Ayant écouté hier, par le plus grand des hasards, la poignante émission de radio vous interviewant et faisant état de vos expériences auprès des comateux, c'est avec une certaine émotion que je veux vous faire part de ma courte mais intense expérience personnelle. J'ai eu la douloureuse épreuve de perdre mon épouse Corinne, en septembre 2004, des suites d'un cancer du col de l'utérus ; j'ai eu à l'accompagner en fin de vie, à la maison et dans un stade comateux pendant les derniers jours. Or, j'ai découvert à ce stade qu'elle pouvait communiquer avec nous, en clignant des yeux, en réponse à nos questions faites mentalement et non à haute voix. Sa maman qui était présente a pu, elle aussi, constater le phénomène. Elle était pourtant au départ tout à fait réfractaire à cette possibilité. Deux autres femmes, sentimentalement très proches d'elle, ont également pu communiquer avec mon épouse de cette façon, et peuvent attester qu'il ne s'agissait pas d'une hallucination.

Ce fut une expérience très forte, bien au-delà de ce que les mots peuvent apporter.

Bien à vous.

Dr Lechevalier

[…] et lorsque je suis passée près du box de ce patient, dont je n'avais pas à m'occuper puisque

c'était un des patients de ma collègue, quelque chose me dit d'y entrer. C'était comme un appel. Il fallait que j'y aille, c'était impératif. En fait, je me suis aperçue que la voie centrale était débranchée et que de l'air s'engouffrait dedans. Si je n'étais pas entrée dans le box, le patient serait mort d'une embolie gazeuse. Je pense qu'il m'a appelée par télépathie.

Sandrine, infirmière de nuit en réanimation

Quand Guillaume a eu son accident, les gendarmes ont déclaré qu'il roulait très très vite et qu'il avait fait plusieurs tonneaux ; de plus, nous ne comprenions pas pourquoi il se trouvait à cet endroit. Mon fils était dans le coma, avec un gravissime traumatisme crânien ; un matin, après une nuit d'insomnie, j'ai su ce qui s'était réellement passé. Les gendarmes n'ont pu que constater que j'avais raison et ont modifié le P-V d'accident, ce qui est, paraît-il, très rare. Comment ai-je su ?

Aujourd'hui, je suis persuadée que c'est Guillaume qui me l'a dit par télépathie. J'espère que votre livre va faire avancer les choses et provoquer une prise de conscience chez les médecins et les scientifiques.

Romy Bec

*

Le témoignage d'André recueilli par Jean Morzelle, est édifiant. Soumis simultanément à un courant électrique continu de 4 000 volts sous une intensité de 5 ampères et à un courant alternatif de 220 volts sous 10 ampères, André vit une NDE sous l'effet de l'électrocution et parvint, malgré la profondeur de son coma, à avertir son collègue de travail par télépathie pour l'arracher à la mort. Il raconte :

Par une sorte de télépathie indéfinissable selon les critères que je connais, j'ai demandé par la pensée à Marc d'appuyer sur le bouton d'arrêt d'urgence. Il s'est exécuté immédiatement et tout s'est arrêté.

Après coup, Marc m'expliquera avoir eu une réaction instantanée, instinctive, engendrée par un fort pressentiment. « Je l'ai fait, dit-il, car j'ai senti qu'un phénomène anormal se produisait. Aussi, je devais arrêter impérativement le fonctionnement de la machine[1] ! »

Il existe aussi quelques cas troublants où les phénomènes télépathiques permettent de connaître ce que ressent une personne au moment du « passage » comme le montre cet e-mail qui m'a été adressé par Noëlle Durand (outre-vie@orange.fr) :

---

1. MORZELLE J., *Tout commence… après. – Mes rencontres avec l'au-delà*, CLC Éditions, 2007, p. 75.

Ce que je vous rapporte aujourd'hui date de l'année 1992. Cette année-là, ma mère est morte dans une clinique. Elle souffrait d'un cancer du foie. Ses dernières heures furent passées sous morphine et durant ses tout derniers moments j'étais auprès d'elle, à côté de son lit, lui tenant la main, plongée dans un grand désarroi. À un moment donné, j'ai demandé mentalement mais très profondément : où es-tu maman ? Où es-tu ? La réponse n'a pas tardé à venir. En une fraction de seconde je me suis trouvée projetée dans une sorte débrouillard très très dense et un bruit bizarre comme un bourdonnement incessant et inquiétant a attiré mon attention. J'ai compris que ce son était maman qui se heurtait à ce brouillard et qui était complètement affolée. Il a été très difficile de l'attraper car je ne possédais plus de bras, mais je réussis quand même à l'arrêter et à la transporter car au-dessus de moi dans le brouillard j'avais aperçu une trouée lumineuse et je savais qu'il fallait que maman aille par-là. Après quelques tentatives très pénibles, j'avais réussi à montrer et à faire comprendre à maman la voie à suivre, mais quelle surprise j'ai du affronter : maman ne voulait pas partir par là ! Elle voulait rester... À ce moment là est intervenue une « Grande Sagesse » qui m'a fait comprendre que je ne pouvais rien faire de plus et qu'il fallait que je redescende dans mon corps. J'ai coupé net le contact avec maman. Elle est *décédée quelques heures plus tard. Je me pose la question sans vraiment me la poser : était-elle déjà morte lorsque je l'ai rencontrée dans le brouillard ? Le plus étrange pour moi est que je suis persuadée que je lui ai ouvert la voie. J'envoie ce message de réconfort et de paix pour ce qui est peut-être l'au-delà.*

*

Le Dr Jean-Pierre Postel est chef de service d'anesthésie réanimation au centre hospitalier de Sarlat en Dordogne. Intéressé par mes recherches sur les possibilités télépathiques chez les comateux, il prit contact avec moi par mail pour me faire part de son expérience. J'appris dans son courrier que mon confrère de cinquante-huit ans a pratiqué pendant de longues années l'anesthésie-réanimation néonatale et pédiatrique et qu'il a eu l'occasion de traiter de nombreux cas de victimes de traumatismes crâniens graves. Durant cette période passée au contact de ses très jeunes patients, « une multitude de petits indices » lui ont prouvé « l'existence de ce que les Anciens ont nommé "âme" », m'écrit-il encore. Je m'empressai donc de lui téléphoner.

Le récit qu'il me fit de la mort de son père me remplit de joie : son épouse, son fils et lui-même ont eu le privilège d'assister en direct au départ de l'âme de l'être qu'ils chérissaient. Tous les trois ont eu en même temps la même « perception ». Une perception non pas de fin de vie mais de début... le début d'une autre vie ! Quel magnifique cadeau !

— *Dans votre courrier, vous me parlez d'une expérience particulière dans les domaines qui m'intéressent. Vous pouvez m'en dire plus à ce sujet ? lui demandai-je prudemment.*
— *Oui, bien sûr. Mon père est mort au bout de trois jours de coma suite à un sepsis[1] sur une péritonite par perforation colique. Il avait quatre-vingt-quatre ans, souffrait d'un Parkinson invalidant et, compte tenu du contexte, on avait décidé de le calmer en ne faisant qu'un traitement palliatif.*
— *Je comprends, c'est tout à fait logique.*
— *Nous avons vécu avec mon grand fils une première expérience étrange dans le box de réanimation de mon père.*
— *Votre fils qui est étudiant infirmier, c'est ça ?*
— *Oui, c'est ça, celui dont je vous avais parlé dans mon e-mail. Il est assez rationnel mais aussi très ouvert... en tout cas suffisamment ouvert pour accepter ce que nous avons vécu ensemble. Donc, nous étions tous les deux près de mon père lorsque les aiguilles de la pendule accrochée au mur se sont mises à tourner à toute vitesse et ensuite elles se sont replacées toutes seules en position normale*

---

1. Infection généralisée d'origine bactérienne.

pour indiquer une heure correcte. Je ne sais pas du tout comment ce phénomène a pu se produire ni pourquoi il s'est produit, mais en tout cas nous étions deux à avoir vu la même chose.

— C'était le jour de son décès ?

— Non, c'était bien avant. Deux jours avant, en fait.

— Vous m'avez aussi précisé que votre épouse est médecin. Que pense-t-elle de cette histoire d'aiguilles qui tournent ?

— Elle est comme nous, elle s'interroge. Elle n'était pas là au moment où ça s'est passé, mais elle ne doute pas de ce qu'on a vu. D'autant plus que ce qui est arrivé après est encore plus surprenant.

— C'est-à-dire ?

— La veille de la mort de mon père, j'étais au niveau de sa tête avec ma main posée sur son thorax, ma femme était à ses pieds et mon fils sur sa gauche lui tenait la main. Nous avons tous les trois vécu la même expérience. Un halot vaporeux s'est élevé au-dessus de mon père. C'était comme une sorte de brouillard qui devenait de plus en plus épais.

— Ce... brouillard, comme vous dites, vous aviez l'impression qu'il était relié au corps de votre père ou bien était-il totalement dissocié de lui ?

— On avait plutôt l'impression qu'il sortait du corps de mon père et que c'était son âme...

— Il sortait par la tête ou par un endroit précis de son anatomie ?

— Je ne saurais pas vous dire... Non, il sortait de l'ensemble de son corps et prédominait au niveau du haut de son corps.

— Il a persisté longtemps ?

— Le temps de nous faire voir une sorte de film. Un film que nous avons vu tous les trois. C'était tellement incroyable que si j'avais été seul à vivre ça, je crois bien que j'aurais pensé avoir été victime d'une hallucination... Un tunnel s'est dessiné devant nous. Dans ce tunnel on pouvait très bien distinguer la silhouette de mon père. Il semblait hésiter à avancer vers la lumière qui était au fond du tunnel. Je lui ai dit : « Ne crains rien, avance ! » Ce tunnel était magnifique. Il était composé d'anneaux bleus, un bleu opalin, couleur lavande, tandis que mon père apparaissait en bleu foncé. Ensuite mon père, après avoir un peu hésité, s'est enfoncé dans le tunnel avant de disparaître complètement dans la lumière. C'est à ce moment-là que son âme l'a définitivement quitté.

— Mais il n'est pas mort à cet instant précis, c'est bien ça ?

— Il n'a été déclaré mort que le lendemain car son cœur battait encore, très faiblement mais il battait toujours. Mais nous sommes tous les trois persuadés que son âme est partie bien avant la constatation du décès, c'est-à-dire au moment de cette fameuse expérience.

— Vous étiez tous les trois dans trois positions différentes autour du corps de votre père : vous à *sa tête, votre femme à ses pieds et votre fils sur sa gauche, c'est bien ça ?*

— Oui, c'est exact.

— Ce tunnel, il est apparu au même endroit pour vous trois ? Vous l'avez situé où exactement : en face de vous, au plafond, vers le bas, sur le côté ?

— Impossible à dire. C'était une perception, vous comprenez. Cela n'a rien à voir avec la projection d'un film dans un espace donné. On vivait la scène comme si on était nous-mêmes dans le film tout en étant spectateur.

J'étais stupéfié. À ma connaissance, c'était la première fois que trois témoins étaient capables de décrire le départ d'un proche en l'accompagnant aussi loin dans sa « Death Expérience » sans être eux-mêmes dans une véritable situation de NDE. Au moment des faits, les trois témoins-expérienceurs étaient vraisemblablement dans un état de conscience modifié atteint grâce à une forte complicité spirituelle et affective. Mon confrère m'avait dit que son grand fils était réceptif à ce genre d'événement – puisqu'il avait déjà accepté l'histoire des aiguilles de la pendule –, tandis que son épouse médecin, en tant que spécialiste en homéopathie et acupuncture, devait avoir une ouverture d'esprit suffisante pour intégrer des phénomènes inexplicables par les sciences traditionnelles. Mais j'avais envie d'en savoir d'avantage au sujet de ses expériences professionnelles

102

décrites dans son courrier comme « une multitude de petits indices prouvant l'existence de l'âme ».

— *À ce moment-là, j'étais plus jeune, me dit-il. Je me souciais peu de tous ces phénomènes en rapport avec la spiritualité. C'est dommage, je suis sans doute passé à côté de bon nombre d'expériences intéressantes.*

— *Des expériences de sortie de corps chez les enfants ?*

— *Oui, c'est ça. En réalité, je n'ai rien visualisé au moment des décès, mais j'ai souvent ressenti cette sensation particulière de départ de l'âme comme un moment de grande sérénité, un calme absolu ; même s'il y avait beaucoup d'agitation autour de moi, ce grand calme m'envahissait. Cette agitation était motivée par l'urgence des manœuvres de réanimation à entreprendre ; vous savez bien comment ça se passe quand un jeune cœur s'arrête de battre : c'est l'affolement général, tout le monde court, les alarmes sonnent...*

— *Vous avez eu des relations télépathiques avec des enfants comateux ?*

— *Non, pas vraiment. Mais je suis certain qu'une présence aimante peut influencer le pronostic d'un comateux.*

— *Vous pouvez me donner un exemple ?*

— *Mon épouse a eu un problème grave après l'accouchement de notre petit dernier, Simon, qui a aujourd'hui dix ans et qui est en parfaite santé.*

103

Elle a fait une CIVD[1] et on a dû la césariser en urgence. Simon est donc né prématurément et son pronostic de vie était très réservé. Chaque fois que j'étais près de lui, son état clinique s'améliorait. Je suis sûr que c'est moi qui lui insufflais mon énergie. J'imaginais une étoile de David au-dessus de lui et cette étoile déversait sur son petit corps un torrent d'énergie. Peu à peu, avec beaucoup de patience et d'amour, il est revenu à la vie.

Je remercie le Dr Postel qui a eu le courage de me confier son magnifique témoignage sans être protégé par l'anonymat.

Un autre médecin-anesthésiste m'a fait part de son expérience, mais il refuse d'être identifié. Il m'autorise quand même à publier ce qui lui est arrivé lors de la réanimation d'une jeune femme atteinte d'une leucémie.

Cela faisait bien vingt minutes que l'on se relayait pour son massage cardiaque. Au troisième électrochoc, j'ai entendu : « S'il vous plaît, laissez-moi, je veux m'en aller ! » Je n'ai pas tenu compte de cet appel. J'en étais à ma trentième heure de garde et j'ai pensé que ma fatigue devait commencer à me jouer des tours. Mais au

1. CIVD : coagulation intra vasculaire disséminée ; maladie sanguine pouvant survenir pendant la grossesse et aboutissant à des hémorragies cataclysmiques.

quatrième électrochoc, j'ai de nouveau entendu la même chose : « Je vous en prie, ayez pitié de moi, laissez-moi m'en aller ! » Alors là, j'étais sûr, je n'avais pas halluciné. J'ai demandé aux autres s'ils avaient dit ou entendu quelque chose. J'étais le seul. Alors j'ai tout arrêté et après avoir constaté son décès, j'ai entendu une dernière fois la voix qui me disait : « Merci ! »

Le témoignage de cette lectrice, Florence Combeau, qui m'écrit pour me dire qu'elle a vécu en direct le décès de sa grand-mère et de son frère confirme que certains états de conscience modifiés permettent de rentrer en connexion avec l'au-delà :

Au moment de mes expériences, j'étais bien vivante et consciente, je n'étais pas dans un bloc opératoire, je n'étais pas dans le coma, je n'ai pas eu d'accident particulier, j'étais saine de corps et d'esprit (comme maintenant d'ailleurs...). Au moment du décès de ma grand-mère, j'ai eu une sensation de froid dans tout mon corps, je suis passée dans un tunnel noir, très noir et j'ai vu une merveilleuse lumière que j'ai ensuite essayé de chercher sur Terre, mais que je n'ai jamais retrouvée. Puis je me suis sentie enveloppée d'une chaleur légère et flottante. Ma grand-mère s'est retournée et m'a dit : « Ne me suis pas, tu as ta vie à faire et moi j'ai la mienne, je te protégerai. » J'insistai pour monter avec elle. Elle refusa et m'ordonna de descendre et là j'ai compris que l'on était bien là-haut, qu'il y avait une vie plus légère, plus tranquille, sans aucun souci. Il y avait du monde, ils étaient tous en blanc, c'était merveilleux. La même chose s'est produite quand j'ai perdu mon frère dans un accident de voiture. J'ai revu ma grand-mère les bras ouverts tandis que mon frère montait. Mon corps a flotté un instant au-dessus de lui au moment où il est parti. Je n'avais envie que d'une seule chose : mourir pour aller les rejoindre.

À présent je suis convaincue qu'il y a bien un au-delà. Je me dis que la vie sur Terre est un enfer et que là-haut c'est le paradis, mais nous devons en passer par là. Nous devons faire preuve d'humanité et de sagesse pour ne pas revenir.

Nous venons de voir que Florence a pu vivre à deux reprises le départ d'êtres chers lors d'états modifiés de conscience. Ces états particuliers de connexion avec l'au-delà peuvent aussi avoir lieu sous forme de rêve.

Odette Barat nous raconte dans un de ses livres le rêve prémonitoire de son mari qui, pendant son sommeil, voit sa mère qui annonce qu'elle ne partagera pas le prochain repas avec lui comme convenu. Auprès d'elle se tiennent le père et le frère de M. Barat, tous deux décédés depuis quelques années à l'âge de quatre-vingt-six et cinquante-cinq ans. Ils paraissent jeunes et beaux, y compris son frère qui était de son vivant terriblement obèse : au contraire, dans ce rêve, il est mince et resplendissant. Les trois visages sont souriants, heureux et bienveillants. Choqué par cette vision, le mari d'Odette raconte son rêve à son épouse dès son réveil à 6 heures du matin. Quelques heures plus tard, des gendarmes se présentent chez eux pour annoncer le décès de la maman de M. Barat survenu à 2 heures du matin. Odette Barat écrit :

Donc, au moment du rêve à 6 heures, lorsque mon mari a vu sa mère, elle était déjà décédée depuis quatre heures et le savait [...] Nos défunts ont appelé télépathiquement mon mari pour lui faire part de la nouvelle et lui, médium, a immédiatement capté ce message[1].

La communication télépathique du comateux ou de celui qui part pour toujours peut arriver à n'importe quel moment, même en épluchant des patates ! La lettre que m'a écrit Madame Day le prouve bien.

Docteur,
Je viens de lire votre livre L'après-vie existe qui m'a fortement intéressée. Je suis institutrice laïque retraitée, les pieds sur terre, mais j'ai toujours

_____
1. BARAT O., *Nos Perpétuels retours*, éd. Dervy, 1993, pp. 14-15.

*été une hypersensible. Si j'ose évoquer ce qui
m'est arrivé, c'est qu'au cours de mes lectures
j'ai constaté que d'autres en ont parlé. Je ne suis
donc pas la seule « zinzin » ! Je réside à Rodez.
Si vous le souhaitez vous pouvez vous servir de
mon récit mais sous mon nom de naissance.
Voici donc mon histoire de phénomènes télépathiques avec mon fils.*

*Un matin de décembre, vers 10 heures, je suis
dans la cuisine en train de peler une pomme
de terre. Je ne pense à rien. Mon âme est tranquille. Tout d'un coup, sans que je puisse comprendre pourquoi, des larmes me viennent aux
yeux, abondantes, suivies de gros sanglots. Je
lâche mon couteau et me mets à tourner autour
de la table en pleurant. Que m'arrive-t-il ? Je
ne vois aucune raison pour pleurer de la sorte.
C'est insensé. Abasourdie, je cherche une raison,
tout en essuyant mes yeux. Évidemment, c'est la
semaine avant Noël, une semaine pénible pour
moi, puisqu'il y a vingt-cinq ans on enterrait mon
mari le 24 décembre, le soir du réveillon. Depuis,
ce jour-là n'est plus une fête. Mais il y a vingt-
cinq ans de cela et il y a bien longtemps que je
me suis résignée à ce triste anniversaire. D'autre
part, mon petit-fils m'a invitée pour le repas de
Noël à midi. Je suis donc heureuse. Alors, pourquoi ces sanglots qui augmentent sans cesse, de
plus en plus bruyants ? Je vais fermer toutes les
portes pour que les voisins ne m'entendent pas*

et me réfugie dans la cuisine. Je n'arrête pas de pleurer, de crier, de sangloter, comme jamais je ne l'ai fait. Pourquoi ? Et pendant trois jours, cela continuera ; puis le quatrième, je ne sais pour quelle raison, je téléphone chez mon fils à Paris. Et, j'apprends... qu'il est tombé, à son travail, un matin : une attaque cérébrale... Qu'on l'a opéré des carotides... qu'il est maintenant en salle de réanimation... qu'on ne m'a rien dit pour ne pas m'effrayer.

Je n'en reviens pas. Donc, au moment précis où mon fils est tombé, je l'ai su. Peut-être que son subconscient, affolé au moment où il s'est senti partir, a crié vers moi pour m'avertir ? Une maman, c'est toujours le merveilleux refuge, la douceur des bras qui vous ont toujours calmé, protégé, défendu. Et, pendant ces trois jours, par télépathie, j'ai souffert avec mon fils et pleuré pour lui. Mon esprit ne l'a pas abandonné... peut-être pour le soutenir et lui insuffler la force de vivre ?

Depuis, mon fils est décédé. Il a été victime d'un arrêt cardiaque il y a quelques mois. Je n'ai rien senti. Je pense que son cerveau est mort brutalement sans avoir le temps d'émettre un signal ou un appel.

Dans ce dernier cas, la communication télépathique a produit une intuition, une sorte de prémonition qui a poussé cette mère à prendre des nouvelles de son fils qui, par-delà la distance, la prévenait d'un danger.

Il peut arriver aussi que des comateux communiquent entre eux par télépathie. Lors d'une émission radiophonique qui s'est déroulée en janvier 2008 sur l'antenne de Sud Radio, Michelle Lazes nous confia son étonnante expérience de mort imminente survenue en 1989 lors d'un accident de voiture alors qu'elle conduisait avec son fils à ses côtés.

Après un choc très violent, j'ai été éjectée dans un bain de lumière merveilleux qui semblait être le lieu de la Création. Un lieu magnifique où le temps et l'espace n'existaient pas. Une femme d'une grâce infinie revêtue d'un voile mauve flottait devant moi avec un bouquet d'iris à la main. Puis quelqu'un a prononcé de façon assez autoritaire « Serge ! » Serge est le prénom de mon mari et on m'obligea à revenir ou plutôt à redescendre sur Terre. En redescendant, les couleurs devinrent de plus en plus crues et de moins en moins belles. Je fus alors sustentée très haut au-dessus de l'accident comme suspendue par un fil élastique. Je vis ma voiture, mon fils et moi, inconscients tous les deux à l'intérieur de la voiture. J'avais la capacité de zoomer sur le moindre détail et je m'aperçus avec horreur que j'avais les vertèbres cervicales fracturées. Je réintégrai aussitôt mon corps par le plexus comme si je rentrais dans un scaphandre et c'est à ce moments là que je me suis mise en communication télépathique avec mon fils. Je lui ai demandé de se réveiller pour dire aux pompiers de ne pas me mobiliser sans avoir placer une minerve. Mon fils est aussitôt sorti de son coma et, sans vraiment chercher à comprendre, les pompiers exécutèrent ses ordres qui étaient en fait les miens. Je suis certaine que si cette minerve n'avait pas été mise, je ne serais pas là aujourd'hui pour en parler ! Mon fils a été profondément marqué par cette expérience. Depuis, il a complètement changé sa vie. Il était très ancré sur les valeurs matérielles et évoluait dans le monde du show-business. Il est aujourd'hui artiste peintre et vit très simplement.

Les liens télépathiques qui s'établissent entre l'émetteur comateux et l'entourage récepteur sont réalisés lorsque l'empathie de celle ou de celui qui reçoit l'information est authentique.

Il semblerait pourtant que le phénomène puisse être indépendant de tous liens affectifs. En effet, certains sujets très proches des comateux pourront ne rien percevoir du tout, alors qu'une infirmière ou une aide-soignante seront capables de mieux ressentir son vécu. On ne peut d'autre part nier que certaines personnalités sont davantage prédisposées à recevoir des informations télépathiques.

Mais il faut aussi noter que cette faculté n'est pas nécessairement avantageuse. À ce propos, un psychiatre tchèque a émis l'hypothèse que les états paranoïaques auraient pour cause une réceptivité télépathique exacerbée. Dans ces conditions, le malade mental capterait sans discrimination le flot des pensées non exprimées de son entourage ; cet afflux d'informations étrangères et souvent hostiles serait à l'origine de ses idées de persécution. Il s'agirait là, en quelque sorte, d'une brèche dans le système de filtre de l'information au niveau du cortex cérébral[1]. On le voit bien dans cet exemple : être doué pour la télépathie n'est pas nécessairement un avantage !

NEUROSCIENCES ET TÉLÉPATHIE

Diriger une machine par la seule force de la pensée grâce à des microélectrodes implantées dans le cerveau est une expérience qui a déjà été réalisée avec succès chez le primate. La télépathie cerveau-machine est désormais à la portée de l'avancée des neurosciences. Le principe est simple : des microélectrodes implantées dans le cortex moteur transmettent un signal électrique à un ordinateur qui traite l'information reçue,

---

1. DUTHEIL R. et B., *La Médecine superlumineuse*, éd. Sand, 1992, p. 175.

et il suffit que le sujet expérimenté pense à une action motrice particulière pour que la machine « obéisse ». Les prothèses de bras commandées par la pensée ne sont donc plus du domaine de la science-fiction, mais il faudra encore attendre quelques années avant que la majorité des amputés puissent bénéficier de ces technologies. Comme le souligne le Pr Miguel Nicolelis du centre de neuro-ingéniérie de l'université de Duke en Caroline du Nord, ces expériences dureront encore probablement plusieurs années car, aussi sensationnels que soient les résultats obtenus sur des rats, des singes et plus récemment sur des êtres humains, ces interfaces cerveau-machine ne sont pas mûres pour sortir des laboratoires. Pour réaliser ce fantasme, il faudrait inventer des électrodes sans fil implantables directement dans le cerveau avec une durée de vie acceptable pour ne pas avoir à multiplier les interventions chirurgicales et à développer des algorithmes de calcul plus performants pour que des mouvements complexes puissent être commandés par la pensée.

Certains chercheurs prônent l'idée que la pensée pourrait être véhiculée par l'intermédiaire de particules élémentaires infiniment petites baptisées « psytrons » qui seraient en fait constituées comme les neutrinos, c'est-à-dire à la fois matière et antimatière, et qui auraient en plus la faculté de se déplacer – une fois chargées d'un quantum d'informations – à une vitesse supérieure à celle de la lumière, faisant en sorte que la transmission de la pensée télépathique soit instantanée. Les psytrons émis par le cerveau viendraient frapper les récepteurs spécifiques du cortex en générant une action correspondant au souhait de l'émetteur. Cela ne pourrait être réalisé qu'avec l'acceptation de l'inconscient du récepteur[1]. Si on applique cette théorie aux communications télépathiques du comateux, on peut se demander comment l'information serait émise, puisque les fonctions cérébrales de l'émetteur sont dans ce cas réduites au minimum. Cette constatation est en fait un argument supplémentaire pour prétendre que la source de la conscience n'est pas localisée au niveau du cerveau. Si, en revanche, on admet que le champ de conscience du comateux a la faculté de se délocaliser d'un cerveau devenu inopérant pour émettre des informations, l'hypothèse des psytrons devient possible.

Ainsi, ce que j'appelle « l'identité subtile » du comateux détachée de son corps physique serait non seulement capable de percevoir, d'entendre et de voir, mais aussi d'émettre des informations transmissibles. Et s'il est maintenant bien connu que les facultés sensorielles et cognitives des

---

1. GIRARD J.-P., *Encyclopédie du paranormal*, éd. Trajectoire, 2005, pp. 105-106

sujets en état de mort imminente sont extraordinairement développées, avec notamment des possibilités de vision à 360°, à travers la matière et partout à la fois[1], pourquoi n'admettrions-nous pas de la même façon que les fonctions d'émission de pensées télépathiques soient, dans ces circonstances, également améliorées ?

Une chose est certaine, compte tenu des connaissances actuelles : la délocalisation de la conscience est le modèle qui permet de donner la meilleure explication aux phénomènes télépathiques chez le comateux. Deepak Chopra est probablement de cet avis lorsqu'il écrit :

> *En disant que le cerveau est la source de l'esprit, c'est comme si on disait qu'une radio doit être la source de la musique parce que c'est un objet visible d'où provient la musique[2].*

Cette dissociation du cerveau et de l'esprit se retrouve également dans la pensée bouddhiste tibétaine, qui postule un principe subtil de conscience indépendant du cerveau. La croyance occidentale prédominante selon laquelle la conscience est une fonction émergente de l'activité cérébrale est, du point de vue bouddhiste, une position

1. JOURDAN J.-P., *Deadline – Dernière limite*. éd. Les 3 Orangers, 2007, pp. 344-369.
2. CHOPRA D., *La Vie après la mort. op. cit.*, p. 220.

réductionniste et matérialiste. Le dalaï lama soutient que des niveaux de conscience extrêmement subtils qui n'ont pas encore été découverts par les civilisations occidentales – l'absence de preuve n'est pas la preuve de l'absence – sont accessibles à des méditants avancés, qui peuvent les utiliser pour rêver clairement et mourir consciemment. En fait, la « nature de Bouddha[1] » de chacun d'entre nous ne dépendrait ni du corps ni du cerveau. La science occidentale ne parvient pas à identifier les processus mentaux qui ne se réduisent pas aux fonctions cérébrales, et cette carence plaide de toute évidence en faveur d'une certaine forme de conscience indépendante du cerveau[2].

TÉLÉPATHIE ET INTUITIONS

En allant plus loin dans ce raisonnement, il est aussi permis de penser que de multiples informations émergeant d'une multitude de consciences délocalisées pourraient venir enrichir un savoir subconscient, planétaire, voire cosmique, en lequel puiseraient inconsciemment les humains que nous sommes.

---

1. La nature de Bouddha représente le potentiel d'éveil de tous les êtres animés, des plus frustres aux plus éclairés.
2. GOLEMAN D., *Quand l'esprit dialogue avec le corps*, éd. Trédaniel Poche, 2007, p. 16.

Les études du psychiatre Stanislav Grof menées dans les années 1970 aux États-Unis corroborent l'existence de ce que Jung appelle « l'inconscient collectif », à savoir une connaissance universelle hors du temps, qui expliquerait les nombreuses similitudes entre textes sacrés et mythologies des diverses civilisations planétaires sans qu'elles n'aient jamais eu le moindre contact entre elles. Après des mois de travaux, ce chercheur originaire de Prague a pu démontrer que des sujets volontaires soumis aux effets hallucinogènes du LSD développaient sous l'emprise de cette drogue un état modifié de conscience qui leur permettait d'accéder à des informations qui dépassaient le cadre de leur propre connaissance culturelle, historique ou biographique[1].

On peut alors s'interroger sur la date de naissance de cette sorte de « supraconscience » informationnelle à l'origine de l'inconscient collectif de Jung. Est-ce au moment de la création de l'Univers lors du fameux Big Bang, il y a 13,7 milliards d'années, ou avant, si cet avant existe ?

En ce qui me concerne, si je suis convaincu que l'après-vie existe, je le suis tout autant pour l'existence d'un « avant-Big Bang », car il est, me semble-t-il, tout aussi improbable d'imaginer une fin définitive à la vie qu'un début explosif, ou plutôt expansionniste, d'une naissance universelle.

---

1. MENANT M., *J'ai vécu le surnaturel*, éd. 1, 2003, p. 32.

Alors, dans ces conditions, d'où viendrait l'information originelle si ce n'est du Divin ?

La **théorie des cordes** de la physique quantique, qui propose un espace à dix dimensions avec des particules actives dans nos trois dimensions et figées (donc imperceptibles) dans les sept autres, suggère à certains une existence éternelle de l'Univers avec une alternance de Big Bangs et de Big Crunchs permanents. Autrement dit, selon cette hypothèse notre Univers serait actuellement en phase d'expansion déclenchée par un Big Bang qui serait suivie par une période de contraction de matière finalisée dans un Big Crunch ; l'effondrement de l'Univers par contraction de matière créant un trou noir d'une formidable densité aboutissant à un nouveau Big Bang. Le système serait infini !

D'autres physiciens pensent au contraire que tous les phénomènes physiques ne peuvent se dérouler en faisant décroître leur **entropie**[1].

Le célèbre astrophysicien Stephen Hawking propose un modèle de compréhension différent de l'Univers. Selon lui, notre Univers n'a pas eu un

---

1. Entropie : loi de dégradation de l'énergie qui conduit à l'énergie zéro, c'est-à-dire la mort. Lorsque cette loi s'inverse, on parle d'entropie négative ou de négentropie ; dans ce cas le temps ne dégrade plus, mais construit. Par exemple, si l'on croit aux existences karmiques, le corps subit une entropie en se dégradant jusqu'à la mort tandis que l'esprit bénéficie d'une négentropie en se construisant dans un courant de vies successives.

commencement unique mais a démarré de toutes les façons imaginables, et il était au moment du Big Bang comme une superposition de plusieurs milliards de possibilités. La théorie des cordes, qui, avec son espace à plusieurs dimensions, autorise l'existence d'innombrables types d'univers parallèles, nous suggère une existence ici et maintenant sélectionnée parmi de nombreuses histoires. Mais qui a sélectionné l'Histoire ?

Cette question primordiale, Stephen Hawking se la pose aussi lorsqu'il annonce : « Lorsque nous trouverons les raisons de notre propre existence et de celle de l'Univers, ce sera le triomphe ultime de la raison humaine. À ce moment, nous connaîtrons la pensée de Dieu[1]. »

La supraconscience qui nous guide dans nos actes de tous les jours a toujours existé et son origine est de toute évidence à chercher dans le Divin.

Certains mystiques parlent de « champ akashique » pour désigner un champ cosmique reliant l'intégralité des informations de tout ce qui est réel. L'enregistrement akashique exposé dans le livre d'Ervin Laszlo[2] est un univers spirituel contenant tous les événements, actions, pensées et perceptions qui ont eu ou auront lieu un jour. Les personnes ouvertes au monde spirituel

---

1. *Le Journal spirite*, n° 69, juillet à septembre 2007, p. 6-8.
2. LASZLO E., *Science et Champ akashique*. éd. Ariane, 2005.

pourraient avoir accès à ce champ d'informations qui est en fait un océan d'énergies fluctuantes à partir duquel émerge l'ensemble de la Création, de l'infiniment petit à l'infiniment grand. Ainsi, les planètes, les étoiles, les galaxies, les êtres vivants, les atomes et même la conscience seraient portés par ce champ akashique, véritable mémoire éternelle de l'Univers qui détient l'intégralité de toutes les données de n'importe quel sujet qui nous intéresse. Il faut rapprocher cette notion de champ akashique des mystiques et des sages du « point zéro » des physiciens. Ce point zéro théorique serait atteint en refroidissant l'espace vide jusqu'au zéro absolu, condition nécessaire et suffisante pour faire disparaître l'état vibratoire de l'énergie. Ce point zéro est devenu « le champ des champs » qui contient toutes les particules visibles et invisibles de l'univers et une énergie 10 puissance quarante fois plus importante que celle de l'Univers visible[1].

Les théosophes pensent que l'Akasha est une « lumière astrale » contenant des enregistrements occultes que des êtres spirituels peuvent percevoir grâce à leurs « sens astraux ».

Est-il nécessaire d'être en état de méditation, en prière ou en sommeil, c'est-à-dire à des périodes où notre cerveau est un récepteur produisant des

_____

1. CHOPRA D., *La Vie après la mort, op. cit.*, p. 201.

ondes électriques lentes (rythme thêta ou delta), pour être connecté par la pensée à cette banque de données issues d'une supraconscience elle-même contenue dans un champ akashique ? La réponse est non. Il semble que ces états particuliers facilitant cette connexion ne soit pas obligatoires. Nous pouvons aussi recevoir des informations ou des intuitions en urgence sans que notre cerveau soit préparé à cela.

Marie-Hélène Stellet est médecin-anesthésiste. Alors que je lui parlais de mes projets d'écriture sur ce livre, elle me raconta sa formidable intuition qui avait permis de sauver la vie d'un nouveau-né.

— *Je suis rentrée dans cette salle de réveil et, sans savoir pourquoi, j'ai exigé que l'on déplace le berceau de l'enfant qui venait de naître, me dit-elle.*
— *Tu n'avais aucune raison de le faire ? lui demandai-je étonné.*
— *Non, absolument aucune ! C'était même illogique de séparer ce nouveau-né de sa maman qui venait d'être endormie pour le mettre au monde. Mais tu sais comment je suis quand j'ai décidé quelque chose...*
— *Oui, j'imagine que personne n'a voulu aller contre ta décision.*
— *Exactement ! L'enfant est parti dans une chambre dans la minute qui a suivi. Et environ*

un quart d'heure plus tard, on est venu me dire
que le plafond s'était écroulé à l'endroit exact où
était le bébé, juste à quelques centimètres du lit de
la maman qui, sous le choc, avait bien du mal à
comprendre ce qui se passait...

Dans cet exemple, l'intuition de ma consœur
ne peut pas venir d'une information télépathique
venant d'un cerveau humain émetteur puisque
personne n'aurait pu deviner ce qui allait arriver.
Alors d'où vient ce message d'alerte ? Qui est
l'émetteur ? Est-ce le Grand Architecte évoqué
par le Dr Pim Van Lommel lorsqu'il parle de
régénérescence cellulaire[1] ? Existe-t-il un support
quelconque d'informations ? Ce support serait-
il représenté par une supraconscience qui nous
guiderait non seulement dans nos actes et nos
prises de décisions mais aussi dans nos apprentissages ?

On sait en effet que plus une expérience est
tentée et réussie, plus elle devient accessible. Cela
explique que la pratique du vélo ou de l'ordinateur
s'améliore au fil des générations. Le physicien
Rupert Sheldrake a formulé l'idée d'un « champ
morphogénétique », constituant le support de
cette information.

« L'idée est dans l'air. » On a tous entendu
ce genre de réflexion qui traduit le fait que de

---

1. Voir en fin du chapitre 3 : « On meurt tous les ans »

nombreuses personnes pensent à la même chose presque en même temps. Ce phénomène bien connu ne s'explique pas nécessairement par le fait que nous vivons les mêmes expériences incitatives simultanément puisque, sans avoir le même degré d'évolution, les grandes découvertes ont émergé de cerveaux très différents, au même moment et dans des lieux très éloignés de cette planète. Certains privilégiés ont certainement pu capter des informations au niveau d'une supraconscience émettrice qui leur a permis d'accomplir leurs découvertes.

La création artistique est également le fruit d'une inspiration supérieure. Mais quelle est l'origine de cette inspiration ? Pourquoi avoir soudain cette envie impérieuse de créer une œuvre musicale, une peinture, une sculpture ou un roman ? J'ai eu la chance de fréquenter de nombreux artistes et je sais par expérience que la majorité d'entre eux sont des personnes intuitives, pouvant être de ce fait extrêmement sensibles aux messages émergeant d'une supra-conscience.

Lorsque j'ai publié mon troisième roman *Éternelle jeunesse* en 2004, j'ai eu la surprise de découvrir plus de vingt similitudes avec le roman *La possibilité d'une île* du célèbre écrivain Michel Houellebecq sorti un an plus tard chez Fayard. La ressemblance des deux textes était tellement frappante que j'ai dû dissuader mon éditeur de porter plainte pour plagiat ! Il est évident que l'on imagine mal un écrivain aussi célèbre que Houellebecq prenant ce genre de risque en volant les idées littéraires d'un illustre inconnu ! Non, l'hypothèse la plus logique est que nous avons dû capter, Houellebecq et moi, à un an d'intervalle, une source d'inspiration commune émergeant d'une supraconscience.

Mais cela nous éloigne quelque peu du sujet qui nous intéresse ici, à savoir la communication avec le comateux qui, je le répète, doit se faire avec amour et constance, quoi que puissent en dire encore certains médecins mal informés.

L'ÉVEIL DE LA KUNDALINI

Revenons maintenant au témoignage de Florence Combeau. Elle nous dit avoir vécu en direct l'expérience du décès de sa grand-mère et de son frère sans être elle-même en état de mort imminente au moment où ces phénomènes télépathiques se sont produits. Pour réaliser une telle « performance », cette femme a probablement atteint un état de conscience modifié hors du commun qui ressemble à ce que les yogistes appellent « l'éveil de la Kundalini ».

Cet éveil est obtenu par des méthodes de méditation qui permettent la libération de forces concentrées en six zones du corps appelées « **chakras**[1] » (du deuxième au septième chakra situé au sommet du crâne). Le premier chakra, localisé tout en bas de la colonne vertébrale, appelé « la **Kundalini** », démarre à plein régime lorsque les six autres chakras sont équilibrés.

Généralement, l'éveil de la Kundalini (serpent lové) intervient au terme d'une ascèse pouvant occuper l'essentiel d'une existence humaine, et l'harmonie entre le degré d'ouverture des chakras aux énergies favorise une bonne santé physique et psychique[2].

On peut noter ici un nouveau lien entre les mondes spirituel et scientifique puisque sir John Eccles, neurophysiologiste britannique qui a obtenu un prix Nobel pour ses travaux sur l'activité électrique des synapses neuronales, a détecté une zone, au niveau de la fontanelle, dont l'activité électrique augmente une fraction de seconde avant que l'esprit ne prenne une décision. Cette aire psychomotrice d'Eccles n'est autre que le septième chakra des yogis, celui qui est réputé

---

1. Chakra : mot sanskrit signifiant « roue qui tourne » ; les chakras sont répartis en sept zones du corps du bas de la colonne vertébrale au sommet du crâne.
2. BLUM J., *Dieu, Einstein... et nous ?* éd. Alphée, 2006, p. 132. Dans cet ouvrage, l'auteur me fait l'honneur de m'interviewer au sujet des NDE (pp. 173-178).

être la porte d'entrée de l'esprit universel. Et ce lieu anatomique est probablement aussi le point de connexion des informations véhiculées par les psytrons ou captées dans le champ morphogénétique de Sheldrake.

Il est aussi surprenant de remarquer que c'est au niveau de ce septième chakra que j'ai ressenti la fuite de « l'entité subtile » qui quittait le corps du jeune homme que je tentais désespérément de sauver lors de ma malheureuse expérience au SAMU de Toulouse.

C'est également le plus souvent dans cette région anatomique que les corps sont réintégrés après une expérience de mort imminente. Ainsi, Jean Morzelle écrit, dans un livre que j'ai eu le plaisir de préfacer :

[...] *Je me retrouvai à nouveau dans la salle d'opération, je m'approchai de ce corps au-dessous de moi et je le réintégrai par la tête, à l'emplacement de la fontanelle. J'en ai repris possession ; c'était à nouveau le mien et je m'installai en lui, je l'épousai à nouveau, comme une main s'enfonçant dans un gant. Je retrouvai mon corps, mes pieds, chaque doigt l'un après l'autre. J'étais à nouveau dans ma maison, et ce corps était à nouveau le mien, et doucement je m'endormis*[1].

---

1. MORZELLE J., *Tout commence... après – Mes rencontres avec l'au-delà.*, op. cit., p. 47.

L'éveil de la Kundalini connecte la conscience humaine à la conscience cosmique et il ressemble comme une goutte d'eau à une expérience de mort imminente[1], précise Jean Blum.

L'expérience de mort imminente, appelée aussi EMI ou NDE, est le sujet de la deuxième partie de cet ouvrage.

1. BLUM J., *Au travers du miroir – De Platon aux NDE : après la vie... la vie*, éd. Thélès, 2002, p. 106-107.

NDE, LA RÉVOLUTION
DU MONDE SCIENTIFIQUE

CHAPITRE 6

NDE,
LA CHARNIÈRE
DES DEUX MONDES

Pas encore définitivement mort et plus tout à fait vivant, l'état de mort imminente, ou Near Death Expérience, nous conduit aux frontières de l'après-vie, à la charnière de deux mondes fascinants : un que nous quittons après avoir fait l'expérience de toute une vie plus ou moins bien remplie, et un autre que nous allons découvrir en ignorant tout de lui... ou presque.

Ce voyage-là, nous le ferons tous lorsque notre tour viendra, mais pour la majorité d'entre nous, il n'y aura pas le fameux billet de retour accordé aux expérienceurs[1].

---

1. Expérienceur : néologisme du terme anglais *experiencer* employé pour la première fois par Raymond Moody au milieu des années 1970 pour désigner les personnes ayant vécu une

La NDE est également à l'intersection de deux autres univers qui s'affrontent et se combattent depuis déjà bien trop longtemps. Pourtant, il semblerait bien que la tendance actuelle soit à la réconciliation ; scientifiques et adeptes de spiritualité ne sont pas loin de se rejoindre sur le thème de l'éternelle survivance. Mis à part quelques extrémistes qui existent dans les deux camps, les gens raisonnables sont prêts à l'écoute et au dialogue.

Faire un lien entre le spirituel et le scientifique par l'intermédiaire des NDE est une bien grande ambition.

Ce livre est ma petite contribution à cette grande ambition.

Le titre de cette deuxième partie est aussi celui d'une bonne centaine de conférences que j'ai eu le plaisir de donner en France et à l'étranger. Il s'agira ici de faire le point sur ce phénomène révolutionnaire, compte tenu des données actuelles de la science et de mon expérience personnelle de médecin anesthésiste-réanimateur à la lumière d'une certaine approche spirituelle.

Comme tout médecin s'intéressant aux états de conscience modifiés, j'ai reçu de nombreux témoignages écrits de NDE ; ils sont tous très

---

NDE. Il est amusant de constater que ce mot désigne aussi les témoins visuels d'ovnis.

132

émouvants et intéressants à lire. Cependant, je ne souhaite pas les reproduire ici car ils n'apportent, de mon point de vue, rien de nouveau à la connaissance du phénomène et à ce qui a déjà été édité sur le sujet. Pour ceux qui souhaitent lire de façon complète ce genre de textes, je conseille l'ouvrage de mon confrère et ami Jean-Pierre Jourdan, *Dead Line – Dernière limite*.

Le dalaï lama pense que les NDE, au même titre que les états méditatifs, défient le paradigme de la neuroscience occidentale en révélant des subtilités de la conscience tout à fait inconnues des scientifiques, et lorsqu'on lui demande ce qui oppose les scientifiques aux bouddhistes sur ces états de conscience modifiés, il répond :

> *Selon ma vision, il existe de nombreux degrés de subtilité de la conscience, et la science ne s'est penchée que sur les niveaux ordinaires. Ainsi, la science n'a tout simplement pas découvert les états les plus subtils, qui sont cruciaux dans les enseignements bouddhistes, et le simple fait de ne pas trouver n'est pas suffisant pour nier*[1].

Indéniablement, les NDE ont des similitudes troublantes avec certaines expériences initiatiques transcendantes orientales ou chamaniques. Ceux

---

1. GOLEMAN D., *Quand l'esprit dialogue avec le corps, op. cit.*, p. 295.

qui reviennent de ces « voyages » si particuliers ont acquis une sagesse proche de celle des grands mystiques qui ont bien relativisé l'importance à la fois insignifiante et primordiale d'une existence humaine dans la réelle dimension de l'Univers.

Je pense qu'une vision exclusivement scientiste du phénomène NDE ne peut être que réductrice et par conséquent inexacte. Le défaut majeur des scientifiques est de vouloir tout comprendre, tout expliquer ; démonter des mécanismes séduisants pour l'esprit pour les reproduire et les dominer. Or, ici, on le perçoit bien, l'objectif est tout à fait différent. Il ne s'agit ni de comprendre ni d'expliquer, mais d'accepter.

Accepter, tout simplement.

Accepter un phénomène qui nous dépasse complètement et qui peut nous déranger dans notre façon de voir le monde, ou plutôt l'Univers, dans lequel nous évoluons en lui redonnant sa véritable dimension divine.

Bernard Baudoin, dans la conclusion d'un de ses son livre écrit fort justement :

> *Tous les individus qui ont vécu une NDE ont la certitude, intuitivement et au plus profond de leur être, sans avoir besoin de l'expliquer par l'intellect, que leur futur est écrit : il ne pourra s'inscrire que dans l'essentiel, dans la recherche insatiable de la pureté et de la clarté côtoyées lors de leur rencontre avec la Lumière, dans la*

volonté de ne faire qu'un avec la conscience infinie.

En attendant de se fondre à nouveau, sans retour cette fois, dans la source universelle de toute chose[1].

Mais si la dissonance cognitive[2] est un frein considérable à l'acceptation des NDE par la majorité des scientifiques, et en particulier des médecins, la fréquence du phénomène interdit désormais de le nier.

Phyllis M. Atwater, auteur d'une bonne dizaine d'ouvrages sur les états proches de la mort et autorité internationale reconnue dans ce domaine, fait état, dans un communiqué publié le 11 avril 2006[3], d'un nombre impressionnant d'expérienceurs.

Selon ses travaux, qui reposent sur les dernières statistiques connues[4], 4 % de la population générale occidentale aurait vécu une telle expérience, soit : 19,6 millions des 490 millions d'Européens, 12 millions des 300 millions d'Américains ou encore 2,4 millions de nos compatriotes.

Bien sûr, on ne peut conclure de cette étude que 4 % de la population planétaire sont des

---

1. BAUDOUIN B., *Near Death Experiences*, éd. De Vecchi, 2006, p. 109.

2. Voir chapitre 2.

3. www.s17production.com : statistique NDE-EMI Jocelyn Morisson.

4. Institut Gallup 1993, US News and Word Report 1997, INA Schmied 1999.

expérienceurs car, on le comprend aisément, l'efficacité médicale des réanimations pratiquées est fonction du degré d'évolution et de modernité des civilisations ; un arrêt cardiaque a davantage de chances d'être récupéré au centre d'une grande métropole occidentale qu'au beau milieu d'une jungle africaine !

Compte tenu de ces données, on peut considérer, sans une trop grande marge d'erreur, qu'il existe aujourd'hui environ 60 millions d'expérienceurs répartis dans le monde entier. Mais cela ne veut pas dire pour autant que nous ayons à notre disposition 60 millions de témoignages, loin s'en faut ! Il ne s'agit là que d'une estimation statistique qui est en fait vraisemblablement bien en dessous de la réalité tant il est vrai que ceux qui ont vécu ce genre d'expérience éprouvent une énorme réticence à en parler. De peur de passer pour des fous ou d'être les victimes de moqueries, ils préfèrent se taire et garder ça pour eux. Certains mettent des années voire même des décennies avant d'oser témoigner. Mon ami Jean Morzelle a attendu plus de quarante ans avant de raconter pour la première fois sa NDE !

On peut donc comprendre, dans ces conditions, les difficultés rencontrées par un institut de sondage pour recueillir des confidences aussi intimes.

En ce qui concerne la fréquence des NDE chez les personnes ayant approché la mort, elle serait de 18 % dans l'étude de Pim Van Lommel sur sa série de 344 arrêts cardiaques récupérés[1], 11 % dans celle de Sam Parnia[2], tandis que Melvin Morse fait[3] état d'un pourcentage beaucoup plus élevé, proche de 70 %, chez les enfants réanimés et il n'y aurait, selon Pim Van Lommel, aucun élément prédictif significatif pour avoir l'opportunité de vivre une NDE.

« Vivre une NDE », voilà une expression qui interpelle chacun d'entre nous.

Mais de quoi s'agit-il au juste ?

L'étude de ce vécu extraordinaire est l'objet du chapitre suivant.

1. « NDE chez les survivants d'arrêts cardiaques : une étude prospective aux Pays-Bas », *The Lancet*, décembre 2001.

2. Dr Sam Parnia : médecin-réanimateur anglais, coauteur d'une étude intitulée : « Une analyse qualitative et quantitative sur l'incidence, les caractéristiques et l'étiologie des expériences de mort imminente chez les rescapés d'arrêt cardiaque », publiée dans le journal *Ressuscitation* d'août 2001

3. Dr Melvin Morse : pédiatre américain qui exerce au Children's Hospital de Seattle, auteur entre autres ouvrages de *La Divine Connexion*, 2002, et *Le Contact divin*, 2005, éd. Le Jardin des Livres.

CHAPITRE 7

VIVRE UNE NDE

« *On ne saura jamais s'il y a quelque chose après la mort car, que je sache, aucun mort n'a jamais eu la possibilité de revenir de là-bas pour nous raconter ce qu'il avait vu ! Ceux qui sont revenus ne sont pas morts puisqu'ils sont revenus !* »

Lequel d'entre nous n'a jamais entendu ce style de réflexion en évoquant l'hypothèse d'une vie après la mort ?

Pourtant, comme nous l'avons détaillé au chapitre 3, la définition de la mort est étroitement dépendante des époques, si bien qu'un individu déclaré mort au siècle dernier pourrait aujourd'hui être réanimé sans trop de difficulté grâce aux énormes progrès de la médecine. L'arrêt des battements cardiaques, qui signifiait autrefois la mort, induit des manœuvres de résurrection qui réussissent relativement souvent. Et en plus, cerise sur le gâteau, comme nous l'avons vu dans le chapitre précédent, 11 à 18 fois sur 100 les rescapés ont la possibilité de nous raconter leur escapade, leur « excursion » dans l'au-delà hors d'un corps matériel momentanément abandonné ! Donc, n'en déplaise à certains, oui, on peut aujourd'hui revenir de la mort, ou tout le moins de ce que représentait jadis la mort, pour décrire ce qui a été perçu à cette occasion !

On peut même désormais aller plus loin dans ce raisonnement en sachant que l'activité électrique cérébrale s'annule dans les secondes qui suivent un arrêt cardiaque et que la mort clinique est précisément définie par l'arrêt du fonctionnement cérébral.

Qualifier l'expérience des victimes d'arrêt cardiaque de « mort provisoire » serait donc dans ces conditions plus correct que « mort imminente » – le caractère définitif ou provisoire de la mort clinique ne correspondant qu'aux limites des possibilités actuelles de la réanimation qui sont en fait les critères de débranchement des respirateurs ou de prélèvement d'organes. Sans nul doute, ces limites seront déplacées par les progrès de la médecine. On peut donc affirmer sans aucune hésitation que les expérienceurs sont bien revenus de la mort !

LA MÊME SÉQUENCE ÉVÉNEMENTIELLE

En lisant et en écoutant tous ces récits fantastiques d'après-vie, on constate d'emblée que, bien qu'aucune NDE ne se ressemble, la même séquence événementielle se retrouve quels que soient les cultures, les religions, les philosophies, les milieux socioculturels, les âges ou les sexes. À peu de chose près, les expérienceurs ont tous effectué le même voyage. Un voyage indicible qui les a transformés de la même façon.

Faisons donc avec eux cette virée aux confins de la mort en regroupant les points communs de ces très nombreux récits.

La sortie de corps

Elle est aussi appelée « décorporation » ou « OBE » pour Out of Body Expérience. D'après l'étude de Kenneth Ring, l'OBE est le phénomène le plus constant dans les récits (60 % des cas).

La sortie se fait la plupart du temps par le sommet du crâne, mais peut aussi s'effectuer par les pieds, l'ombilic ou toute autre partie du corps. En fait, il ne semble pas y avoir de règle. Quelquefois l'expérienceur se trouve décorporé brutalement sans état transitoire ou encore « s'expulse par la tête » dans un « bruit bizarre de ventouse » comme dans ce témoignage qui m'a été adressé :

En 1978 à la suite d'une fausse couche, j'ai fait une hémorragie importante. Arrivée à l'hôpital, l'interne m'a posé des questions sur ce qui

140

m'était arrivé, sur mon état civil, et pendant ce temps je sentais que je continuais à perdre mon sang et je me sentais de plus en plus faible. Je n'avais plus la force de répondre à ses questions et j'avais du mal à respirer. Il ne comprenait pas ce que je disais et m'a demandé de parler plus fort, puis il m'a regardée et a compris que je perdais connaissance. Il m'a dit ensuite : « Restez avec moi, ne vous endormez pas ! » Puis, tout à coup, ça a été le trou noir, pendant quelques secondes ou quelques minutes, je ne sais pas. Je me suis réveillée encore dans mon corps et je me suis expulsée par la tête. Je me souviens, cela a fait un bruit bizarre de ventouse, enfin je ne sais pas trop définir ce bruit. À ce moment-là, je suis sortie de mon corps et j'ai vu l'infirmière qui était à côté de moi. Elle avait une main sur ma jambe et regardait le docteur qui me faisait un massage cardiaque...

L'expérienceur sort de son corps physique sans ressentir la moindre douleur ni la moindre angoisse. Il n'a pas peur, mais est plutôt curieux de savoir ce qui va se passer et ce qui va lui arriver. On peut s'étonner qu'il n'éprouve dans la plupart des cas aucune nostalgie de quitter ce monde, et cela malgré des liens affectifs souvent très forts avec sa famille, son conjoint ou ses enfants. (C'est tout de même un petit peu vexant pour ceux qui restent !)

L'explorateur, « thanataunote » malgré lui, poursuit son destin et découvre un état inconnu jusqu'alors avec des perceptions ultraperformantes, comme la vision dans tous les plans de l'espace, à travers la matière et à distance, la possibilité de zoomer vers l'infiniment petit comme vers l'infiniment grand et de se déplacer instantanément dans les lieux de son choix en faisant preuve d'extraordinaires capacités de clairvoyance qui ont pu être authentifiées par la suite.

La totalité des sens sont décuplés mais n'ont absolument rien de commun avec ceux que nous utilisons habituellement dans notre vie de tous les jours. Ces facultés prodigieuses sont difficilement traduisibles avec des mots. À tel point que même la géométrie la plus astucieuse ne parviendra jamais à expliquer le véritable ressenti spatio-temporel de l'expérience. Par exemple, lorsqu'un experienceur dit : « Je pouvais voir à 360° », il ne s'agit pas de prendre un compas et de tracer un cercle pour reproduire son champ de vision, car un autre vous dira : « Je pouvais voir beaucoup plus qu'à 360° ! » Cette dernière affirmation pourra sembler impossible ou fausse à un scientifique qui ne saura pas traduire en langage conventionnel cette sensation si particulière. Mais si l'expérienceur s'exprime ainsi, c'est justement parce qu'il ne trouve aucun modèle connu traduisant son vécu.

Les scientifiques les plus pointus ont parfois bien du mal à accepter la subjectivité du vocabulaire employé par les expérienceurs pour décrire leurs impressions. Ils ont la fâcheuse tendance à vouloir prendre « au pied de la lettre » les mots employés par ceux qui ont traversé des événements indicibles. Je me souviens notamment d'un professeur de physique au CNRS de Montpellier qui m'avait demandé à la fin de ma conférence si on avait pu mesurer la température et l'intensité de la lumière visualisée par les expérienceurs. Sans être moi-même expérienceur, j'ai dû préciser que cette description n'avait aucun rapport avec ce que nous connaissons des sources lumineuses habituelles, mais que le mot « Lumière » correspondait au mieux à ce qui avait été ressenti à ce moment-là.

L'expérienceur se rend bien compte qu'il vient de quitter un corps, en l'occurrence le sien, sans véritablement le reconnaître comme étant partie intégrante de lui-même. À tel point que, comble d'ingratitude envers l'ancien véhicule terrestre, le corps matériel qu'il laisse peut même lui sembler étranger. Nous pouvons noter ici que cette sensation de non-appartenance à son propre corps n'est – en dehors de certaines maladies psychiatriques rarissimes – jamais éprouvée au cours de la vie terrestre puisque nous avons tous au contraire le sentiment (ou plutôt l'illusion) que nous sommes notre corps et que nous ne sommes même que cela ! Le culte du corps jeune et beau à n'importe quel prix est largement exploité en Occident !

Dans cet état de décorporation, la communication semble impossible avec le monde des vivants par la voix ou le toucher. Certains ont essayé en vain de crier, d'agripper des proches ou de déplacer des objets pour signaler leur présence. Il s'agit là de la seule véritable frustration décrite dans cet état d'OBE.

En fait, tout se passe comme si la seule communication possible était celle de la pensée.

Laurence Coulange a connu une NDE à l'âge de onze ans. Elle m'a adressé une longue lettre pour me décrire sa sortie de corps au moment de son expérience. On retrouve dans son texte le trouble ressenti devant l'impossibilité de pouvoir dialoguer avec les vivants.

Durant des vacances chez ma grand-mère, en compagnie de ma jeune sœur âgée de neuf ans, j'envisageai l'escalade intempestive du moulin familial. Les bonnes idées défilent chez les enfants ! Après une bonne ascension sans surveillance, mon pied glissa dans un interstice du mur de pierre entraînant une chute de 4 mètres. Je me suis aussitôt retrouvée au-dessus de mon corps inerte que j'apercevais replié en position recroquevillée sur le sol. Tout était calme, sans bruit et le temps qui s'écoulait me semblait interminable. Dans cette sérénité, j'apercevais ma sœur en bas qui se penchait sur mon corps. Ensuite, je me suis sentie « aspirée » à 10 mètres du sol et je me suis mise à « crier » de toutes mes forces par deux fois en appelant le prénom de ma sœur. Je n'ai réalisé l'état de séparation avec mon corps qu'au moment où j'ai crié : « Viens me chercher ! » J'ai compris qu'elle ne m'entendait pas et que ma « voix » était séparée de mon corps puisque « je » ne me situais pas à l'endroit où « je » voulais qu'elle vienne me chercher ! Et à ce moment-là, ma volonté, si forte, me fit rejoindre mon corps. Cette dissociation fut surprenante et inconnue. Je me demandais « qui » m'avait permis de revenir ! Je bougeais tout doucement. J'avais chuté au milieu des herbes et avec beaucoup de lenteur ; je touchai ma tête posée sur une pierre de 20 centimètres de hauteur. Mon énergie habituelle était amoindrie. Chaque mouvement me demandait des efforts démultipliés. Puis, au bout d'un certain temps, je réussis à me lever avec peine et à rejoindre ma sœur pour lui parler. Je pensais hurler et je n'ai entendu sortir de ma bouche qu'une phrase à peine audible : « Je t'ai appelée ? » Ce à quoi elle m'a répondue : « Non, je ne t'ai pas entendue ! » Cette expérience surprenante, je ne l'ai pas encore partagée, mais elle m'a laissé la certitude que l'esprit a une force importante et que nous sommes composés d'un ensemble d'éléments corporels et incorporels. J'ai maintenant la certitude d'une existence autre que *celle de notre « assemblage » actuel « physique-esprit », et après avoir assisté à votre conférence, je suis heureuse de constater que je partage cette certitude avec vous. Nous avons un chemin de vie à respecter et un enseignement, aussi minime qu'il soit, à donner...*

Laurence Coulange nous donne ici un enseigne-ment sur le phénomène de décorporation qui est loin d'être « minime » et je la remercie infiniment d'avoir eu la gentillesse de me livrer la primeur de son récit.

Il peut aussi arriver que la décorporation perdure bien après l'EMI. Ce fut le cas pour Sabine Laude, une aide-soignante venue se faire dédicacer mon dernier ouvrage au Salon du livre de Montpellier :

J'étais sortie de mon corps pendant mon accouchement et je pouvais voir ce qu'on me faisait. J'ai assisté à tout ça du plafond et après, je suis revenue dans mon corps, mais pas com-plètement. J'étais décalée. J'ai longtemps marché à côté de moi. Tout était décalé. Je loupais les entrées de porte. Il m'a fallu l'aide d'un thérapeute pour revenir complètement dans mon corps.

La télépathie

Selon la définition du Petit Larousse, la télé-pathie est « la transmission de pensée d'une personne à une autre sans communication par les voies sensorielles connues ». Il est surprenant de constater l'absence de ce mot dans le Dictionnaire des termes de médecine alors que l'on y trouve par exemple le mot « parapsychologie ». Il faut dire que la télépathie a été longtemps galvaudée dans des numéros de music-hall et qu'il appartient désormais aux scientifiques de lui rendre ses lettres de noblesse.

Ainsi donc, l'expérienceur a la possibilité de deviner les pensées de son entourage au moment où il est sur le point de passer de vie à trépas. Il est clair que dans ces circonstances les personnes qui sont auprès de lui sont la plupart du temps des médecins réanimateurs, des anesthésistes ou des chirurgiens. Mis à part les dyslexiques qui pensent avec des images, les pensées sont exprimées avec des mots et même avec des phrases entières et ce sont précisément ces mots et ces phrases qui sont perçus par les expérienceurs avec une formidable acuité. Voici quelques extraits de témoignages qui m'ont été adressés :

Le chirurgien pestait de voir qu'il n'arrivait pas à contrôler l'hémorragie. Il pensait que son aide-opératoire manquait d'expérience pour pouvoir l'aider correctement et moi, pendant ce temps, je saignais comme un bœuf...

L'anesthésiste faisait mon massage cardiaque sans conviction ; bien qu'il n'en disait rien à personne, il ne pensait pas me sortir de là.

Dans sa tête l'urgentiste disait : « Putain, merde, on la perd, elle me file entre les doigts ! »

Les exemples de transmission de pensées du soignant émetteur vers l'expérienceur récepteur sont maintenant bien connus. La nouveauté est de prendre en compte les possibilités télépathiques qui ont lieu en sens inverse, c'est-à-dire du comateux émetteur vers le soignant récepteur, comme nous l'avons fait au chapitre 5.

Pour illustrer ce propos, je reproduis ici la conversation que j'aie eue avec une rescapée d'un coma toxique qui avait ingéré de fortes doses de tranquillisants pour tenter de mettre fin à ses jours. Quelque temps avant cet entretien, je l'avais sauvée de l'asphyxie en lui aspirant un gros bouchon de mucus qui obturait sa sonde d'intubation.

— *Heureusement que vous étiez là pour éviter que je ne m'étouffe, docteur. Sans vous, je ne serais plus de ce monde !*

— *Ah, l'infirmière vous a raconté ce qui s'était passé avec votre sonde d'intubation bouchée ? demandai-je intrigué.*

148

— Non, non, personne ne m'a rien dit. Je me souviens de tout, vous savez... Enfin, de presque tout. En fait, je ne voulais pas me suicider, je voulais juste dormir un peu.

— C'est beaucoup de comprimés pour « juste dormir un peu », comme vous dites... Dites-moi, comment savez-vous ce qui s'est passé avec votre sonde bouchée ?

— Eh bien c'est moi qui vous ai demandé de m'aspirer. Vous le savez très bien ! – Mais qu'est-ce que vous racontez ! Vous étiez dans le coma et donc dans l'impossibilité totale de pouvoir communiquer avec quelqu'un !

— Peut-être, mais moi je vous dis que j'entendais tout et que je voyais tout. Je pensais très fort : « Il faut m'aspirer, docteur, il faut m'aspirer vite. Je suis en train de m'asphyxier ! » Heureusement que vous m'avez écoutée.

J'étais subjugué : elle venait de prononcer les phrases précises qui avaient envahi mes pensées juste avant que je la sauve d'une mort par étouffement. En plus, elle avait l'air de trouver ça tout à fait banal et naturel.

En fait, tout se passe comme si l'expérienceur était capable de recueillir et d'émettre avec une surprenante efficacité une énergie fluidique représentée par un courant d'ondes induisant des pensées.

La rétrocognition

La capacité de pouvoir se souvenir de toute sa vie dans les moindres détails semble être aussi relativement constante dans les différents récits. Il n'existe pas pour autant un juge suprême capable de culpabiliser des actes passés, ni de jury d'assesseurs sanctionnant des fautes. Non, rien de tout cela. Il s'agit plutôt d'une sorte d'autocritique où les actions vécues qui peuvent a priori paraître insignifiantes reprennent ici leur véritable valeur. Les témoignages qui suivent sont assez édifiants :

J'avais complètement oublié qu'en classe de CM1 j'avais rempli le sac d'écolier de ma voisine de gros cailloux pendant la récréation. C'était une mauvaise action et j'ai vécu la peine que je lui avais causée comme si c'était à moi que l'on avait joué ce vilain tour. J'ai compris tout le mal que je lui avais fait. Et on m'a fait comprendre que ce n'était pas bien, mais sans me gronder, sans m'accabler ou me culpabiliser. Il y avait beaucoup d'indulgence, beaucoup d'amour dans ce que je recevais.

Henry Delpy

Et c'est alors que l'on m'a demandé : « Qu'as-tu fait de ta vie ? Qu'as-tu fait pour les autres ? »

Nicole Dron

150

J'étais en face de ma vie, en face de mes bonnes et de mes mauvaises actions, et je voyais ce qui était bien, et je voyais ce qui était mal, et je me disais : « Ça y est, je sais maintenant ce qui est le bien et ce qui est le mal, je sais ce qu'il faut faire pour faire le bien », et je savais que j'allais revenir pour faire mes preuves. Il n'empêche : j'ai visualisé mes quarante-deux années d'existence à une vitesse incroyable, en un clin d'œil, j'ai tout vu, tout, absolument tout. Rien ne manquait.

Corine Duguérelle

La précognition

Il arrive plus rarement que l'expérienceur reçoive dans son NDE des informations concernant son futur. Cette faculté précognitive semble même être relativement exceptionnelle.

Un confrère cardiologue m'a raconté avoir vu le visage inconnu d'une femme au cours de sa noyade. Il rejoignait sur une petite embarcation le voilier de ses amis ancré à proximité des côtes corses, lorsqu'une vague l'a fait chavirer et couler. Par chance, l'accident s'était produit tout près de ses sauveteurs qui ont pu le sortir de l'eau et pratiquer les manœuvres de réanimation nécessaires pour le faire revenir à la vie. Voici un extrait de son récit :

Il faisait beau mais la mer était un peu agitée. À bord de mon Zodiac les secousses se faisaient de plus en plus fortes. Une vague plus grosse que les autres souleva l'avant de mon pneumatique et me fit chavirer. La suivante m'entraîna vers les profondeurs. À ce moment-là, je n'étais plus qu'à quelques brasses de l'arrière du voilier, et mes amis ont pu voir mon naufrage. Pendant que deux d'entre eux plongeaient pour tenter de me récupérer, je m'enfonçai dans l'eau. Je pénétrai dans un tourbillon bleu-noir piqueté de scintillements dorés. Le tourbillon m'aspirait vers une flamme qui ne chauffait pas. Cette flamme m'enveloppait et j'étais très bien. Au milieu de ce feu de plaisir est apparu le visage d'une femme que je ne connaissais pas. Elle me souriait, me disait qu'on allait se revoir bientôt. Ensuite, j'ai ressenti une violente douleur dans la poitrine. Je crachais de l'eau et on me faisait un massage cardiaque sur le pont du bateau. Mes amis avaient réussi à me récupérer et à me réanimer. Heureusement pour moi, ils étaient tous médecins et excellents nageurs. Quand je suis revenu à la vie, je n'avais qu'une seule hâte : retrouver ce visage et cette sensation de bien-être indescriptible.

Le plus incroyable dans tout ça, c'est que j'ai rencontré, quelques mois après ma noyade, la femme au visage mystérieux aperçue au fond du tourbillon bleu. Je l'ai tout de suite reconnue.

Nous ne nous étions jamais vus auparavant et aujourd'hui nous vivons ensemble.

Le tunnel

Le passage dans le tunnel est l'étape suivante de la NDE. Il faut toutefois préciser que la séquence événementielle classique décrite ici peut être vécue différemment en fonction des cas et que les phénomènes télépathiques de rétrocognition ou de précognition peuvent arriver avant ou après l'épisode du tunnel.

L'expérienceur se sent aspiré ou attiré avec une force invincible et à une vitesse incroyable dans une « spirale obscure », un « cylindre », un « puits de pénombre », un « couloir bordé de pavés sombres et humides », un « endroit tout noir, comme une immense nuit très noire » ou encore un « tourbillon bleu-noir piqueté de scintillements dorés ». « C'était tout noir à l'intérieur, mais je distinguais quand même des cercles et je me déplaçais à une allure incroyable. Il ne faisait ni chaud, ni froid. J'avais les bras le long du corps. Je nageais en plein bonheur. » Bien que le vocabulaire employé soit variable, il s'agit bien de la même expérience vécue, à savoir, pour simplifier : un passage extrêmement rapide dans un trou obscur.

Le Dr Jacques Jaume est spécialiste de la douleur et praticien de soins palliatifs. Il s'est interrogé sur les symbolismes artistiques de l'au-delà et évoque dans son livre *Vivre l'après* la possible représentation de tunnels des NDE dans les architectures des églises ou des cathédrales. Il nous démontre, photos à l'appui, que des spirales ou des motifs hélicoïdaux sculptés sur certains chapiteaux, ainsi que de nombreuses rosaces de vitraux ou des conques de coupoles gothiques, ou bien encore des croix « à mouvement circulaire » comme la croix basque évoquent fortement « l'aspiration » de ces fameux tunnels. Et Jacques Jaume se demande à juste titre : « Pourquoi le tunnel ? Qu'est-ce qui a fait que ce tunnel soit l'épisode des NDE qui a le plus marqué les gens ? Les défenseurs d'un vécu oublié, d'une amnésie de la naissance, évoquent la filière génitale, mais ils n'ont jamais dû étudier la physiologie de l'accouchement sinon ils sauraient qu'un enfant qui naît n'est jamais devant un tunnel de lumière[1] ».

Mon confrère a entièrement raison, La plupart des nouveau-nés viennent au monde en passant leur tête de profil à travers l'orifice cutanéomuqueux de la mère, ils ne peuvent donc pas avoir cette vision de « rond de lumière cerclé d'anneaux » qui s'imposerait à eux s'ils naissaient « face la première ». Pourtant, certaines personnes n'hésitent pas à faire ce raccourci rapide pour

---

1. JAUME J. *Vivre l'après*, éd. Dervy, 2007, p. 70.

dire que le tunnel des EMI ne serait qu'une réminiscence de la naissance.

J'ai fait deux conférences et une émission de radio avec Dominique Bromberger. Ce célèbre journaliste télévisé qui a vécu une NDE après un accident de scooter a un discours assez particulier sur son expérience. Il ne pense pas avoir fait une NDE parce qu'il n'a pas, selon lui, vu de tunnel pendant sa décorporation. Néanmoins, il raconte avoir été dans une salle de cinéma obscure et très pentue avec un écran luminescent blanc vers lequel il s'enfonçait... Je laisse le lecteur seul juge de la nuance à faire.

Au cours de cette phase, certains décrivent un silence absolu, tandis que d'autres, au contraire, entendent des chants religieux, des liturgies, des chorales ou des carillons. En tout cas, si perceptions auditives il y a, elles sont la plupart du temps agréables et mélodieuses.

Quoi qu'il en soit, même si « le tunnel » n'est pas omniprésent dans le récit des expérienceurs (23 % des cas, selon l'étude de Kenneth Ring), il symbolise à lui seul toute l'expérience des NDE, comme le démontre *L'Ascension vers l'empyrée*, la peinture de Jérôme Bosch où des anges accompagnent des défunts s'envolant vers une lumière en passant dans un immense tunnel.

La lumière

Elle resplendit au bout du tunnel et éclaire l'étape suivante où prédominent ce que les expérienceurs appellent « l'amour inconditionnel » et « l'omniscience ».

C'est aussi dans la Lumière que des rencontres se font avec des anges, des guides, des défunts ou des entités.

L'Amour inconditionnel

Cet amour-là n'a rien de commun avec l'amour terrestre, qui est le plus souvent un amour possessif, exclusif, pouvant entraîner des sentiments négatifs comme la jalousie, la haine, la colère, la violence ou même, pire encore, le meurtre en cas de crime passionnel. L'amour décrit ici n'a rien d'exclusif, bien au contraire. Il repose sur le partage et le don. Il est immense et d'une intensité jamais égalée sur Terre. Il est reçu comme le plus beau des cadeaux car est donné sans que soit attendu un quelconque retour : il est inconditionnel !

Il suffit d'écouter quelques témoignages pour comprendre le caractère très exceptionnel de cet amour :

« C'était bien plus fort que 100 millions d'orgasmes ! »

« … un amour infini émanant d'une source divine. »

« Je n'ai jamais connu ça avant, j'étais baigné dans un océan de bonté. »

« … et quand je suis rentré dans cette Lumière d'amour, je suis moi aussi devenu amour. »

« Je sais maintenant que de l'autre côté tout est Amour. La Lumière m'a enveloppée. Elle était très forte, mais n'éblouissait pas. Elle était très chaude, mais ne brûlait pas. Elle m'aimait, me parlait par la pensée et moi je faisais comme elle. »

« Je croyais savoir ce qu'était l'amour, puisque j'aime profondément mon mari et mes deux filles, mais ce que j'ai connu là au contact de cette Lumière n'a absolument rien à voir avec ça. C'était bien plus fort que n'importe quel amour terrestre. Et Dieu sait pourtant à quel point j'adore ma famille ! »

L'omniscience

La sensation de tout savoir sur tout fait partie des phénomènes habituellement racontés par ceux qui ont approché la Lumière. En fait, tout se passe comme si cette Lumière divine était capable de transmettre les valeurs les plus précieuses de l'humanité, à savoir la connaissance et l'amour.

« Quand j'étais dans la Lumière, j'ai eu la connaissance absolue : rien ne m'était inconnu ; des mathématiques les plus difficiles aux sciences les plus ardues, je savais tout. Je pouvais comprendre toutes les langues du monde, la création de l'Univers : tout. Rien ne m'échappait. »

« À ce moment-là, j'ai su. Je sais que j'ai su. Mais maintenant, j'ai tout oublié. Je ne sais plus rien... ou presque. »

La rencontre avec des entités

Les entités qui se présentent dans la Lumière sont généralement des défunts connus de l'expérienceur : famille proche ou éloignée, ou même parfois simple connaissance ou ami. Elles communiquent par télépathie en conseillant le retour à la vie terrestre après avoir délivré des conseils de conduite – c'est-à-dire la façon de se comporter sur Terre – et des messages d'amour.

Cette rencontre permet parfois d'accepter un deuil particulièrement douloureux, comme en témoigne la lettre d'une de mes lectrices :

Monsieur,

J'ai découvert en vous lisant que vous êtes un commentateur avisé des NDE. Je souhaitais vous faire part de ce que j'ai vécu le 12 janvier 2008 à 8 h 45. Je suis représentante et en partant pour mon travail, j'ai eu un très grave accident de voiture impliquant une semi-remorque et deux autres véhicules. Une personne est décédée dans l'accident. Je ne me souviens pas des détails de l'accident, j'étais dans le coma. J'ai pourtant un souvenir précis : celui d'avoir retrouvé ma fille Laëtitia décédée en mai 1986 à l'âge de sept ans. Ce moment était féerique, j'étais dans un long tunnel avec des lumières de toute beauté d'un jaune scintillant. Je n'avais plus de corps, il était très léger. Je marchais et je tenais la main de ma fille adulte avec ma main gauche, c'était merveilleux. Quand j'ai quitté le tunnel, je lui ai dis : « au revoir Laëtitia. » J'ai pu enfin faire en partie le deuil de ma fille vingt-deux ans après son décès et comprendre qu'il y a autre chose de l'autre côté. On n'a pas envie de revenir sur Terre tellement c'est beau. J'appellerai ces présences « les anges de la Lumière ». Mon témoignage pourra peut-être aider tous les pères et toutes les mères qui ont perdu un être cher dans leur vie. Bien cordialement.

Rachel Charlet

Comme nous l'avons vu dans le chapitre 5, les recommandations faites par les entités peuvent être parfois très directives. La grand-mère de Florence Combeau a des propos catégoriques lorsqu'elle lui dit : « Ne me suis pas, tu as ta vie à faire et moi j'ai la mienne, je te protégerai ! »

Dans certains cas, les entités sont des « anges », des « guides » ou des « êtres de Lumière ».

Plus rarement encore, il s'agit d'une rencontre divine : Dieu, Marie, Jésus ou Bouddha.

Pierre Jovanovic rapporte dans un de ses livres l'EMI d'un prêtre :

> *Je me revis immédiatement après l'accident, transporté je ne sais comment devant le trône du Christ. Et il me jugeait. Il me jugeait en tant que prêtre. Je n'ai pas eu de tunnel, ni de lumière, ni ma vie entière en trois dimensions. Je savais simplement que je me trouvais en cet instant devant Lui et qu'il n'y avait aucune argumentation ou discussion possible[1].*

La plupart du temps, ces rencontres sont réconfortantes et encouragent à la poursuite d'une vie terrestre faite dans l'amour, la bonté et le don de soi.

---

1. JOVANOVIC P., *Enquête sur l'existence des anges gardiens*, éd. Le Jardin des Livres, 2008, p. 123.

Une limite

Il semble que la limite à ne pas franchir soit dans bien des cas matérialisée par une barrière, un mur, une haie, un grillage ou un autre symbole tout aussi significatif. Les expérienceurs ne sont pas autorisés à dépasser cette ultime frontière de non-retour :

« ... *Une grille très haute que je savais ne pas pouvoir sauter.* »

« *J'ai tout de suite compris que si j'étais passé de l'autre coté de cette sorte de brouillard épais, je n'aurais jamais pu revenir. Moi, je voulais quand même y aller, mais c'était impossible.* »

Dans mon roman *Derrière la Lumière*[1], j'ai imaginé ce qui pouvait arriver à un expérienceur si cette interdiction n'était pas respectée. En fait, j'ai appris par la suite, par un médium, que j'avais décrit sans le savoir un phénomène bien connu des initiés qui s'appelle le « walk-in[2] ». Certains pourront en conclure que l'écriture très inspirée de cette histoire a été captée dans la supraconscience décrite précédemment. Pourquoi pas ? Personnellement cette hypothèse me paraît tout à fait plausible.

---

1. CHARBONIER J.-J. : *Derrière la Lumière*, CLC éditions, 2002.
2. Le walk-in ou croisement des âmes se produit lorsqu'à l'occasion d'une NDE une âme différente vient habiter le corps de l'expérienceur alors que l'âme initiale rejoint dans l'au-delà des dimensions supérieures.

Le retour

Il se fait avec tristesse et nostalgie. L'expérienceur quitte la Lumière pour réintégrer son corps. Le plus souvent, cette dernière étape se déroule contre son gré. Réapparaissent alors les douleurs physiques et la souffrance psychique consécutive à la connaissance d'une expérience aussi extraordinaire qu'indicible que l'on sait ne pas pouvoir communiquer de peur de passer pour un fou.

« Je suis revenu dans mon corps avec une tristesse infinie... »

« J'ai réintégré mon corps par le sommet du crâne, par la fontanelle, et je l'ai fait comme une main enfilant un gant... »

« Et d'un seul coup, je fus propulsée dans mon corps. C'était violent et douloureux comme si quelqu'un m'avait poussée par-derrière pour me forcer à revenir là-dedans... »

« J'ai considéré mon corps avec une espèce de dégoût, mais je savais que j'allais de nouveau m'y glisser, comme dans un ancien costume devenu trop vieux et trop petit. »

Dans tous ces récits, il est surprenant de constater l'absence de tristesse lors des décorporations en tout début de NDE. Une nostalgie qu'il serait pourtant bien logique de ressentir lors de l'abandon de toute une vie terrestre ; une vie avec des attaches solides comme c'est le cas lorsqu'on a des enfants et que l'on est entouré de personnes avec lesquelles on partage des expériences et de l'amour. Eh bien non, les expérienceurs sont très heureux de quitter notre monde ! En revanche, ils souffrent énormément d'être séparés de la Divine Lumière qu'ils n'ont connue que très brièvement. Les quelques millièmes de secondes de ce contact « lumineux » ont été de leur point de vue bien plus importants que le vécu d'une vie entière. C'est dire l'intensité et la puissance de cette rencontre !

Les transformations

Celui qui a connu cette expérience ne sera jamais plus comme avant. Il va se détacher des valeurs matérielles de ce monde, sera davantage tourné vers les autres, vers la communication, les missions humanitaires ou caritatives. Il aimera la vie, mais d'une tout autre façon. Il saura jouir des plaisirs simples comme une conversation enrichissante, la vision d'un joli paysage ou la dégustation d'un verre d'eau fraîche en plein été.

« Depuis mon accident, je sais prendre le temps de le perdre avant, je courais partout et je n'appréciais rien du tout ! » m'a dit ce cadre d'entreprise

163

devenu artiste peintre après son expérience aux frontières de la mort.

Quelquefois, l'entourage ne reconnaît plus la personnalité de celui qui est passé si près du décès tant le changement est radical. Cela entraînera des bouleversements considérables d'existence avec des divorces, des abandons professionnels et des rencontres avec de nouveaux amis plus ouverts et plus compréhensifs tandis que les anciens s'éloigneront peu à peu.

La difficulté de faire partager cette expérience est si grande que, la plupart du temps, le sujet peut mettre des années, voire même des décennies avant d'oser en parler, et cette frustration pourra être la cause d'un repli sur soi-même aboutissant à l'émergence de maladies psychiatriques graves comme la schizophrénie ou la dépression aiguë avec un risque indéniable de suicide. Incompris de tous et isolé dans sa fantastique expérience, le malheureux ne se reconnaît plus dans un monde qui n'accepte pas son vécu. D'où l'importance des groupes de parole, qui permettent une écoute attentive et une prise en compte des récits.

Par ignorance plus que par bêtise, les réactions de certains de mes confrères peuvent être à l'origine de ce type de blocages psychologiques pathogènes. Voici l'extrait d'une lettre que m'a envoyée une femme ayant vécu une NDE après une hémorragie utérine ; elle se passe de tout commentaire :

Depuis ma NDE, je suis sereine devant la mort, je n'en ai plus peur. Une fois, j'ai essayé d'en parler à un anesthésiste qui me posait des questions en vue d'une anesthésie. Il m'a tout de suite arrêtée en me disant qu'il ne croyait pas du tout à ces « conneries » et que si j'avais été morte, je ne serais pas là pour le raconter. Donc, vexée, je me suis tu pendant longtemps.

Après une NDE, il n'est pas rare que des facultés paranormales se développent. Je connais personnellement des expérienceurs qui sont devenus guérisseurs, magnétiseurs ou médiums, alors que de leur propre aveu, rien ne leur laissait supposer un tel avenir.

Florence Hubert a connu une EMI à la suite d'une embolie gazeuse lors d'un accident de plongée en Corse. Échappant de très peu à une noyade mortelle, elle est revenue à la vie complètement métamorphosée par son aventure. Elle est aujourd'hui devenue une grande médium reconnue après avoir obtenu une indépendance financière à la suite d'un divorce houleux :

Avant, je ne manquais de rien. Mon maris me gâtait, je ne travaillais pas, alors c'était grande maison, piscine, voyages avec cocotiers ou ski en hiver. Mais quand je suis allée là-haut, j'ai tout compris. J'ai divorcé et j'aide les gens par ma médiumnité. Je suis beaucoup moins riche qu'avant mais je suis aussi beaucoup plus heureuse...

Cathy Cavaleiro Bernadot n'a que trente-huit ans lorsqu'elle subit une attaque cérébrale qui la plonge dans un coma profond. Héliportée en urgence vers le centre hospitalier le plus proche, elle vit une NDE qui va complètement modifier sa vie. Avant son expérience, elle était plutôt rationaliste, très ancrée dans les valeurs matérielles et pensait que la mort aboutissait au néant absolu. Elle travaille aujourd'hui avec moi comme soignante en réanimation et accompagne le passage des mourants dès que l'occasion lui en est donnée car, selon elle, la vie continue de l'autre côté et cet ultime voyage est facilité par la présence et l'amour de ceux qui assistent au trépas. Cathy parle aux comateux et reste auprès d'eux longtemps après le constat médical du décès ; une attitude radicalement opposée à celle qu'elle avait avant son expérience. « Maintenant, je sais ce qui se passe quand la mort arrive puisque moi aussi j'ai connu ce moment. Il ne faut pas qu'ils aient peur, alors je leur explique », dit-elle calmement avec un doux sourire aux personnes qui ne comprennent pas ses étranges rituels.

Elle raconta pour la première fois en public son EMI à l'occasion d'une conférence que je donnais à l'auditorium de la clinique Saint-Jean de Toulouse.

Lorsque j'étais dans l'hélicoptère, j'étais dans le coma, pourtant je me souviens parfaitement de ce que disait le médecin réanimateur qui était auprès de moi. Je me souviens aussi qu'il était en bermuda sous sa blouse parce qu'il n'avait même pas pris le temps de se changer. Je me suis retrouvée dans une sorte d'ambiance très confortable et très silencieuse, enfin ce n'était pas vraiment du silence, c'était plutôt comme le matin quand il vient de neiger et que tous les bruits extérieurs sont assourdis. Je visualisais un environnement cotonneux avec des couleurs qui tiraient sur le vert et c'est là que j'ai vu de façon très nette une ligne blanche. J'avais très envie de la franchir mais on me l'interdisait. Je savais que si je la franchissais, je ne pourrais plus revenir, mais pourtant je voulais quand même passer de l'autre côté ; j'étais tellement bien ! J'ai connu un bonheur total rempli d'amour et je savais que jamais plus je ne pourrais connaître un pareil bonheur que je n'avais bien sûr jamais rencontré dans ma vie. Je sais que je ne pourrai revivre ce bonheur qu'au moment de ma mort car il est impossible de trouver une joie pareille sur Terre. Je savais que si je franchissais cette limite blanche qui m'était interdite, ce bonheur que je ressentais déjà comme un bonheur total et parfait serait encore plus fort. Je le savais et c'est pour ça que j'avais très envie d'y aller. C'est à ce moment-là que j'ai vu ma tombe avec devant elle les deux fils de ma meilleure amie qui se recueillaient. Ils étaient tristes de me savoir morte et moi je voulais leur dire : « Mais non, ne soyez pas tristes, je suis bien, je n'ai jamais été aussi bien de ma vie et je n'ai pas envie du tout de revenir », mais bien sûr je ne pouvais rien leur dire du tout car je savais que de là où j'étais ils ne pouvaient pas m'entendre. Ensuite je me suis réveillée et un médecin est venu me voir pour me dire que j'avais fait un accident vasculaire cérébral dû à un surmenage. À la suite de quoi toute ma vie a basculé. Je suis très heureuse de n'avoir gardé aucune séquelle physique de mon accident, mais même si ça devait recommencer, je n'ai plus du tout peur de mourir. Ce doit être fantastique d'avoir la permission de passer la ligne blanche ! Ma vie a complètement changé après ma NDE. J'ai quitté mon compagnon car je trouvais qu'il était trop intéressé par l'argent. Il était agent immobilier et pour moi l'argent, le côté matériel des choses n'a plus aucune espèce d'importance. Aujourd'hui j'ai la capacité de voir très rapidement si une personne vaut la peine ou pas d'être fréquentée ; si elle ne l'est pas, ce n'est pas grave, je passe mon chemin, je n'en *fais pas toute une histoire en la critiquant ou autre, non, c'est du temps perdu tout ça !... Je ne me fais plus du tout de souci ; les gens doivent me prendre comme je suis, je n'ai plus envie de faire des efforts inutiles avec des faux-semblants. Par contre il y a dans ma vie des gens que j'aime, et maintenant je le leur dis alors qu'avant je n'aurais jamais osé. La première fois que j'ai dit à ma mère que je l'aimais, elle s'est mise à pleurer, on ne pouvait plus l'arrêter. Je l'ai ensuite dis à mon frère ; il m'a regardée bizarrement puis il m'a dit : « Moi aussi je t'aime bien ! » Je lui ai répondu : « Quoi ? "Je t'aime bien", c'est tout ? Moi j'aime bien mon chien mais pas toi ! Toi je t'aime, c'est pas pareil. » Il avait l'air gêné, le pauvre. Je sais maintenant qu'il ne faut plus avoir peur de dire aux gens qu'on les aime et c'est ce que je fais. Cette façon de faire m'a aussi conduite à modifier ma façon de travailler avec les malades. Je me sens beaucoup plus proche d'eux qu'avant.*

Sur ce dernier point je peux témoigner que Cathy a une façon particulièrement humaine de soigner les malades dont elle a la charge. Malheureusement, cette approche spéciale n'est pas enseignée sur les bancs de la faculté ou dans les écoles d'infirmières. Son témoignage est important car il montre comment une NDE peut améliorer notre rapport à l'autre.

LES NDE PARTICULIÈRES

Les NDE négatives

Dans certains cas, les expériences ne sont pas aussi merveilleuses que dans la description stéréotypée que nous venons de voir. La fréquence de ces NDE dites négatives est variable selon les auteurs. Elle représenterait 4 à 11 % des NDE, voire même beaucoup plus selon les études du Dr Maurice Rawlings. Ce cardiologue américain, instructeur national de la très prestigieuse American Heart Association, s'est engagé dans la recherche des NDE négatives après avoir été confronté au témoignage d'un homme qui avait tenté de se suicider en se tirant une balle dans la bouche. Au Dr Rawlings qui tentait de le réanimer en parvenant plusieurs fois à faire repartir son cœur, il demanda de le ramener à la vie car, disait-il, « je suis en enfer ». Le cardiologue, bouleversé par la réaction inattendue de son patient, commença à se demander s'il y avait un enfer et une possibilité de survivance après la mort. Avant de publier les résultats de ses travaux sur ce sujet, le Dr Rawlings se plongea dans une étude poussée de livres religieux et philosophiques : la Bible, bien sûr, mais aussi le Livre des morts égyptien, le Livre des morts tibétain, les écrits de Socrate ou de Platon. Il s'est également intéressé aux traditions des Amérindiens, des hindous et des musulmans et découvrit avec étonnement la croyance constante à la survivance.

La notion que cette catégorie d'expérience soit plus fréquente chez les suicidés et les toxicomanes a été largement commentée et contestée.

D'après le Dr Rawlings, la sous-évaluation de ce pourcentage serait due au fait que les recueils de témoignages sont plus difficiles à obtenir que dans le cas des NDE positives. Effectivement, on peut concevoir qu'il soit beaucoup plus dévalorisant d'avouer avoir connu l'enfer pendant son expérience alors que la majorité des témoins parlent de visions paradisiaques ! Car c'est bien de cela qu'il s'agit : les expérienceurs qui ont vécu une NDE négative n'ont pas vu de Lumière d'amour, n'ont pas eu la sensation d'être omniscient, ni d'être entourés de guides, d'anges ou d'êtres de Lumière. Ils n'ont pas non plus baigné dans un océan d'amour avec une sensation de bien-être extraordinaire. Non, pour eux rien de tout cela. À vrai dire, ils ont même ressenti exactement le contraire ! Les malheureux ont traversé des lacs de feu entourés de monstres et de démons en ne souhaitant qu'une seule chose : la fin rapide de ce véritable cauchemar !

Maurice Rawlings est comme moi médecin réanimateur et a donc pu, à ce titre, obtenir des témoignages plus précoces et, par voie de conséquence, plus exacts.

« Ni Kubler-Ross, ni Moody, pour autant que je sache, n'ont jamais réanimé de patient ni eu l'occasion de procéder à des entretiens immédiats. Ayant au contraire interrogé de nombreux patients que j'avais personnellement réanimés, j'ai découvert avec stupeur que beaucoup avaient connu des expériences négatives[1] », écrit-il fort justement dans l'introduction de son deuxième ouvrage.

Il est en effet probable que la grande majorité d'expériences négatives passe inaperçue car, au moment des réanimations, le médecin à des choses plus importantes à faire que d'écouter le ressenti du patient qui vient d'échapper à la mort, tandis qu'à distance de l'événement l'expérienceur n'ose plus en parler. À ce propos, le Dr Rawlings incite les médecins urgentistes à « oser les questions spirituelles et interroger sans délai les patients qu'ils arrachent à la mort clinique[2] ».

Mon métier m'a permis d'être le témoin de ces NDE négatives.

Je me souviens notamment de cette intervention SAMU auprès d'un jeune homme qui s'était jeté sous une voiture qui roulait à grande vitesse. Un

_____

1. RAWLINGS M., *Derrière les portes de la Lumière*, éd. Le Jardin des Livres, 2006.
2. Id., *ibid., op., cit.*

médecin généraliste qui passait par là était parvenu à faire repartir le cœur de ce désespéré en alternant, tout seul, massage cardiaque et bouche-à-bouche. Lorsque l'hélicoptère qui me transportait se posa en bordure d'autoroute, le malheureux blessé avait déjà repris connaissance. Mon confrère me fit un rapide bilan lésionnel : écrasement des membres inférieurs, pouls à peine perceptible avec un arrêt cardiaque récupéré au bout d'environ quinze minutes de massage, traumatisme crânien avec embarrure[1]. Ce n'était pas brillant !

Le polytraumatisé était choqué.

Après avoir mis en place deux voies veineuses de bon calibre, je préparai rapidement le matériel d'intubation, le petit respirateur portable et le moniteur cardiaque.

Le jeune garçon paniquait. Il semblait terrorisé.

Je reproduis ici de mémoire le dialogue que j'ai eu avec lui avant de l'anesthésier pour le transporter dans les meilleures conditions :

— *Je vais devoir vous endormir avant de vous mettre dans l'hélico, OK ?*

— *Non, je ne veux pas retourner là-bas*, me dit-il de plus en plus anxieux.

— *Pourquoi ? Vous ne voulez pas aller à l'hôpital, c'est ça ?*

---

1. Embarrure : variété de fracture complète de la voûte du crâne par enfoncement, caractérisée par l'existence d'un fragment complètement détaché et déplacé en bloc parallèlement à la surface du crâne.

— *Non... Vous ne comprenez pas... là-bas, c'est là-bas. Pas sur Terre ! me fit-il en haussant les yeux vers le ciel.*

— *Bon, j'injecte mon produit et dans quelques secondes, vous allez dormir. Ne vous inquiétez pas, tout va très bien se passer.*

Il ne s'est jamais réveillé.

Un autre arrêt cardiaque, cette fois-ci irrécupérable, l'emporta au moment où nous survolions l'héliport du CHU.

Sur le moment, je ne fis pas attention à sa réflexion qui exprimait sa peur panique de « retourner là-bas ». En fait, il avait raison, je ne comprenais pas du tout ce qu'il voulait me dire. Mais en examinant ce cas de plus près, on peut penser que ce jeune homme, qui avait dû vivre une NDE négative lors de son premier arrêt cardiaque récupéré par le médecin généraliste, me faisait part de sa crainte de revivre la même expérience en plongeant dans l'inconscience d'une anesthésie générale : « là-bas, c'est là-bas. Pas sur Terre ! »

David Jourdes n'a que vingt ans lorsqu'il subit son NDE dans la période postopératoire d'une transplantation hépatique pratiquée en urgence en raison d'une hépatite fulminante. Il se dit « catholique de baptême mais non pratiquant » et interprète le caractère négatif de son expérience comme une sorte d'épreuve divine pour le punir de son passé de débauche. Voici quelques extraits du long récit qu'il m'a adressé :

Si je veux bien parler de ça aujourd'hui, c'est parce que je suis en quête spirituelle et qu'il me semble important de purger mon âme de certains souvenirs. Et cela d'autant plus que ma perception ne correspond en rien aux récits habituellement tenus. Contrairement à d'autres, je ne vis jamais de tunnel lumineux mais plutôt une sorte de puits profond interminable dans lequel je sombrais, je tombais. Au centre du puits des étincelles surgissaient, blanches et multiples. Lorsque je forçais ma vitesse de descente que je pouvais contrôler, je percevais le danger de ma fin et je ressentais l'urgence de l'équipe médicale mobilisée autour de moi. Je jouais avec ça. En fait, j'y prenais plaisir. [...] Je ne trouvais rien d'effrayant dans ma chute dans ce puits de lumière et d'obscurité. Mieux, comme je l'ai déjà dit, j'aimais jouer sur la vitesse de ma descente et je mesurais ce que c'était : la mort et son approche. Cela ne me faisait pas peur. [...] Je percevais tout mon environnement mais je lui donnais une autre vérité, une autre réalité. Encore aujourd'hui, je ne sais pas l'expliquer, mais le matériel me semblait être usé comme le monde qui m'entourait. Je ne sais pas comment, j'étais dans le coma mais je percevais les objets, les hommes et les femmes. [...] Debout sur ce qui me semblait être un radeau, je naviguais sur un fleuve de feu comme si je flottais sur une coulée de lave. Dans cette conscience perdue de mon coma, ce fut un certain bonheur et ce cauchemar n'en était finalement pas un. [...] Ensuite, je devais me retrouver dans ce qui me semblait être l'enfer. Cependant, cet enfer n'était pas celui décrit dans la Bible ou celui des représentations habituelles. Pris dans une cage comme un clapier pour lapins, enfermé, accroupi, n'ayant pas de possibilité de m'étendre, je grillais. Je ne ressentais pas de douleur physique, mais dans mon esprit je rôtissais. Pour la petite histoire, dans un entretien silencieux avec une entité que je ne connaissais pas et que je ne pouvais désigner, je devais me faire pardonner mon passé et accepter mon châtiment. Je vis ma grand-mère décédée quelques mois plus tôt assise avec un prêtre en soutane à ses côtés. Le père aurait accepté de me recevoir mais ma grand-mère me dit de partir car mon heure n'était pas encore venue. Puis, je n'ai plus rien vu !

Une autre histoire pouvant illustrer cette partie consacrée aux NDE négatives est celle de mon ami J. qui a travaillé quelques années avec moi comme manipulateur radio avant de prendre une retraite bien méritée.

J. était quelqu'un de très consciencieux et exerçait son métier avec beaucoup de rigueur. Il était toujours de bonne humeur et bénéficiait d'un tempérament particulier qui lui donnait ce que les gens du Sud appellent « la pêche ». Pourtant, quelques mois à peine après avoir fêté son départ de la clinique, je le reçus un soir aux urgences en piteux état. Une importante dépression nerveuse avait amené mon ami J. à se tirer un coup de fusil dans le ventre. Parmi les gens qui avaient travaillé avec lui, personne à l'époque n'aurait été capable de prévoir un tel acte.

À son arrivée, il était dans le coma tant l'hémorragie était importante. Après lui avoir passé quelques poches de sang, il reprit connaissance et lorsqu'il me reconnut il me dit :

« – Ah, c'est toi Chacha[1] ? J'espère que tu vas me tirer de là. J'ai fait une grosse connerie. En plus j'ai vu ce qu'il y avait de l'autre côté. C'est pas joli, joli, crois-moi. Sors-moi de là, j'ai pas envie d'y retourner !

— T'inquiète pas, je contrôle la situation », lui avais-je dit avant de l'endormir pour l'opérer.

Lui non plus ne s'est jamais réveillé. Le chirurgien a constaté à l'ouverture abdominale des dégâts considérables qui dépassaient de beaucoup tout espoir de ressource thérapeutique.

Avec le recul, je pense que mon ami J. a certainement dû connaître lui aussi une NDE négative.

---

1. Chacha est un surnom que certains proches me donnent ; Chacha ou Jiji, c'est selon.

Dans les deux exemples de NDE négatives que nous venons de voir, les expérienceurs ont tenté de mettre fin à leurs jours, mais ont exprimé leur crainte de revivre leur passage dans un au-delà effrayant après leur réanimation.

Ce qu'il faut surtout retenir de ces NDE négatives, c'est que la majorité de ceux qui les ont vécues et qui y survivent font plus tard, et non dans l'immédiat comme nous venons de le voir précédemment, une expérience positive avec les mêmes conséquences que ceux qui vivent une NDE « classique », à savoir :

— la modification des valeurs : ils vont se détacher de l'aspect matériel des choses et se tourner vers les autres ;

— ils n'ont plus peur de mourir ;

— Ils savent que la vie ne s'arrête pas au moment de la mort et que l'après-vie existe ;

— Ils profitent de la vie et de chacun de ses instants ;

— Ils savent désormais que l'amour est la valeur essentielle de la vie.

D'autre part, les expérienceurs sont persuadés qu'ils ne connaîtront plus jamais de NDE négatives car ils ont compris comment il fallait se comporter sur cette planète pour éviter une après-vie aussi douloureuse que terrifiante. En particulier, les toxicomanes et les suicidés n'ont plus du tout l'intention de réitérer leurs erreurs. Cette façon très manichéenne de percevoir les choses après une NDE négative se retrouve dans de nombreux témoignages. Ils ont vu l'enfer et « on » leur en a montré un petit aperçu pour qu'ils modifient leurs comportements. Il s'agit en quelque sorte d'un avertissement de l'au-delà pour changer sa vie avant qu'il ne soit trop tard !

Les premières statistiques publiées semblaient montrer qu'il y avait davantage d'EMI. négatives chez les suicidés et les toxicomanes. En réalité, une étude plus récente faite sur un plus grand échantillon de la population a prouvé que c'était faux : il n'existerait aucun facteur prédictif pour vivre ce genre d'expérience.

Les NDE chez les enfants

Il m'est arrivé d'avoir à réanimer des enfants et de faire repartir leurs petits cœurs momentanément arrêté aux décours de noyades, d'électrocutions ou d'accidents de la route. Si le décès d'un enfant est probablement la chose la plus pénible à vivre pour un médecin anesthésiste-réanimateur, surtout lorsqu'il s'agit d'aller annoncer cette terrible nouvelle aux jeunes parents, le retour à la vie de ces êtres si fragiles après de longues minutes d'effort est un moment aussi émouvant que merveilleux. Malheureusement, à la différence du Dr Melvin Morse qui a beaucoup travaillé sur ce sujet, je n'ai personnellement jamais eu l'occasion de recueillir le moindre témoignage de NDE de ces petits ressuscités.

L'étude de Morse[1] est intéressante car elle nous montre bien que les enfants sont eux aussi capables de vivre au cours de leur NDE la même séquence événementielle que celle observée chez les adultes. Bien sûr, leurs expériences sont exprimées avec des mots bien à eux, comme « un monsieur qui s'éclairait tout seul » pour désigner un être de Lumière, mais on retrouve ici aussi les grandes étapes rencontrées dans les NDE des adultes avec la sortie de corps, la traversée du tunnel ou encore l'approche de la Lumière.

Le Dr Sam Parnia, qui est un médecin britannique spécialisé en soins intensif, raconte à propos d'un enfant qui avait fait un arrêt cardiaque :

Il m'a montré le dessin qu'il refaisait sans cesse. C'était un soleil et lui s'était dessiné comme s'il se voyait au-dessus. Il m'a dit : quand on meurt on voit une lumière très brillante et on est relié par un cordon.

Un fait est certain, leur très jeune âge interdisant toute influence culturelle philosophique ou religieuse, la vérité sort de leur bouche avec un maximum de spontanéité et d'authenticité.

---

1. MORSE M., *Des enfants dans la lumière de l'au-delà*, éd. Robert Laffont, 1992.

Merveilleux cadeau que nous font là tous ces enfants en nous prouvant que la NDE n'est pas un simple discours calqué sur un fantasme d'immortalité, comme le prétendent encore certains, mais représente au contraire une réalité bien établie !

Les NDE chez les aveugles

En 1989, un grand journal italien, *La Stampa Serra*, publie l'interview d'un chirurgien de la clinique universitaire de Rome. Sa patiente qui avait fait un arrêt cardiaque au cours d'une intervention chirurgicale lui a ensuite raconté avoir assisté à sa propre opération ; elle fut capable de lui décrire les instruments et les différents appareils utilisés par le médecin et son équipe. Tout cela aurait été presque banal au milieu de tous ces récits de sortie de corps, oui mais voilà, la patiente en question était aveugle de naissance ! Et dans sa description, elle n'a pas utilisé des termes propres à un aveugle, mais ceux d'un voyant !

Des études portant sur les NDE des aveugles[1] confortent l'idée que les éléments perçus ne sont pas des hallucinations ou des rêves puisque ces expériences se produisent bien en dehors de tout

---

1. RING K., ELSAESSER-VALARINO E., *Lessons from the Light*, Perseus Books, Reading, Mass. USA, 1998, chapter 3 ; RING K., COOPER S., JAMES W., *Mind Sight : Near-Death and Out-of-Body Experiences in the Blind*, Center for Consciousness Studies, Institute of Transpersonal Psychology, Palo Alto CA, USA, 1999.

système sensoriel visuel opérationnel. Cela tendrait donc à prouver qu'un état de conscience serait possible en dehors du cerveau et même, pourquoi pas, en dehors de la matière.

Effectivement, dans ces études, les aveugles vivant une NDE sont parfaitement capables de décrire des détails concernant l'équipe médicale qui tentait de les réanimer – comme les gestes qu'ils effectuaient ou les vêtements qu'ils portaient –, la salle d'opération dans laquelle ils étaient ou encore les différentes anecdotes visuelles qui se sont déroulées au cours des accidents qui les ont conduits au seuil de la mort. Et tout cela sans qu'une vision effective ne fût possible ! Alors, n'est-ce pas là la preuve irréfutable de la dissociation du corps et de la conscience ?

En fait, les choses ne sont pas aussi simples car il semblerait bien que les perceptions des expérienceurs aveugles soient beaucoup plus fines et performantes que celles offertes par la vision. Lisons plutôt un de ces témoignages :

C'était comme si je voyais tout depuis partout ! C'était comme s'il y avait des yeux dans chaque cellule de mon corps et dans chaque particule qui m'entourait. Je pouvais voir simultanément depuis un point situé devant moi, derrière moi, etc. Tout se passait comme s'il n'y avait aucun observateur séparé de ce qui était vu. Il y avait simplement une prise de conscience parfaite de toute chose.

On s'en rend bien compte ici, l'impression sensorielle des aveugles dépasse de loin celle donnée par la simple vision, à tel point que Ring et Cooper parlent de « conscience transcendantale » pour désigner ces états de conscience élargie.

On peut aussi se demander comment des aveugles de naissance peuvent affirmer avoir vu, alors qu'ils n'ont jamais eu la possibilité de bénéficier de ce type de perception au cours de leur vie. En fait, ces handicapés ont, comme tout le monde, des rêves pendant leur sommeil. Mais contrairement à nous, leurs rêves ne se font pas en images ; des sensations tactiles, auditives, olfactives et même parfois gustatives impriment leur cerveau pendant leur sommeil, si bien qu'il leur est facile d'analyser que ce qu'ils vivent au cours de leur NDE est totalement différent de leurs rêves, tout en se rapprochant de ce que les voyants décrivent comme étant la visualisation d'images ou de films. D'où leur conclusion sincère : « J'ai su ce qu'était la vue pendant ma NDE » tandis que les personnes devenues aveugles disent : « J'ai retrouvé la vue pendant ma NDE et c'était cent mille fois mieux qu'avant ma cécité. »

En fait, les aveugles ont des perceptions visuelles qui concernent aussi bien notre monde physique que cette autre dimension à laquelle la NDE leur donne accès. Ring et Cooper pensent que la connaissance de leur vécu n'est traduite en images qu'au moment du récit. C'est uniquement au moment de la transposition de l'expérience en paroles que la perception devient « visuelle ». D'où l'importance très relative des mots dans ce genre de vécu !

Pour pouvoir traduire au mieux leurs impressions, tous les expérienceurs, aveugles ou non, appellent « voir » ce qui, en fait, est « percevoir » grâce à une conscience transcendantale.

CHAPITRE 8

RATIONALISME ET NDE

Une seule certitude : il n'existe à ce jour aucune explication rationnelle au phénomène NDE.

Tous les scientifiques qui ont tenté de démonter les mécanismes de ces expériences ont échoué de façon flagrante.

En général, leurs démonstrations se bornent à assimiler les différentes causes de mortalité – comme l'hypoxie ou l'hypoglycémie cérébrale qui effectivement peuvent induire des NDE (mais aussi et surtout des DE[1]) – aux mécanismes intimes du phénomène. Détailler les circonstances de survenue ne permet pas, bien évidemment, de comprendre l'intégralité de l'expérience. Pourtant, cette confusion simpliste est fréquente dans le grand public : « Ah, oui, les NDE ! Mais on sait ce que c'est maintenant, non ? J'ai lu quelque

---

1. DE = Death Experience

part que c'était dû à un manque d'oxygène dans le cerveau ou à une libération d'hormones... » Qui n'a jamais entendu ce genre de réflexion ?

L'autre erreur qui est fréquemment faite consiste à réduire la décorporation des EMI à une hallucination autoscopique externe[1]. Pourtant, il est maintenant prouvé depuis fort longtemps que les expérienceurs peuvent « voir » non seulement leur corps de l'extérieur, mais aussi leur environnement proche et même lointain.

Nous démontrerons ensuite que, même en tenant compte de la notion nouvelle de « paralysie du sommeil », les hypothèses neurophysiologiques ne permettent toujours pas d'élucider la question.

Enfin et pour terminer, les explications neuro-psychiatriques qui semblent aujourd'hui tellement dépassées ne mériteront qu'une brève discussion à la fin de ce chapitre. Malheureusement, ce sont ces dernières suggestions médicales qui furent, et qui sont encore, un frein considérable aux confidences. En effet, à une certaine époque, il valait mieux se taire plutôt que de risquer d'être pris pour un fou ! Bien que de ce point de vue les

---

1. Hallucination autoscopique externe : le sujet voit sa propre image comme s'il était à l'extérieur de son corps. Dans l'hallucination autoscopique interne, le sujet prend conscience de ses organes internes, décrit leur forme, leur situation et leur fonctionnement.

choses semblent s'améliorer, beaucoup trop de personnes craignent encore de témoigner.

L'ÉTIOLOGIE[1] DES NDE

Toutes les causes que nous allons étudier maintenant peuvent induire des NDE. Elles peuvent aussi, si elles se prolongent dans le temps, entraîner la mort à plus ou moins brève échéance.

L'hypoxie

Le défaut d'oxygénation cérébrale est la principale cause des NDE. Lorsque le cœur s'arrête de battre, c'est cette carence d'apport d'oxygène au cerveau qui est responsable de la perte de connaissance.

Le « jeu du foulard » consiste à créer des expériences de sortie de corps par compression des artères carotidiennes au niveau cervical. Cette activité stupide est responsable d'accidents dramatiques chez nos jeunes amateurs de sensations fortes. Beaucoup d'entre eux ont eu à la suite de strangulations des séquelles neurologiques lourdes et définitives comme des paralysies motrices,

─────────────

1. Étiologie : terme employé en médecine pour désigner l'étude des causes d'un phénomène ou d'une pathologie. Il est bien entendu que l'on ne considère pas ici la NDE comme une pathologie, mais bien comme un phénomène.

des aphasies[1]ou des comas profonds tandis que d'autres ont trouvé la mort.

J'ai déjà eu l'occasion d'assister un jeune garçon de treize ans, hospitalisé en réanimation en coma dépassé pour avoir voulu tenter une sortie de corps par ce moyen. C'est un des souvenirs les plus terribles de ma vie. Je revois encore sa mère qui, quelques jours avant son décès, prostrée à son chevet, répétait sans cesse en hochant doucement la tête : « Mon Dieu, mais pourquoi t'as fait ça ? Pourquoi ?… » Elle ne comprenait pas. Son petit garçon adorait la vie, était curieux de tout, avait soif de tout connaître, de tout savoir, de tout apprendre, de tout découvrir. Il travaillait très bien à l'école, ses amis l'adoraient presque autant que ses parents et il avait même une petite amie. Pourquoi aurait-il voulu mettre fin à ses jours de la plus sordide des façons ? J'ai dû expliquer à la maman l'existence de ce « jeu ». Non, son fils n'avait pas voulu se suicider, il avait simplement essayé d'explorer des sensations nouvelles… Piètre consolation, je vous l'accorde !

Devant l'ampleur du phénomène, des parents se sont regroupés en associations[2] pour informer et mettre en garde le plus grand nombre de personnes possible. Des indices doivent alerter les proches que ces inconscients jouent avec leur vie,

---

1. Aphasie : impossibilité de traduire la pensée par des mots.
2. Entre autres, L'APEAS : association de parents d'enfants accidentés par strangulation, 16, rue des Écoles, 75005 Paris.

tels que des liens ou des ceintures retrouvés dans les tiroirs de leur chambre, des bruits de chute de corps, des maux de tête fréquents, des mauvais résultats scolaires, des troubles du sommeil, des dissimulations de traces de strangulation par des cols roulés, des écharpes ou des cols de chemise systématiquement relevés. Devant ces signes très évocateurs, il y a de bonnes raisons de s'inquiéter et il devient urgent de parler.

Une autre version de ce « jeu » est le « jeu de l'étau magique », encore appelé « la poussée du diable » ou « la fusée. » La variante consiste ici à comprimer la veine cave inférieure au niveau du creux épigastrique. La baisse du retour veineux au cœur provoque une diminution du débit cardiaque avec une hypoxie cérébrale secondaire. Cette expérience nécessite l'intervention d'un complice qui comprime l'abdomen de « l'expérienceur » qui ignore la plupart du temps qu'il frôle la mort en se prêtant à ce genre d'activité débile !

L'hypercapnie

L'excès de gaz carbonique (CO_2) inspiré peut induire des NDE par asphyxie. En général, l'hypercapnie est associée à une hypoxie qui renforce ses effets délétères. Certains adolescents ont pu expérimenter la symptomatologie des hypercapnies en respirant volontairement un air saturé en CO_2 dans des sacs en plastique avec le « jeu du ballon ». Une pratique aux conséquences tout aussi redoutables que celles du « jeu du foulard » !

L'intoxication au monoxyde de carbone

Des séjours prolongés en atmosphère confinée et surchauffée, comme on peut en faire l'hiver dans des locaux manquant d'aération, peuvent aboutir à des intoxications au monoxyde de carbone (CO) rapidement mortelles. Dans le cas d'une intoxication collective, on peut parfois observer des victimes ayant de surprenants discours qui ressemblent beaucoup à ceux des expérienceurs. Au cours d'une intervention SAMU faite un soir de décembre, je me souviens notamment de certaines réflexions des membres d'une petite famille rassemblés dans une minuscule pièce où trônait un vieux poêle à bois. Le grand-père ne voulait pas partir car il avait vu Dieu chez lui, la grand-mère était dans le coma et le petit-fils disait : « Que c'était beau, que c'était beau cette grande lumière ! » Tout ce petit monde a été hospitalisé pour une séance de caisson hyperbare[1], mais nous avons eu un mal fou à les convaincre de nous suivre.

---

1. Traitement qui consiste à installer un patient dans un compartiment étanche dont la pression est supérieure à la pression atmosphérique pour déplacer le CO fixé dans l'organisme (sur l'hémoglobine en l'occurrence).

L'hypocapnie

Le manque de gaz carbonique dans le cerveau peut également provoquer des NDE. On obtient ces états particuliers par une respiration ample et rapide.

Certaines techniques d'hyperventilation associées à des méthodes de relaxation ont pour but de réaliser des décorporations. Il est très important de rappeler ici qu'il est très dangereux de tenter seul et sans encadrement ce type d'expériences.

Les apnéistes qui, pour réduire leur besoin en oxygène, hyperventilent leurs poumons avant leurs immersions ont pu quelquefois décrire des visions de tunnel et de lumière après une brève perte de connaissance. Certains d'entre eux ont trouvé la mort par hypocapnie avant même d'avoir réalisé le moindre record !

L'hypoglycémie

Le cerveau, grand consommateur de sucre, supporte très mal une baisse du taux sanguin de cette substance. Le coma résultant d'un jeûne prolongé est secondaire à une hypoglycémie.

Des états de conscience transcendantale semblables aux NDE sont obtenus par privation de nourriture. L'activité musculaire consomme du sucre et l'hypoglycémie du jeûne sera majorée au cours de l'exercice physique, comme c'est le cas au cours des danses ou des transes chamaniques.

Après une injection trop importante d'insuline, un diabétique peut mourir d'une hypoglycémie ou connaître une NDE. À l'inverse, lorsque l'apport d'insuline devient insuffisant chez un diabétique, une hyperglycémie peut avoir les mêmes conséquences en induisant une acidocétose.

Les autres substances toxiques pour le cerveau

Certaines substances en excès dans le sang circulant vont avoir la capacité d'induire des comas graves pouvant aboutir à la mort en intoxicant l'ensemble du tissu cérébral.

Le plus connu de ces toxiques est sans nul doute l'alcool, responsable de redoutables comas éthyliques. Mais il existe aussi un grand nombre de substances endogènes[1] dont l'excès imputable à une carence des systèmes épurateurs de l'organisme aboutira au même résultat. Ainsi, l'hyperammoniémie d'un insuffisant hépatique ou l'accumulation d'urée d'un insuffisant rénal peuvent provoquer des décès ou des NDE.

On peut donc dire au final que les différentes causes métaboliques des comas ou des décès sont aussi celles des NDE, mais, on l'aura bien

_____

1. Endogène : qui est produit dans l'organisme.

compris, ce n'est en aucun cas l'explication du phénomène NDE.

L'HALLUCINATION
AUTOSCOPIQUE EXTERNE

En stimulant certaines zones du cerveau ou en facilitant la libération de neuromédiateurs particuliers, on peut produire une hallucination autoscopique qui, je le répète, n'a absolument rien de commun avec la sortie de corps vécue par les expérienceurs.

Les neurostimulations

Lors d'une épilepsie temporale, des crises visuelles peuvent générer des hallucinations proches des perceptions d'une NDE. L'importance de ce lobe temporal dans les phénomènes hallucinatoires a déjà été mis en évidence il y a plus de trente ans par les observations de Penfield. Ce chercheur a démontré qu'une électrostimulation corticale[1] de cette zone provoquait une impression de sortie de corps associée dans quelques cas à des perceptions auditives et visuelles.

Plus récemment, Olaf Blanke, un neurochirurgien qui exerce à l'Hôpital cantonal de Genève,

---

1. L'adjectif « cortical » vient du mot « cortex » qui désigne la périphérie du cerveau.

remet les électrostimulations temporales en question pour tenter d'expliquer les décorporations des expérienceurs.

Le Dr Blanke intervient sur des cerveaux pour détruire, avec une fine électrode, de toutes petites régions pathologiques qui sont généralement des foyers épileptogènes[1]. Pour ne pas léser du tissu neuronal sein, il est important d'opérer ces patients sous anesthésie locale. En restant conscient, les malades peuvent exprimer ce qu'ils ressentent et guider ainsi la progression de l'électrode.

En septembre 2002, Olaf Blanke publia une communication surprenante dans la revue *Nature* concernant l'opération d'une femme de quarante-trois ans, épileptique depuis onze ans. Le neurochirurgien remarqua avec stupéfaction que la stimulation électrique d'une zone précise de son cerveau, située entre les lobes temporal et pariétal droit, appelée « gyrus angulaire », induisait chez sa patiente une étrange sensation de sortie de corps.

Le Dr Blanke raconta :

Elle nous a dit qu'elle se voyait d'en haut, elle voyait ses jambes et le bas de son corps allongés sur le lit, mais elle ne voyait ni sa tête ni ses

---

1. Parties plus ou moins circonscrites des centres nerveux où naissent les excitations provocatrices des crises épileptiques.

bras. Elle disait se situer à environ 2 mètres de haut et ne voir que l'image de son corps sur le lit. Elle se sentait légère, avec une sensation de flottement. Elle ne s'est pas vue monter, mais s'est retrouvée sans transition dans cette position élevée[1]. »

Dans l'espoir de trouver un support biologique, voire même organique, aux phénomènes de décorporation, Olaf Blanke collecta différents cas de neurostimulations de zones voisines du gyrus angulaire et édita ses travaux dans la revue *Brain*[2], deux ans après sa première observation.

L'article de cette revue laisse supposer que les décorporations vécues pendant les NDE sont des hallucinations induites par neurostimulation. Et le Dr Blanke de préciser que « lorsque la jonction temporo-pariétale est stimulée, le cerveau génère une image délocalisée du corps, comme projetée sous le corps, en face de lui ou derrière lui. »

En fait, les observations d'Olaf Blanke n'autorisent pas à rationaliser les sorties de corps de ceux qui ont vécu une NDE par une explication neurologique. Elles démontrent au contraire que

1. BLANKE O., ORTIGUE S., LANDIS T., SEECK M., « Stimulating illusory own-body perceptions », *Nature*, 2002, 419, pp. 269-270.
2. BLANKE O., LANDIS T., SPINELLI L., SEECK M. *Out-of-body experience and autoscopy of neurochirurgical origin*. Brain. 2004, 127 : 243-258.

les phénomènes hallucinatoires reproductibles par la stimulation du gyrus angulaire sont bien différents de la perception environnementale d'un expérienceur.

Les opérés du Dr Blanke voient leur corps ou une partie de celui-ci comme s'ils étaient au-dessus, au-dessous ou derrière lui, mais rien de plus. Ils sont dans l'incapacité totale de donner des détails précis d'événements se déroulant simultanément à proximité ou même à distance de leurs corps comme le font les expérienceurs.

D'autre part, à l'inverse des personnes qui sont en état de mort imminente et donc comateuses, les patients du Dr Blanke sont conscients, avec leurs facultés cognitives et sensorielles conservées. Sous anesthésie locale, les différents relais proprioceptifs[1] du cerveau restent opérationnels. La multitude d'informations venant des capteurs périphériques du corps, comme les mécanorécepteurs situés au niveau des articulations ou les récepteurs vestibulaires de l'oreille interne, nous permettent à tout moment de situer précisément notre corps dans l'espace et de donner la position exacte de tous nos membres. Essayez donc cette petite expérience : fermez les yeux et concentrez-vous un instant sur la position de votre corps... Vous allez vous rendre compte que même sans

---

1. Relatif à la proprioception et au réflexe proprioceptif qui est une réaction d'un organe réceptif à une excitation venue de son propre territoire.

aucune information visuelle, vous êtes capable de savoir si vous avez la tête en bas[1] ou en haut, si vous êtes couché ou assis, si vous avez les jambes croisées ou allongées etc. Et si dans le même moment le Dr Blanke venait vous enfoncer une électrode dans le gyrus angulaire[2], vous auriez l'image projetée de votre corps dans l'aire occipitale du cerveau par l'intermédiaire des différents relais mnésiques[3] et corticaux. Vous auriez ainsi la sensation de vous voir d'en dessus, d'en dessous ou de derrière, mais, à la différence des expérienceurs, vous seriez dans l'impossibilité de voir votre chat qui joue dans la cuisine ou votre voisin qui tond la pelouse !

En novembre 2007, une certaine presse racoleuse publia : « L'âme humaine a été capturée. C'est une première mondiale. Des médecins belges ont réussi à photographier, au PET-scan, l'image de l'"âme" d'un patient, alors qu'il était en décorporation. » En fait, cet article entretenait toujours la même confusion entre la « sensation de sortie de corps » obtenue par la stimulation du gyrus angulaire et le véritable « voyage extracorporel » des expérienceurs. Les médecins belges tombèrent dans le piège qui avait fait la une des journaux suisses quelques mois auparavant. Ici aussi, la

---

1. Ce qui serait une façon bien singulière de lire ce livre !
2. À condition que vous le laissiez faire, bien sûr...
3. Mnésique : qui garde le souvenir.

découverte était fortuite et totalement inattendue. En plaçant un implant électrique dans la région temporo-pariétale du cerveau d'un patient pour réduire de désagréables sifflements d'oreilles, un neurochirurgien de l'université d'Anvers, le Dr Dirk De Ridder, constata avec stupéfaction que son malade lui disait être à 50 centimètres au-dessus de son corps. Intrigué, le praticien recommença l'expérience sous PET-scan et objectiva ainsi durant la période critique l'activité simultanée de différentes zones cérébrales : le gyrus angulaire, le précunéus droit et le thalamus postérieur. Nous sommes par conséquent bien loin de la « photographie de l'âme humaine » annoncée par les journalistes ! Dans ce cas précis, la zone proprioceptive du cerveau, court-circuitée par l'électrostimulation, a envoyé des messages décalés dans le temps qui se sont traduits par une « impression » de décalage spatial, c'est-à-dire la sensation d'être au-dessus de son propre corps. À la différence des résultats obtenus par Olaf Blanke, le patient de Dirk De Ridder n'a pas eu de stimulation concomitante des aires visuelles qui se situent dans une zone plus postérieure et n'a pas donc eu l'opportunité de s'observer comme s'il était au-dessus, au-dessous ou derrière lui-même.

Les neuromédiateurs

On appelle « neuromédiateur », toute substance chimique pouvant venir se fixer sur un récepteur neurologique en provoquant son blocage ou son activation. Un certain nombre de neurorécepteurs sont concernés dans les NDE.

Les récepteurs NMDA (N-Méthyl-D-Aspartate) du cortex cérébral sont excités par le glutamate, un acide aminé neuromédiateur pouvant devenir toxique pour les neurones lorsqu'il est libéré en excès comme au cours des anoxies. Ces mêmes récepteurs peuvent également être bloqués par la kétamine, une drogue hallucinogène employée en anesthésie davantage pour ses propriétés analgésiques que pour ses qualités narcotiques. La kétamine induit une hallucination autoscopique externe, et c'est cet effet qui est recherché par les adeptes de rave, cette drogue portant à cette occasion le nom de « Kit-Kat » ou de « Mister Kat ». Mais la kétamine peut aussi provoquer de véritables NDE en déclenchant des troubles potentiellement mortels du rythme cardiaque. D'où la confusion fréquente entre les hallucinations autoscopiques externes et les NDE induites par cette substance.

Les récepteurs sérotoninergiques du cerveau sont stimulés par un autre neuromédiateur endogène : la sérotonine. Cette molécule est présente dans la plupart des tissus de l'organisme et intervient notamment dans la vasomotricité des phénomènes allergiques, des migraines ou de la maladie de Raynaud. Au niveau du cerveau, la transmission sérotoninergique permet des connexions entre différentes structures anatomiques comme le lobe temporal, le système limbique, l'hippocampe ou le lobe occipital. Le LSD (acide lysergique diéthylamide) agit directement sur les récepteurs sérotoninergiques, induisant par ce biais des hallucinations visuelles et autoscopiques.

Mais la neurotoxicité du LSD peut également être responsable d'une atteinte cérébrale directe potentiellement mortelle aboutissant à une NDE.

Les récepteurs endorphiniques et enképhalinergiques du cerveau sont stimulés par les endorphines, un groupe de morphines endogènes qui bloquent la douleur en cas de nécessité, comme dans les gros traumatismes corporels. La morphine est un alcaloïde du pavot qui, en venant occuper ces récepteurs, va induire une sédation, une analgésie, mais aussi une euphorie et une autoscopie recherchées chez les toxicomanes. Là encore, à forte dose, la morphine peut déprimer les centres respiratoires bulbaires du cerveau et entraîner une NDE par hypoxie cérébrale.

LES HYPOTHÈSES
NEUROPHYSIOLOGIQUES

La persistance des perceptions auditives

Lorsque survient une perte de connaissance, les facultés neurosensorielles et psychomotrices sont annihilées dans un ordre chronologique déterminé. Tout d'abord, un voile noir s'installe rendant toute vision impossible, puis les sensations tactiles s'estompent et le corps devient « cotonneux », ensuite les muscles se paralysent et le sujet chute brutalement à l'endroit où il se trouve, enfin toute communication avec le monde extérieur est coupée et il devient impossible de « réveiller » le comateux. Des mesures de potentiels évoqués ont montré que, dans ces circonstances, les facultés auditives persistent un certain temps avant de disparaître à leur tour.

Compte tenu de ces données, certains ont suggéré que le phénomène NDE était secondaire à un scénario reconstitué par le cerveau à partir des informations auditives résiduelles. Mais cette hypothèse ne tient pas, car les expérienceurs sont capables de donner des détails qui ne peuvent pas être issus de perceptions auditives, comme la description exacte d'une plaque située sous une table d'opération ou encore les vêtements d'une personne se trouvant dans une salle d'attente !

L'épilepsie temporale

L'épilepsie est une activation subite, simultanée et anormalement intense d'un grand nombre de neurones cérébraux, aboutissant à des aspects cliniques variables allant des crises convulsives généralisées aux crises partielles. Elles s'accompagnent de manifestations électroencéphalographiques à début et à fin brusques qui sont des pointes brèves et amples, associées souvent à des ondes plus lentes réparties sur la surface du crâne. Cette répartition est plus ou moins diffuse selon le type de crise. Dans le cas de l'épilepsie temporale, l'activation neuronale s'effectue au niveau du lobe temporal. Le gyrus angulaire se trouvant dans cette zone, il n'y a donc rien d'étonnant à ce que les patients souffrant d'épilepsie temporale vivent des hallucinations autoscopiques externes. Dans ce cas aussi, la confusion ne doit pas être faite entre la décorporation vécue au cours d'une NDE et la sensation de sortie de corps d'une épilepsie temporale, même si cette dernière est accompagnée d'hallucinations visuelles par interconnexion avec le lobe occipital qui est bombardé à cette occasion de multiples influx électriques émanant du foyer épileptogène.

L'écrivain Lewis Carroll souffrait d'épilepsie du lobe temporal. On retrouve les sensations de chute dans un tunnel vécues pendant ses crises dans son célèbre livre *Alice au pays des merveilles*. Le passage suivant pourrait tout à fait correspondre à la phase du tunnel d'une NDE classique :

> *Alice n'eut même pas le temps de songer à s'arrêter avant de se sentir tomber dans ce qui semblait être un puits très profond [...]. « Eh bien ! se dit Alice, après une pareille chute, je n'aurais plus peur de tomber dans l'escalier ! » [...] Elle tombait, tombait, tombait. Cette chute ne prendrait-elle donc jamais fin[1] ?*

Certains chercheurs pensent qu'il pourrait exister un lien entre la création artistique et l'épilepsie. Van Gogh subissait des crises sévères et il était le plus productif et le plus créatif dans les périodes où il était le plus malade.

Dostoïevski, le talentueux écrivain russe du XIXe siècle, auteur de *Crime et châtiment* et des *Frères Karamazov* avait une forme rare d'épilepsie temporale appelée « épilepsie extatique ». Il décrit ainsi l'expérience de ses crises qui dans son cas ressemble à une expérience transcendante :

> *Pendant un moment, je fais l'expérience d'une joie qu'on n'éprouve pas dans un état normal et que les autres ne peuvent concevoir. Je ressens une harmonie parfaite en moi-même et dans le monde entier. Le sentiment est si fort*

---

1. Traduction française de Henri Parisot, éd. Flammarion, 1970.

et si doux que pour ces quelques secondes de félicité, on donnerait dix ans de sa vie, voire sa vie entière.

J'ai l'impression que le Paradis est descendu sur la Terre et m'a avalé. Je suis vraiment parvenu jusqu'à Dieu et je suis imbu de Lui. Vous qui êtes en bonne santé, vous n'avez pas même l'idée de la joie dont nous, les épileptiques, nous faisons l'expérience pendant la seconde qui précède la crise[1]. »

La paralysie du sommeil

Au cours d'une nuit, nous avons plusieurs cycles de sommeil (trois à cinq en moyenne) qui se succèdent sans interruption. Chaque cycle comprend plusieurs stades : deux stades de sommeil léger, deux autres de sommeil profond et un cinquième de sommeil paradoxal. C'est durant le sommeil paradoxal que s'effectuent les rêves et les mouvements rapides des globes oculaires, tandis que la tonicité musculaire disparaît. Cette dernière période est aussi celle où notre cerveau est le plus déconnecté du corps. Dans le cas de la paralysie du sommeil, cette déconnexion persiste alors que notre conscience s'éveille, donnant la sensation désagréable de vivre une sorte de « rêve éveillé ». Bien qu'une

---

1. TAMMET D., *Je suis né un jour bleu*, éd. Les Arènes, 2007, pp. 52, 53.

récente étude[1] montre que les personnes qui ont ces intrusions de sommeil paradoxal sont plus prédisposées à connaître des NDE, ces paralysies du sommeil ne sont pas, loin s'en faut, l'explication du mécanisme de la NDE. Les deux phénomènes sont totalement distincts car la séquence événementielle classique d'une NDE n'est pas retrouvée durant ces épisodes de paralysie du sommeil.

LES HYPOTHÈSES NEUROPSYCHIATRIQUES

La schizophrénie

Un schizophrène est un malade mental qui présente une dissociation ou une discordance des fonctions psychiques : affectives, intellectuelles et psychomotrices, avec une perte de la personnalité et une rupture du contact avec la réalité. Le malade s'enferme dans un monde intérieur et peut être enclin à des délires agressifs et paranoïaques. Cette pathologie n'a donc absolument rien à voir avec les comportements des expérienceurs. Ces derniers sont au contraire tournés vers les autres avec des discours d'amour dénués de

---

1. NELSON K.R., MATTINGLY M., LEE S.A., SCHMITT F.A., « Does the arousal system contribute to Near-Death Experience ? » *Neurology*, 66, 2006.

toute agressivité. Pourtant, malgré ces différences fondamentales, pendant très longtemps les expérienceurs ont été traités de schizophrènes !

La mythomanie

On imagine mal comment des millions de personnes situées à plusieurs dizaines de milliers de kilomètres seraient capables, sans se connaître et en appartenant à des cultures complètement différentes, de tenir un discours identique et inventé à propos d'une expérience non vécue !

Cette dernière hypothèse est de toute évidence la plus ridicule ; elle ne mérite même pas d'être développée.

CHAPITRE 9

NDE ET PHYSIQUE QUANTIQUE

La physique quantique est certainement une bonne piste à explorer pour tenter de mieux comprendre le phénomène NDE. Cette science permet de relativiser l'importance de nos perceptions et de donner un début d'explication au ressenti et au vécu de l'expérienceur à l'approche de la Lumière.

NOS PERCEPTIONS DE LA RÉALITÉ SONT FAUSSES

La physique quantique regroupe un ensemble de théories physiques initiées par le physicien allemand Max Planck (1858-1947). Elle s'oppose à la physique classique mécanique newtonienne et thermodynamique qui sont, il faut bien le reconnaître, totalement inadaptées pour décrire le monde des atomes, des particules et du rayonnement électromagnétique.

Les principes fondamentaux de la physique quantique ont été établis entre 1922 et 1927 par Bohr, Dirac, de Broglie, Heisenberg, Jordan, Pauli et Schrödinger. Ils permettent de décrire la dynamique d'une particule selon les critères non relativistes, par opposition aux théories relativistes qui considèrent que les lois physiques sont les mêmes pour tous les observateurs. En fait, il faut savoir que les particules qui constituent la matière sont en agitation permanente et il est tout à fait impossible de savoir les situer quelque part à un moment donné. On ne peut donner que des probabilités de présence. Les particules ne sont donc pas des points matériels bien tangibles, mais plutôt des ondes, sortes de « fantômes » de la particule. Cette notion de « non-localité » des particules fait qu'elles peuvent disparaître d'un endroit pour réapparaître ailleurs sans que l'on sache où les situer entre ces deux moments. Une même particule peut être à deux endroits simultanément ou se présenter sous deux formes différentes en même temps ! Et en plus, pour corser les choses, il faut aussi admettre que tout se passe comme si l'observateur créait ce qu'il observe. En fait, le monde quantique échappe à toutes nos tentatives de délimiter la particule dans une zone précise de l'espace. Si on essaie de mesurer avec précision sa position, l'information sur sa vitesse devient incertaine, et, inversement, si on veut connaître sa vitesse, sa position est arbitraire. Cette limite infranchissable de connaissance est connue sous le nom de « principe d'incertitude ». Cette façon d'appréhender la perception d'une présence matérielle fait que si un observateur constate que nous n'existons plus à un moment donné ici et maintenant, nous pouvons exister simultanément ailleurs, dans un autre espace-temps avec lequel nous pourrions, sous certaines conditions bien particulières, rentrer en connexion.

La fameuse histoire du « chat de Schrödinger » illustre parfaitement la chose : Schrödinger enferme dans une boîte un chat et un échantillon d'élément radioactif couplé à un dispositif libérant un poison mortel pour l'animal à la condition que cet élément radioactif se désintègre. Le physicien attend très exactement le temps nécessaire pour que la probabilité de désintégration soit de 50 %, et, à cet instant précis, il ouvre la boîte. On peut logiquement imaginer qu'il a une chance sur deux de retrouver le chat vivant. C'est vrai, mais les choses ne sont pas aussi simples qu'il y paraît ! En fait, lorsque la boite était fermée, elle contenait deux « fonctions ondulatoires » portant l'une l'éventualité « chat vivant » et l'autre l'éventualité « chat mort ». À l'ouverture de la boîte, la première observation faite a provoqué l'effondrement de la fonction ondulatoire de ces chats virtuels en obligeant la Nature à choisir entre le chat vivant ou le chat mort. Si l'observateur constate que le chat est vivant, c'est que celui-ci a été concrétisé en tant que tel dans la dimension ressentie comme vraie, mais cela veut dire aussi que l'ancien chat virtuel mort a été expédié à l'état de fonction ondulatoire dans un univers parallèle. Et inversement, si l'observateur constate la mort de l'animal dans sa boîte, le chat vivant existe au même moment dans un ailleurs inaccessible. Donc, pour simplifier, on peut dire que la physique quantique suggère que l'observation concrétise une réalité aléatoire.

On peut noter ici que la perception faussée de la réalité est un concept qui n'est pas exclusivement retrouvé en physique quantique. En Inde par exemple, « maya » est un terme sanskrit de la philosophie védique pour désigner l'illusion d'un monde physique que la conscience considère comme la réalité.

LA LUMIÈRE DES EXPÉRIENCEURS

De toute évidence, c'est au moment de pénétrer dans la Lumière que les expérienceurs connaissent la période la plus intense de leur vie. Ils sont unanimes pour reconnaître que, baignés dans une Divine Lumière, ils étaient omniscients et ont ressenti un amour inconditionnel. « J'ai su que j'ai su, mais maintenant que je suis revenu, je ne sais plus rien... ou presque » précise avec humour Jean Morzelle lorsqu'on lui demande ce qu'il a ressenti au contact de la Lumière. L'amour éprouvé est quant à lui immense, infini, inconditionnel, indicible, incommunicable avec des mots... Les superlatifs employés semblent manquer tant le moment est bouleversant et émouvant.

Nous évoluons dans un univers infralumineux, appelé encore « sous-lumineux » ou « électronique ». Si nous avions la possibilité d'atteindre la vitesse de la lumière, soit 300 000 kilomètres pars seconde environs, nous serions dans un univers lumineux, photonique. Et encore au-dessus, si nous dépassions la vitesse de la lumière, un univers superlumineux, tachyonique s'offrirait à nous[1]. Dans l'hypothèse où cette vitesse critique serait dépassée, les mathématiciens ont calculé que notre planète serait si dense que son diamètre n'excéderait pas quelques mètres et que l'ensemble de l'humanité tout entière n'occuperait que le volume d'un pois chiche ! Cette colossale densité terrestre provoquerait un trou noir dans l'Univers pour aboutir dans une nouvelle dimension. Pourquoi un trou noir ? Tout simplement parce que cet inimaginable « trou » dans l'espace-temps serait tellement « lourd » que la vitesse

---

1. DUTHEIL R., *L'Homme superlumineux*, éd Sand, Paris, 1990, p. 89

qui permettrait de se soustraire à son attraction gravitationnelle devrait être supérieure à celle de la lumière. Nous pensons aujourd'hui que rien ne peut s'échapper d'un trou noir car rien ne peut se déplacer plus vite que la lumière. Et puisque dans ces conditions même la lumière ne peut s'en échapper, le trou ne peut être que noir. Dans l'univers tachyonique, situé au-delà du trou noir, le temps n'existerait plus, il ne s'écoulerait plus de façon linéaire : il n'y aurait ni présent, ni passé, ni futur. Une seule unité temporelle engloberait l'ensemble du temps présent, vécu ou à vivre.

On peut remarquer que cet univers superlumineux évoque fortement les idées des grandes religions orientales, de l'Inde notamment. Bouddha exprime une pensée équivalente lorsqu'il souligne que passé, présent et futur ne sont que des illusions et que le sage, dans son illumination mystique, peut appréhender instantanément tous les événements et percevoir entre eux les relations véritables qui ne sont pas causales, la causalité n'étant qu'une apparence.

Il est frappant de faire le corollaire avec l'expérience lumineuse des NDE. En effet, nous venons de voir que dans l'univers tachyonique le temps n'existe plus. Dans ces conditions, on peut concevoir que l'ensemble de la connaissance soit acquis une fois pour toutes, qu'il s'agisse de la connaissance actuelle, passée ou future ; c'est l'omniscience. On peut en déduire que si la compréhension des choses est totale, il n'existe plus aucune restriction pour aimer ; c'est l'amour inconditionnel ou la sagesse absolue. Une sorte d'état divin.

L'omniscience et l'amour inconditionnel trouvés dans la Lumière sont récurrents dans les récits des expérienceurs.

Chacun d'entre nous porterait en lui un fragment de cet univers tachyonique qui représente en fait la conscience totale. Si on suit ce raisonnement, notre Univers, tel que nous le percevons, ne serait qu'une projection, une image d'un autre univers beaucoup plus complexe. Nous retrouvons ici le monde holographique décrit par Karl Pibram ou le monde de l'ordre implié et déplié de David Bohm.

ANALOGIES ENTRE NDE ET PHYSIQUE QUANTIQUE

Plusieurs éléments vécus lors de NDE évoquent des phénomènes retrouvés en physique quantique :

— La non-localité : l'expérienceur se situe « partout à la fois » et est capable de clairvoyance[1].

---

1. Clairvoyance : acquisition d'informations se déroulant à distance sans support sensoriel ou physique.

— La perte de la notion du temps, telle que nous la concevons. Il est extrêmement difficile de donner une durée à l'expérience. Certains conférenciers peuvent raconter pendant des heures entières une NDE qui n'a duré que quelques secondes.

— Le trou noir qui modifie l'espace-temps ressemble beaucoup au tunnel traversé à grande vitesse par l'expérienceur.

— L'univers superlumineux dans lequel baigne l'expérienceur lui donne accès à l'omniscience et à l'amour inconditionnel.

— Le renversement du temps permet d'avoir un transfert d'informations qui se fait à une vitesse supérieure à celle de la lumière vers le passé : rétrocognition, mais aussi vers le futur : précognition. Le mur de lumière traversé par l'expérienceur lui donne accès à tous les événements de sa vie de façon simultanée. Son cerveau capterait dans ces conditions des informations contenues dans la conscience superlumineuse.

Il serait donc logique de penser ici encore que la conscience persiste après la mort, non pas en tant que survie mais plutôt comme un retour à la réalité fondamentale de l'être. Le temps de notre univers sous-lumineux s'écoulant de façon illusoire par rapport à celui d'un univers superlumineux qui serait hors du temps, on peut considérer qu'un être humain en vie est déjà mort et que la « véritable vie » ne nous sera donnée qu'au moment de notre mort !

La physique quantique a certainement encore beaucoup de choses à nous apprendre. En tout cas, il est remarquable de constater que cette science née dans les années 1920 grâce à l'intuition de certains génies permet aujourd'hui d'éclairer des phénomènes qui étaient à cette époque-là totalement ignorés.

Comme nous allons le voir au chapitre suivant, s'il est bien clair que les NDE ont vraisemblablement dû débuter avec la naissance de l'humanité, on ne parle de ces expériences de mort imminente que depuis à peine une petite trentaine d'années.

CHAPITRE 10

HISTORIQUE DES NDE

Sans nul doute, c'est l'américain Raymond Moody qui a le premier mis en lumière le phénomène des NDE en publiant son livre *La Vie après la vie* en 1975 aux États-Unis (paru deux ans plus tard en France). Cet ouvrage, traduit dans pratiquement toutes les langues du monde, a déjà été vendu à plus de 13 millions d'exemplaires. Pourtant, malgré une notoriété quasi planétaire, j'ai pu constater par moi-même que cet homme exceptionnel d'une érudition remarquable est resté d'une simplicité et d'une humilité hors du commun. J'ai en effet eu la chance d'avoir un long entretien en tête à tête avec lui à propos de la survivance. J'ai eu la surprise de découvrir une personne réservée et presque timide qui souhaite rester extrêmement prudente (trop à mon goût) sur le thème d'une vie après la vie – qui est pourtant le titre de son premier livre – car ce médecin a déjà été profondément blessé par les moqueries visant à ridiculiser ses propos avant-gardistes sur la question.

Mais avant d'en arriver à écrire tous ces magnifiques livres qui ont su redonner l'espoir à ceux qui l'avaient perdu, le « père des NDE » a eu un cheminement bien singulier. Après avoir exercé une brève carrière de professeur de philosophie, Raymond Moody, passionné par les récits d'expérience de mort imminente rapportés par certains de ses élèves, entama des études de médecine et se spécialisa en psychiatrie. Il n'avait qu'une trentaine d'années lorsqu'il publia son tout premier best-seller.

Au fil de notre discussion, le Dr Moody se révéla être un chercheur attiré davantage par la philosophie que par la science. Je n'en fus pas surpris outre mesure car tous ses écrits passionnants démontrent un profond attachement pour cette discipline.

Mais le phénomène des NDE n'est pas né en 1975 avec Raymond Moody, loin s'en faut. Les expériences de mort imminente sont évoquées dans bien des récits historiques.

AVANT RAYMOND MOODY

L'Épopée de Gilgamesh est le premier texte littéraire de l'humanité. Sa transcription sur les tablettes cunéiformes de Sumer date d'environ trois mille ans avant notre ère. Dans ce récit,

Gilgamesh essaye de revenir du pays des morts pour obtenir l'éternité. Est alors décrit un périlleux voyage avec la traversée de sept portes donnant accès à sept enceintes et d'un fleuve infernal sur la barque du passeur des ombres.

Le Livre des morts égyptien écrit en 1700 av. J.-C. devait permettre au mort de connaître les différentes formules servant à franchir tous les obstacles pour rejoindre la barque solaire de Rê, dieu du Soleil, qui l'accompagnait dans un voyage lumineux vers le monde invisible. Il devait se présenter ensuite devant le tribunal de Maât composé de quarante-deux juges tandis qu'Anubis pesait son cœur. Si le mort était condamné, il devait se réincarner. Acquitté, il pouvait entrer dans le domaine du Divin.

Très croyants, les Égyptiens s'évertuaient à apprendre par cœur toutes les formules du Livre des morts, mais on concevait qu'en cas de trou de mémoire le mort puisse consulter ce texte si précieux, si bien qu'on déposait le livre sur le sarcophage ou dans les bandelettes de la momie.

Celui qui connaît ce livre peut sortir au jour et se promener sur Terre parmi les vivants, et il ne peut périr jamais. Cela s'est révélé efficace des millions de fois[1].

---

1. BARGUET P., *Le Livre des morts des anciens Égyptiens*. Les Éditions du Cerf, 1967.

Le rite des pharaons pratiqué en 1300 av. J.-C., imposait au remplaçant potentiel d'être enfermé pendant une longue durée sans boire et sans manger dans le sarcophage du pharaon décédé pour faire un voyage initiatique. En fait, l'hypoglycémie, la déshydratation et l'hypoxie étaient souvent fatales aux malheureux prétendants, tandis que ceux qui avaient la chance de revenir avec des récits de NDE devenaient des élus vénérés jusqu'à leur mort.

Le mythe d'Er de Platon, en 400 avant J.-C., évoque aussi une NDE vécue par un soldat. Passé pour mort, celui-ci est abandonné sur la charrette des cadavres destinés à l'incinération et se réveille douze jours plus tard face au bûcher qui lui était destiné. Pendant cette période de coma prolongé, il vit une expérience de mort imminente avec une sortie de corps, un jugement de tous ses actes passés. Il chemine dans les limbes accompagné par d'autres âmes errantes, voit une lumière et retourne dans son corps...

Les philosophes présocratiques : Parménide, Anaxagore ou Héraclite, font aussi allusion à la Lumière visualisée par les expérienceurs ; à ces filles du Soleil qui emmenaient l'élu devant la Lumière Divine.

Les textes sacrés : le Nouveau Testament, la Torah, le Coran, évoquent tous une Lumière d'amour rencontrée au moment de la mort.

Dieu est-il la « Claire Lumière » des enseignements tibétains ? Le mot « Dieu » dérive de la racine indo-européenne *Dei* qui signifie « lumière brillante ». Cette racine a donné des mots comme « Zeus », « Jupiter », tous synonymes de divinité, mais également les mots *dies*, « jour », « diurne », qui se rapportent tous à la lumière. Que ce soit dans le Coran : « Dieu est la lumière des cieux et de la Terre [...]. C'est une lumière sur la lumière, Dieu conduit vers Sa lumière celui qu'Il veut », dans l'Évangile de saint Jean : « La lumière créatrice sépare la lumière créée des ténèbres » ou dans la Genèse, I, 3-4 : « Dieu dit : "Que la lumière soit" et la lumière fut. Et Dieu vit que la lumière était bonne », il n'existe aucun texte religieux qui ne fasse référence à une « Divine Lumière ».

Le Bardo Thödol ou Livre des morts tibétain (VIIIe siècle) est un texte bouddhiste tibétain décrivant les états de conscience et les perceptions au cours des trois états intermédiaires qui se succèdent lors de la période qui s'étend de la mort à la renaissance. Un parallèle peut être fait entre le *chikhaibardo*, qui est le premier de ces états intermédiaires, appelé encore « étape du trépas suivant immédiatement la mort », et la NDE puisque, à ce stade, apparaît une lumière très brillante qui est la vraie nature de l'esprit. Si la personne est suffi-samment avancée sur le plan spirituel, elle pourra se fondre avec elle et échapper définitivement au cycle des renaissances. Dans le cas contraire, sa conscience s'estompe complètement pendant sept jours pour renaître à l'étape suivante.

Cet ouvrage fut composé par Padmasambhava et écrit sous sa dictée par sa femme Yeshe Tsogyal. Pendant les conflits religieux avec les taoïstes, Padmasambhava prit peur et enterra son texte sur le mont Gampodar au Tibet où il fut retrouvé vers 1350 par Karma Lingpa. La première publi-cation anglaise du Bardo Thödol eut lieu en 1927. Carl Gustav Jung participa à sa traduction et s'en servit pour ses travaux psychanalytiques. Ce texte inspira aussi certains artistes, comme John Lenon qui, fortement influencé par cette lecture, composa « Tomorrow Never Knows » dans les années 1960. Sogyal Rinpoché écrivit par la suite *Le livre tibétain de la vie et de la mort*[1], fondé sur la compréhension des *bardos* en fonction des écritures du Bardo Thôdol.

Sainte Thérèse d'Àvila semble avoir vécu plu-sieurs NDE au cours desquelles se déroulaient des expériences mystiques. Ces voyages répétés lui faisaient dire que la vraie vie était là-bas, de

___
1. Il existe une version réactualisée et augmentée de cet ouvrage publié en 2003 aux éditions La Table Ronde et en 2005 dans la collection « Poche » aux éditions LGF.

l'autre côté du voile : elle revoyait le panorama de son existence, traversait un tunnel, rencontrait des proches décédés, approchait une lumière fascinante et revenait transformée et chargée d'amour. Laissée pour morte et sans pouls perceptible à plusieurs reprises, sainte Thérèse d'Àvila faisait des malaises brutaux. En fait, la symptomatologie qui caractérisait sa maladie évoque fortement des crises d'arythmies cardiaques paroxystiques qui entraînent des comas par bas débit cérébral. Mais à l'époque le pacemaker[1] n'avait pas encore était inventé.

Le Dr Elisabeth Kübler-Ross est la personnalité du vingtième siècle qui aura été la plus efficace pour redonner aux mourants la place qu'ils méritent dans nos sociétés dites modernes. En sachant les écouter et les aimer, elle a offert à chacun d'entre eux une magnifique leçon de vie. Psychiatre et ancien professeur de médecine du comportement à l'université de Charlottesville en Virginie, cette femme, qui a consacré toute son existence aux autres, s'est intéressée très tôt à l'accompagnement des mourants, à la thanatologie et à ses phénomènes connexes. Pour elle, la mort n'est qu'une transition d'un monde vers un autre, et l'écoute des nombreux récits de mou-

---

1. Pacemaker : stimulateur cardiaque implanté dans certains cas d'arythmie.

rants lui ont permis de recueillir des témoignages de NDE. Ses convictions spirituelles sur l'après-vie l'on fait exclure par la majorité des scientifiques qui dénigrent ce genre d'attitude jugée trop new-age. Mais de ces critiques acerbes et de ces méchantes jalousies, EKR[1] n'en avait cure. Indifférente aux valeurs matérielles de ce monde et adulée par un public de plus en plus nombreux – chacune de ses conférences regroupait plusieurs milliers de personnes –, elle continua jusqu'au bout sa belle croisade avec le soutien de personnalités comme Martin Luther King, Mère Teresa ou Gandhi. Son premier livre, *Les Derniers Instants de vie*[2], publié en 1969 chez un tout petit éditeur, devint très vite un immense succès de librairie traduit en une trentaine de langues. Elle est l'auteur de nombreux ouvrages traitant de la mort et de la façon dont elle doit être abordée. *La mort est un nouveau soleil*[3] est un de ses plus fameux ouvrages. Raymond Moody l'admirait et se considère comme « son élève ». EKR s'est éteinte le 24 août 2004 à l'âge de soixante-dix-huit ans. Une des dernières réflexions qu'elle fit avant de mourir en dit long sur son parcours exceptionnel : « Pour progresser,

---

1. EKR : c'est ainsi que la surnommaient les gens qui l'appréciaient.
2. KÜBLER-ROSS E., *Les Derniers Instants de la vie*, éd Labor et Fides, 1989.
3. *Id, La mort est un nouveau soleil*, éd Pocket, 2002.

les hommes devront s'ouvrir à la spiritualité et à l'amour inconditionnel. »

Des scientifiques comme Collier ou Penfield se sont penchés sur les phénomènes autoscopiques induits par l'administration intraveineuse de kéta-mine[1] ou par la neurostimulation du lobe tempo-ral[2]. Mais comme nous l'avons déjà précisé dans le chapitre 8, ces phénomènes hallucinatoires n'ont absolument rien de commun avec les décorpora-tions vécues par les expérienceurs.

Paul Misraki, auteur-compositeur de musique français, entre autres de la célèbre chanson « Tout va très bien, madame la marquise » composée en 1936, était aussi un grand spiritualiste. Il publia *L'Expérience de l'après-vie*[3] deux ans avant la sortie française du premier livre de Raymond Moody. Certaines de ses réflexions philosophiques sont malheureusement encore d'actualité, par exemple : « Ce refus conscient ou non de s'adap-ter aux idées neuves n'est pas particulier à notre temps, et l'on en trouve des exemples à toutes les époques.[4] » Paul Misraki a préfacé et traduit

---

1. COLLIER B., « Ketamine and the conscious mind », *Anaesthesia*, avril 1972 (Vol. 27, n° 12).

2. PENFIELD W., « The role of the temporal cortex in certain psychical phenomena », *Journal of Mental Science*, 1955.

3. MISRAKI P., *L'Expérience de l'après-vie*. éd. Robert Laffont, 1975.

4. *Les Raisons de l'irrationnel*, éd. Robert Laffont, 1976.

la version française du livre de Raymond Moody *Lumières nouvelles sur la vie après la vie*[1].

APRÈS RAYMOND MOODY

Une fois que Moody eut lancé son pavé dans la mare quiescente de l'après-vie, de très nombreux intellectuels : scientifiques, philosophes et théologiens, se sont réveillés pour s'intéresser au phénomène NDE. La liste des personnes citées ici ne saurait donc être exhaustive.

Kenneth Ring, brillant jeune professeur de psychologie à l'Université du Connecticut, impressionné par la lecture du premier livre de Moody en 1977, décida de faire à son tour un travail de recherche sur les NDE qui l'emmena à en tirer un certain nombre de conclusions sur ce phénomène.

Il démontra en particulier que les NDE ne sont pas des hallucinations, qu'il n'existe aucun facteur prédictif pour devenir un expérienceur et que celui-ci a une croyance considérablement renforcée en la réincarnation après son expérience. Il étudia également les NDE chez les aveugles et les NDE négatives (voir chapitre 7).

---

1. MOODY R., *Lumières nouvelles sur la vie après la vie*, éd. Robert Laffont, 1978.

Kenneth Ring est surtout connu pour avoir mis en exergue en 1980 les cinq stades communs à la plupart des NDE, à savoir :

1er stade :   Sortie du corps dans l'obscurité.
2e stade :   Vision autoscopique et à 360° avec possibilité de déplacement à très grande vitesse par la seule force de la pensée.
3e stade :   Aspiration dans un tunnel.
4e stade :   Vision de la Lumière.
5e stade :   Entrée dans la Lumière.

Tout en participant à la rédaction de nombreux articles sur les NDE, il publia des ouvrages destinés à informer un public plus large[1].

Michael Sabom, ce cardiologue américain au caractère impulsif, fut tout d'abord incrédule et très critique sur les travaux de Moody. Mais les hasards de la vie (s'ils existent...) le poussèrent à faire lui aussi une étude, sur 150 rescapés de la mort, et il constata avec stupéfaction la réalité du phénomène NDE. Il publia son premier livre[2] en 1983 et décrivit dix phases successives rencontrées dans une NDE « complète » :

---

1. RING K., *Sur la frontière de la vie*, 1981, *En route vers omega*, 1991, éd. Robert Laffont.
2. SABOM M., *Souvenirs de la mort*, éd. Robert Laffont, 1983.

1re phase :   Sentiment objectif d'être mort.

2e phase :   Paix et bien-être.

3e phase :   Désincarnation.

4e phase :   Vision d'objets matériels et d'événe-
                ments.

5e phase :   Tunnel et zone d'ombre.

6e phase :   Évaluation du passé.

7e phase :   Lumière.

8e phase :   Accès à un monde transcendantal.

9e phase :   Rencontre d'autres êtres.

10e phase :   Retour à la vie.

Bruce Greyson, en 1983, est professeur de psychiatrie à l'Université du Connecticut. Ayant pris
connaissance des travaux de son collègue Kenneth
Ring, il établit une classification des NDE fondée
sur une série de questions : l'échelle de Greyson[1].
Le but de cette classification est de différencier
les NDE authentiques des autres phénomènes de
dépersonnalisation. Les tests regroupent les éléments d'une NDE en quatre catégories : cognitive,
affective, paranormale et transcendantale. Bien
que contestée par certains, cette échelle est encore
aujourd'hui utilisée pour valider les expériences
de mort imminente. De mon point de vue, l'expérience est bien trop subtile pour être avalisée

    1. GREYSON B., « The Near-Death Experience scale construc-
tion, reliability and validity », *J. Nerv. Ment. Dis.*, 1983, 171,
pp. 369-375.

d'une manière aussi simpliste. Et puis, aurait-on envie de remplir un questionnaire après avoir rencontré Dieu ? La réponse me semble évidente !

Patrice Van Eersel fait partie des journalistes fondateurs du magazine *Actuel* créé en 1980. En 1984, voulant réaliser un sujet sur « la vision de la mort expliquée par la chimie du cerveau », il se rendit à Los Angeles pour rencontrer Ronald Siegel, psychologue à l'Université de Californie, et s'aperçut lors de son interview que Siegel n'avait en fait rien découvert de particulier sur la question. Mais sa déception fut largement compensée par ce qu'il apprit au sujet des NDE et par sa rencontre avec Elisabeth Kübler-Ross qui lui exposa son travail auprès des mourants. À son retour il publia *La Source noire*[1] qui fait le point de façon objective sur les connaissances scientifiques du phénomène NDE en 1986. D'autres livres tout aussi passionnants sont à son actif, comme *La Source blanche*[2], une étonnante histoire de dialogues avec l'ange, ou encore *Réapprivoiser la mort*[3], une enquête poignante sur l'accompagnement des mourants et sur les travaux des scientifiques à partir des témoignages de sujets réanimés. À la fin de cet ouvrage, Van

---

1. VAN EERSEL P., *La Source noire*, éd. Grasset, 1986.
2. *Id.*, *La Source blanche*, éd. Grasset, 1996.
3. VAN EERSEL P., *Réapprivoiser la mort*, éd. Albin Michel, 1997.

Eersel ouvre le débat sur le dialogue entre les vivants et les morts.

Ce célèbre journaliste a permis le développement des structures de soins palliatifs dans notre pays en contribuant à faire connaître les travaux d'EKR auprès des mourants. Il est aujourd'hui le rédacteur en chef du magazine *Nouvelles Clés*. Depuis sa naissance en 1988, cette revue explore ce monde nouveau où « la vision scientifique redécouvre que, paradoxalement, plus la connaissance avance, plus l'inconnu grandit[1] ».

L'antropologue Evelyne-Sarah Mercier a, elle aussi, contribué grandement grâce à un travail acharné à faire connaître le phénomène NDE en France. En 1987, elle fonda IANDS[2] France, une association qui est le relais de celle de Raymond Moody aux États-Unis. Elle dirigea la rédaction d'un ouvrage, La Mort transfigurée[3] qui sera en 1992, et reste encore aujourd'hui, un ouvrage de référence pour l'étude des NDE. En 1995, elle partit au Gabon absorber des racines d'Iboga. Cette expérience fut selon ses propos « pas commode, pas reposante, pas humaine. Ce que j'ai rencontré a à voir avec un divin inconnaissable, tellement divin que cela n'a rien à voir avec l'humain. Cette rencontre n'a été ni positive ni négative, elle a

---

1. www.nouvellescles.com
2. IANDS : International Association for Near Death Studies.
3. MERCIER E.-S., *La Mort transfigurée*, éd. Belfond, 1992.

été.[1] » En 1995, elle publia *Le Voyage interdit*[2] en collaboration avec Muguette Vivian. Cet ouvrage est un recueil de récits de NDE démontrant la transformation d'une existence suite à cette expérience.

Gilles Bedart n'avait que vingt ans lorsqu'il vécut sa NDE dans les années 1970. Musicien talentueux et journaliste de formation, il n'a de cesse de retrouver la merveilleuse mélodie entendue au cours de son expérience. Par ce biais, il devient spécialiste de musique contemplative et président de IANDS Québec. Il bénéficie des compétences scientifiques de Mario Beauregard, chercheur en neurosciences.

Le Dr Mario Beauregard, conseiller scientifique de IANDS Québec, spécialiste de neurothéologie[3] », travaille au Laboratoire de neurophysiologie de la conscience et des émotions de Montréal pour essayer de comprendre les fondements neuro-biologiques de la spiritualité, en étudiant notamment le cerveau des carmélites en prière. Il dispose pour ce faire des moyens techniques les plus sophistiqués comme l'IRMf (imagerie par résonance magnétique fonctionnelle), la TEP (tomographie par émission de positons) ou

---

1. www.outre-vie.com/interview/esmercier.
2. MERCIER E.-S., VIVIAN M., *Le Voyage interdit*, éd. Belfond, 1995.
3. Neurothéologie : étude neurologique des états mystiques profonds.

encore l'EEGq (electroencéphalographie quan-titative). Ce chercheur s'intéresse également aux répercussions des NDE sur le cerveau. Son ouvrage The Spiritual Brain[1] » expose le fruit de ses travaux.

Sylvie Déthiollaz, docteur en biologie molécu-laire à l'Université de Genève, partit se perfec-tionner dans cette spécialité à Berkeley, Université de Californie, et découvrit le phénomène NDE en 1995. Dès son retour des États-Unis, elle fonda en 1999 le centre Noêsis à Genève qui accueille et informe ceux qui ont vécu une NDE. Ce centre étudie aussi les phénomènes connexes aux états de mort imminente comme les OBE[2].

Nous avons également cité dans les chapitres précédents les travaux d'autres chercheurs qui se sont intéressés aux NDE, en particulier :

Le Dr Pim Van Lommel, cardiologue des Pays-Bas, qui publia en 2001 dans la revue médicale *The Lancet* son étude sur les NDE après arrêt cardiaque.

---

1. BEAUREGARD M., O'LEARY D., *The Spiritual Brain – A Neuroscientist's Case for the Existence of the Soul*, éd. Haper One, 2007
2. OBE : Out of Body Experience, ou éxperience de sortie de corps.

Le Dr Sam Parnia, médecin anglais spécialisé en soins intensifs, chercheur détaché au Weill Cornell Center of New York, auteur de plusieurs articles scientifiques sur les NDE. Ce médecin eut l'idée originale de disposer des cibles cachées dans les unités de soins intensifs pour objectiver les éventuelles performances visuelles des expérienceurs. Comme Pim Van Lommel, il publia en 2001 son étude sur les NDE après arrêt cardiaque dans le journal médical *Ressuscitation*.

Le Dr Melvin Morse, médecin pédiatre et urgentiste qui, comme nous l'avons vu précédemment, cibla ses recherches sur les NDE chez les enfants et sur sa théorie de « Divine Connexion » à une supraconscience par l'intermédiaire du cerveau, du lobe temporal droit pour être plus précis.

Le Dr Maurice Rawlings, cardiologue qui s'intéressa particulièrement aux NDE négatives dont il souligna la fréquence qui est, selon lui, largement sous-estimée.

Le Dr Jean-Pierre Jourdan, médecin généraliste français qui a recueilli pendant près de vingt ans des témoignages de NDE. Il est directeur de recherches à IANDS France et publia *Deadline – Dernière limite* en 2007 : un livre qui propose, comme le précise Moody dans sa préface, une nouvelle approche des NDE. Selon la proposition de mon confrère et ami le Dr Jourdan, tout se passe comme si la perception des expérienceurs s'opérait depuis une dimension supplémentaire à nos quatre dimensions habituelles (trois spatiales et une temporelle). Malheureusement, même en considérant ce concept réducteur[1] comme étant une évidence absolue – ce que nul ne peut effectivement contester –, nous ne sommes pas plus avancés par cette « explication » sur la connaissance intime du phénomène NDE, tandis que l'impact transcendant et spirituel de l'expérience, qui est de toute évidence le plus émouvant et le plus mystérieux, passe tout simplement aux oubliettes. Quoi qu'il en soit et mis à part ces réserves, *Deadline* est, par la qualité des témoignages et par l'importance du travail réalisé par l'auteur, un ouvrage incontournable lorsqu'on s'intéresse aux NDE.

Le Dr Olaf Blanke, neurochirurgien à l'hôpital cantonal de Genève dont nous avons déjà évoqué les travaux dans le chapitre 8.

---

1. Concept réducteur à double titre : pour le vécu de l'expérience qui ne saurait de mon point de vue se résumer à une simple perception spatio temporelle, mais aussi parce qu'il existerait bien plus de cinq dimensions dans notre Univers (au moins une bonne dizaine d'après les chercheurs les plus avancés).

Mon ami Jocelyn Morisson, qui est un journaliste scientifique très rigoureux dans son travail de recherche, écrit à propos des NDE :

> Dans ce domaine, la science doit avant tout faire preuve d'une grande humilité et ne négliger aucune source d'information ni aucune hypothèse[1].

Puissent tous les scientifiques écouter ce sage conseil !

J'ai construit cet historique autour de la sortie du livre de Moody en 1975 car, sans nul doute, c'est à partir de ce moment-là que le phénomène NDE a commencé à être connu dans le monde entier. Mais s'il y a eu un avant et un après Moody, on peut dorénavant parler d'un avant et d'un après 17 juin 2006.

En effet, le 17 juin 2006, une jeune femme de vingt-neuf ans, Sonia Barkallah, est parvenue à organiser un événement planétaire qui a bousculé les paradigmes scientifiques sur le fonctionnement du cerveau et de la conscience. Ce jour-là, se sont tenues à Martigues, une toute petite ville des Bouches-du-Rhône, les Premières Rencontres internationales sur les expériences de mort immi-

1. LIGNON Y., NOLANE R.D., MORISSON J., *Les Énigmes de l'étrange*. éd. First, 2005.

nente. Cette confrontation d'idées entre les différents protagonistes scientifiques de cet événement
sans précédent a abouti à un étonnant consensus
scientifique exposé dans le prochain chapitre.

Sonia Barkallah n'avait que onze ans lorsqu'elle
découvrit le livre de Raymond Moody. Angoissée
par la mort et par l'éventualité de perdre
ses proches, cette lecture bouleversa sa vie.
Adolescente, une OBE survenue en écoutant
de la musique l'incitera à s'intéresser aux états
modifiés de conscience. Après une brève carrière
d'ambulancière et de journaliste, elle entreprit
de réaliser une sorte de mission : faire avancer
la connaissance du phénomène NDE. Surprise
d'apprendre que des scientifiques travaillaient
« chacun dans leur coin, et certains même en
cachette dans des laboratoires secrets[1] » pour
essayer de comprendre ce qu'était une EMI, elle
décida de les réunir tous à Martigues pour expo-
ser leurs recherches et leurs travaux. Commença
alors pour elle une grande aventure avec nombre
d'obstacles matériels : logistiques et financiers
bien sûr, mais aussi – hélas, peut-on penser
lorsqu'il s'agit d'un tel sujet et d'une aussi belle
cause –, humains : jalousies, problèmes d'ego, sus-
ceptibilités de toute nature, etc. Mais, portée par
une énergie hors du commun, malgré son jeune

---

1. Tiré d'une interview radiophonique de Sonia Barkallah.

âge, son inexpérience et son manque de moyens financiers (toutes ses économies renforcées par l'hypothèque de l'assurance vie de sa mère passèrent dans ce projet), Sonia Barkallah réussit à franchir chaque épreuve avec brio pour réaliser son rêve puisque, le 17 juin 2006 à Martigues, plus de 2 000 personnes assistèrent à cette conférence exceptionnelle !

CHAPITRE 11

LE 17 JUIN 2006
À MARTIGUES

LE HASARD N'EXISTE PAS !

Toulouse, le 22 octobre 2005.

Je venais juste de terminer ma conférence et m'apprêtais à rejoindre l'emplacement réservé à la séance de dédicaces, lorsqu'une jeune femme m'aborda en affichant un accueillant sourire encadré par une abondante chevelure brune. Sa silhouette féminine et presque fragile contrastait avec sa démarche décidée. Elle déboula sur moi comme un missile sol-sol.

Cette première rencontre restera pour toujours gravée dans ma mémoire.

— Bonjour docteur Charbonier, je m'appelle Sonia Barkallah, lança-t-elle en me tendant une main énergique à la limite du salut militaire. Je suis directrice d'une société de production et je vais tourner un film documentaire sur les NDE. J'habite à côté de Marseille et je suis venue jusqu'ici pour assister à votre conférence... Vous n'êtes pas nombreux à vous exprimer en tant que médecins sur les NDE et votre conférence m'a beaucoup plu.

— Oui, c'est vrai que je me sens assez seul pour parler de ça, lui répondis-je plutôt flatté d'apprendre que quelqu'un ait pu faire autant de kilomètres pour venir m'écouter.

— Je voudrais vous inviter à faire une conférence chez moi, à Martigues, si vous êtes d'accord bien sûr. Comme vous avez parlé de Jean Morzelle dans votre exposé, je voulais vous dire aussi que je le connais très bien et que je peux vous le faire rencontrer.

Derrière elle, des gens s'impatientaient avec mon livre à la main.

Mais qu'est-ce qu'elle veut faire : un film sur les NDE ou une conférence ? me demandai-je, de plus en plus méfiant.

— Vous voulez filmer ma conférence, c'est ça ?

— Non... enfin oui, mais le film documentaire, c'est autre chose. En fait, dans le documentaire il y aura peut-être des extraits de votre conférence, mais je préfère ne pas trop en parler pour l'instant...

— Bon, je ne comprends pas très bien ce que vous voulez faire mais je suis a priori d'accord sur le principe de la conférence. Filmée ou pas d'ailleurs... Reste à s'entendre sur les modalités. Tenez, je vous donne mes coordonnées et on s'appelle, lui dis-je en tendant ma carte.

Elle est vraiment bizarre cette fille. Pourquoi faire autant de mystère pour une simple conférence ?

Son regard perçant me scrutait comme des rayons laser émergeant de deux olives noires. En un éclair, elle devina mes doutes.

— Vous savez, la conférence que je vais organiser sera très importante. Il y aura beaucoup plus de monde qu'aujourd'hui, dit-elle en faisant un petit mouvement circulaire du poignet.

— Ah bon ? Il y a quand même plus de trois cents personnes ici, c'est pas mal, non ?

Elle m'énerve. Pour qui elle se prend celle-là ?

— À Martigues il y aura au moins deux mille personnes qui viendront assister à cette conférence...

— Deux mille ? Vous pensez pouvoir déplacer autant de monde pour un sujet aussi difficile que les NDE ?

Cette fille n'est pas bizarre, elle est folle !

— Oui, mais rassurez-vous, vous ne serez pas seul, il y aura avec vous d'autres médecins comme Raymond Moody, Pim Van Lommel, Sam Parnia, tout ce beau monde... et aussi Patrice Van Eersel... Oui, c'est vrai ! Vous ne me croyez pas ?

— Ben euh, si, peut-être...

— Bon je vous laisse, je vois que vous avez du monde, dit-elle en donnant un coup de menton vers les lecteurs qui s'impatientaient. À bientôt, je vous appelle !

Pas folle, archifolle ! Je n'aurais jamais dû lui laisser ma carte. Quel con je suis ! Raymod Moody dans son bled, pourquoi pas le pape tant qu'elle y est !

Une dizaine de jours plus tard, je reçus chez moi un étonnant courrier posté de Berre-l'Étang qui détaillait le scénario du film documentaire de Sonia Barkallah. À en juger par son contenu, un travail considérable avait déjà été fait pour mettre en place les interviews des expérienceurs et celui des plus grands spécialistes scientifiques mondiaux ayant travaillé sur les NDE. Me vint alors spontanément à l'esprit un des titres du romancier Marc Levy : *Et si c'était vrai...*[1]

En fait, plus le temps passait et plus je constatais que les choses se précisaient. Oui, le 17 juin 2006 allait bien avoir lieu avec les intervenants annoncés par Sonia. Nous échangeâmes de nombreux coups de téléphone pour peaufiner l'événement avec Jocelyn Morisson, le journaliste scientifique qui avait le rôle ingrat et difficile d'animer cette journée, Martine Deloupy, l'attachée de presse de Sonia, chargée de com de l'événement, Xavier Rodier, un infirmier expérienceur qui participa, lui aussi, à l'organisation du

---

1. LEVY M., *Et si c'était vrai...* éd. Robert Laffont, 2000.

congrès, et, bien sûr et surtout, avec l'infatigable, l'insatiable, la courageuse Sonia Barkallah qui passait sur tous les obstacles et enfonçait toutes les portes comme l'aurait fait un char blindé de l'armée russe.

Avec le recul, je pense que cette fille fut considérablement aidée pour pouvoir réaliser cette incroyable journée. Aidée, c'est sûr. Sauf que ses aides n'étaient certainement pas terrestres ! Elles étaient bien plus puissantes et bien plus efficaces que cela...

Environ quinze jours avant la date fatidique du congrès, j'étais au volant de ma voiture, lorsqu'un journaliste de l'AFP me téléphona sur mon portable pour une interview. Il me donna tout de suite le sentiment d'être complètement désintéressé par la journée du 17 juin et de vouloir simplement « tâter le terrain » avec moi pour ne pas passer à côté d'un événement important.

Après lui avoir brièvement exposé le déroulement et les buts de ce congrès, je l'entendis soupirer. Il me posa ensuite une série de questions. Des questions provocantes, à la limite de l'incorrection.

— *Oui, bon d'accord, vous vous réunissez entre scientifiques à Martigues pour parler de NDE. Mais qu'est-ce qu'il y a de nouveau sur ce sujet ?*

— *Justement, les plus grands chercheurs de cette planète qui ont travaillé sur les NDE vont en parler ce jour-là, lui répondis-je agacé.*

— *D'accord, j'entends bien, mais dites-moi ce qu'il y a de nouveau ! Assez rapidement s'il vous plaît, docteur, car je dois filer pour un autre rendez-vous !*

— *Vous pouvez patienter un instant, s'il vous plaît, le temps que je me gare...*

— *Ah, vous conduisez ? Bon je vous rappellerai !*

Je savais bien qu'il ne l'aurait jamais fait tant il semblait pressé d'en finir.

— *Non attendez, il y a une aire de repos à un kilomètre d'ici, je me gare et on parle. J'ai quelque chose de nouveau et de révolutionnaire à communiquer.*

— *OK, docteur, prenez votre temps, je reste en ligne.*

Il venait de mordre à l'hameçon et ce petit délai me permettait de réfléchir. Je me demandais ce que j'allais bien pouvoir lui raconter car en fait tous les intervenants invités à Martigues allaient parler de NDE, et de cela, apparemment, notre journaliste s'en moquait complètement. Ses petites réflexions acerbes montraient qu'il considérait les expériences de mort imminente comme un phénomène ringard et complètement dépassé.

Il voulait du neuf : un scoop, une découverte exceptionnelle pour alimenter la presse mondiale...

— *Je n'entends plus le moteur, vous êtes garé, docteur ?*
— *Oui, voilà...*

À cet instant précis, je pense que moi aussi j'ai dû être aidé par des forces extraterrestres car il fallait être complètement dingue ou totalement inconscient pour décider de prendre le risque – totalement illogique compte tenu de l'apparente absence d'ouverture d'esprit de mon interlocuteur – de parler de mes expériences télépathiques avec les comateux. C'est pourtant ce que je fis. Et là... surprise ! À mon grand étonnement, le journaliste si pressé d'en finir, l'homme désagréable qui traitait par le mépris les phénomènes paranormaux m'écouta dans un silence religieux pendant plus de quarante minutes. De temps à autre, au milieu de mes récits, je disais « Allô ? » pour m'assurer que je ne parlais pas dans le vide et lui répondait : « Oui, continuez, je vous écoute. »
Avant de raccrocher, il m'annonça la bonne nouvelle :

— *Vous savez, docteur, je vais vous faire une confidence : à vrai dire, je ne pensais pas écrire une seule ligne sur la journée de Martigues. Les*

NDE, la Lumière, le tunnel, la sortie de corps, tout ça, tout le monde connaît et on en parle depuis plus de trente ans en répétant toujours les mêmes choses. Et même si Moody vient à Martigues, ça ne motive pas un article de l'AFP. C'est une affaire de spécialistes, vous comprenez... Mais là, avec vos histoires de télépathie chez les comateux, vous m'avez complètement bluffé. J'étais scotché, d'ailleurs j'ai loupé mon rendez-vous. C'est nouveau et ça mérite un bel article. Merci beaucoup, docteur. Je vais m'occuper de ça très rapidement.

Le journaliste avait vu juste puisque les journaux de 165 pays reprirent son communiqué de presse avec mon interview[1] et celle de Sonia. Il s'en est donc fallu de très peu pour que l'information puisse faire le tour de la planète. Grâce à une conversation faite dans une voiture en bordure d'autoroute et à un concours de circonstances qui ne doit rien au hasard (puisqu'il n'existe pas), les médias du monde entier, d'Israël à Singapour, de Sidney à Téhéran, ont pu faire connaître l'existence de ce congrès.

La veille du jour J, tous les intervenants étaient au rendez-vous et, lors de la conférence de presse, chacun d'entre nous sentait bien que seulement

---

1. Voir « Retombées de la presse mondiale de la conférence de Martigues » sur www.charbonier.fr, rubrique « revue de presse ».

quelques heures nous séparaient d'un moment qui resterait pour toujours gravé dans l'histoire des NDE.

Le 17 juin au matin, 2 300 personnes écoutaient religieusement dans la halle de Martigues le discours inaugural d'Evelyne Mesquida[1], un poignant plaidoyer en faveur des valeurs humanitaires et écologiques indispensables pour préserver la vie terrestre des générations à venir. Des bus entiers venus de tous les coins de France déversaient des flots de participants. Des caméras de télévisions étrangères filmaient les intervenants dans des petits studios improvisés.

Le pari de celle que j'avais stupidement traitée quelques mois plus tôt d'« archifolle » venait de réussir !

Après l'émouvante présentation de Sonia, tables rondes, témoignages et conférences se sont succédé dans un mécanisme savamment orchestré par Jocelyn Morisson. Pour une première, c'était un sans-faute ! L'intégralité de ce congrès a été filmé[2] et édité dans un livre[3] que Sonia m'a dédicacé :

À Jean-Jacques Charbonier,
JJ (pour les intimes)
Paraît-il que ma santé mentale était douteuse...

---

1. Présidente de l'association Femmes internationales murs brisés, FIMB.
2. DVD disponibles sur le site www.s17production.com
3. *Actes du Colloque – Martigues, 17 juin 2006, op. cit.*

Voici la preuve qu'elle est parfaite !
Merci d'avoir croisé toi aussi mon chemin.
Merci pour ta confiance.
Amitiés.
Sonia.

Les médecins et chercheurs présents ce samedi 17 juin à Martigues ont signé un communiqué commun.

COMMUNIQUÉ COMMUN DES ORATEURS

Nous sommes un groupe de médecins, praticiens et/ou chercheurs de différentes disciplines et nationalités.

À l'occasion des Premières Rencontres internationales consacrées à l'expérience de mort imminente (EMI ou NDE pour Near Death Experience) – organisées à Martigues le samedi 17 juin 2006 – nous tenons à faire connaître au grand public ainsi qu'à la communauté médicale et scientifique les convictions qui sont les nôtres après des années de recherche sur ce phénomène. Bien que, d'un point de vue scientifique, le déclenchement de l'expérience de mort imminente soit sans aucun doute relié à des phénomènes neurobiologiques dans le cerveau, son contenu extrêmement riche et complexe ne peut être réduit à une simple illusion ou à une halluci-

nation produite par un cerveau en souffrance au moment de la mort.

La réalité de l'expérience humaine n'est pas exclusivement déterminée par des mécanismes neurologiques, et la signification de l'EMI ne peut se réduire aux simples processus neurologiques qui accompagnent sa survenue dans le cerveau.

Certaines avancées scientifiques majeures ont pu être acquises grâce à l'étude des manifestations inhabituelles ou « exotiques » de phénomènes que l'on croyait avoir compris dans leur intégralité. Il est très important que les scientifiques puissent conduire des recherches dans différentes disciplines, en particulier les neurosciences, sans préjugés d'aucune sorte.

D'importantes publications dans des revues scientifiques à comité de lecture, comme Nature *ou* The Lancet, *ont permis une meilleure acceptation de ces recherches dans la communauté médicale et scientifique et sont un premier pas vers la constitution d'un corpus de connaissances reconnu par cette dernière.*

Nous pensons que cet effort de recherche doit être encouragé pour progresser dans la compréhension de l'expérience de mort imminente, même si ce phénomène remet en cause les conceptions établies sur la nature de la conscience et le fonctionnement du cerveau.

L'expérience de mort imminente, comme d'autres « états modifiés de conscience », ouvre une nouvelle voie de recherches pluridisciplinaires. Cette voie est porteuse d'espoir et de progrès pour l'humanité. Nous formons le vœu que les instances médico-scientifiques et les pouvoirs publics en prennent la juste mesure.

Signataires :

Dr Raymond Moody, *psychiatre et philosophe, auteur (États-Unis).*

Dr Pim van Lommel, *cardiologue (Pays-Bas).*

Dr Sam Parnia, *médecin spécialiste en soins intensifs (Royaume-Uni).*

Dr Mario Beauregard, *neurologue (Canada).*

Dr Sylvie Déthiollaz, *docteur en biologie moléculaire (Suisse).*

Dr Jean-Pierre Jourdan, *médecin, responsable recherche médicale IANDS France (France).*

Dr Jean-Jacques Charbonier, *médecin anesthésiste-réanimateur, auteur (France).*

Evelyne-Sarah Mercier, *doctorante en anthropologie, auteure (France).*

Patrice Van Eersel, *rédacteur en chef de la revue* Nouvelles Clés, *auteur (France).*

L'APRÈS 17 JUIN 2006

J'ai pu communiquer l'étonnant consensus de cette journée de Martigues sur de trop rares médias de presse, de radio ou de télévision. Trop rares, car la plupart d'entre eux se sont montrés très réticents à transmettre la conclusion essentielle de ce congrès soutenant que le phénomène NDE n'est pas secondaire à une hallucination ou à une illusion, comme le prétend encore aujourd'hui la majorité des scientifiques, mais plutôt à un état modifié de conscience bien réel, et cela en dehors de tout fonctionnement cérébral effectif.

Eh oui, les scientifiques ne sont pas les seules personnes atteintes de dissonance cognitive, les journalistes sont aussi grandement touchés par cette pathologie du raisonnement !

L'exemple le plus démonstratif est certainement celui que j'ai vécu avec France 2. Voici les faits. Je laisse le lecteur seul juge de la désinformation flagrante déversée quotidiennement sur cette planète !

Environ une semaine après le congrès de Martigues, une équipe de France 2 fit le voyage Paris-Toulouse pour venir m'interviewer sur les lieux de mon travail. Je reçus dans mon bureau avec grand plaisir une jeune journaliste, Julia Dessage, un preneur de son (le détail a son importance) et un cameraman. Après quelques échanges de politesses et d'indispensables réglages techniques, nous débutâmes le tournage. Trop habitué aux coupures « aléatoires » des montages, je fus volontairement bref et synthétique pour que l'information qui réfutait la théorie hallucinatoire des NDE puisse être diffusée. À la fin de mon intervention, Julia Dessage paraissait comblée par ce qu'elle venait d'entendre. Elle me félicita pour la clarté de mes propos et promit de me contacter pour me dire à quel moment mon interview passerait. Une chose était certaine, l'information serait diffusée au cours d'un des prochains journaux de 20 heures. Effectivement, Julia Dessage tint sa parole en me téléphonant quelques jours plus tard, une dizaine de minutes avant le 20 heures de David Pujadas. Mais je compris tout de suite au son de sa voix qu'elle n'était pas aussi enthousiaste que lors de notre première rencontre. Dépitée, elle m'annonça qu'à son grand regret mon interview était inexploitable parce qu'il y avait eu une « panne de micro » lors de la prise de son qui rendait tout ce que je disais inaudible… que c'était la première fois qu'une pareille chose se produisait… qu'elle n'avait jamais connu ça avant… qu'elle était profondément désolée et terriblement déçue, mais qu'elle avait été dans l'obligation de faire appel à un autre médecin qui parlerait à ma place. Et moi, naïf, de répondre pour tenter de la consoler : « Ce n'est pas grave si je ne passe à l'antenne, je n'en fais pas un problème d'ego. L'essentiel est de pouvoir communiquer l'information de Martigues. » Je sentis la gêne de Julia Dessage à l'autre bout du fil et quelques minutes plus tard j'en compris la raison en écoutant sa fameuse interview de substitution. En fait, le médecin qui m'avait remplacé au pied levé – et qui, soit dit en passant, n'était même pas présent à Martigues – travaillait au CNRS et semblait avoir une connaissance du phénomène NDE équivalente à la mienne pour la recette de l'omelette norvégienne (bien que très gourmant, je suis incapable de me faire cuire un œuf). Il raconta trois banalités sur la question qui n'avaient absolument rien à voir avec le consensus de Martigues, et son intervention ne dura pas plus de dix secondes. Vint ensuite l'interview de Philippe Labro, journaliste et expérienceur bien connu en France. Lui non plus n'était pas à Martigues et n'avait pas la moindre idée de ce qui s'y était dit... mais ce fut pourtant lui qu'on interrogea, alors que son collègue journaliste Dominique Bromberger qui était intervenu dans ce congrès pour nous faire part de son expérience de NDE, ne fut même pas consulté. Dans ce reportage, on donna des informations aussi poussiéreuses que fausses sur le phénomène NDE, des notions vieilles de trente ans qui ne dérangeaient personne ! Mais rien, absolument rien sur ce fameux consensus de Martigues. Le comité de rédaction de la chaîne avait décidé de ne pas diffuser l'interview dans lequel je précisais que les NDE n'étaient pas consécutives à un processus hallucinatoire.

J'ai malheureusement l'habitude d'être censuré. Je ne peux faire partager mes idées et mes

expériences professionnelles que dans des conférences, des émissions en direct, des livres ou des
journaux édités par des gens courageux.

Il n'y a pas si longtemps, je devais intervenir
dans l'émission de Delarue *Ça se discute* pour
parler des comas, mais lorsqu'on apprit que je
désirais aussi m'exprimer au sujet des possibilités télépathiques des comateux, on m'écarta sans
ménagement du plateau des invités ! Le même
phénomène eut lieu quelques semaines plus
tard chez Stéphane Bern dans *L'arène de France*
consacrée au paranormal. Dans ce genre de show
télévisé, il est bien plus facile de se moquer publi-
quement d'un charlatan ou d'un « escroc-gourou »,
cibles idéales de la vindicte populaire, que d'un
médecin spécialiste en réanimation qui prétend
pouvoir communiquer avec les comateux ! Plus
récemment encore, mon intervention dans une
émission télévisée sur France 2 dédiée à la mort
fut remplacée par celle d'un médecin qui traita
le sujet des NDE avec de fausses explications. Il
faut toujours servir la même soupe aux médias
sans faire de vagues, en étant un docteur bien
sage et bien gentil ; ça, je ne sais pas faire !

La plupart de nos contemporains pensent que
tous ceux qui s'intéressent au paranormal sont des
illuminés ou des farfelus, et ils rangent volontiers
dans le même tiroir, avec un incroyable mépris,
médiumnité, spiritisme, télépathie et autres phé-

nomènes inexplicables comme les NDE ou la TCI (transcommunication instrumentale). Quelle grossière erreur ! Ils ignorent qu'au-delà de nos sciences traditionnelles existe une autre science, tout aussi complexe, capable de fournir d'innombrables éclairages pouvant faciliter la compréhension de l'Univers dans lequel nous évoluons.

Oui, au-delà de la science existe bien une autre science : la science de l'au-delà.

TROISIÈME PARTIE

AU-DELÀ DE LA SCIENCE, LA SCIENCE DE L'AU-DELÀ

CHAPITRE 12

COMMUNIQUER
AVEC L'AU-DELÀ

> *Médecin, je ne sais pourtant pas à*
> *quoi sert la vie, à quoi servent la mort*
> *et toutes les épreuves que nous devons*
> *affronter. Je ne sais d'où je viens, ni*
> *où je vais... à quoi sert cette comédie.*
> *Qui me l'apprendra ?*
>
> Dr Janine FONTAINE.[1]

Si on se réfère à la définition classique du mot
« science » qui vient du latin *scienta*, « savoir »,
et qui regroupe sous ce vocable un « ensemble
cohérent de connaissances relatives à certaines
catégories de faits, d'objets ou de phénomènes
obéissant à des lois et vérifiées par des méthodes

---

1. FONTAINE J., *Médecin des trois corps*, éd. J'ai lu, 2005,
p. 100.

expérimentales », on peut dire que la science de l'au-delà est essentiellement une science de communication.

Cette capacité de rentrer en contact avec l'au-delà peut se faire dans les deux sens : en émission par la prière ou la méditation, mais aussi en réception par la médiumnité. Dans les deux cas, un état de conscience modifié particulier se manifeste pour rapprocher le méditant ou le médium d'un système de pensées subtiles que l'on pourrait appeler « esprit » ; l'esprit, notre esprit, qui, en étant l'interface des deux mondes, rend possible sous certaines conditions la connexion avec l'Invisible qui nous rattache au Divin.

L'ESPRIT

La réalité de l'existence de l'esprit est scientifiquement prouvée par le Global Consciousness Project (GCP) réalisé à l'Université de Princeton dans le New Jersey. Cette étude repose sur un constat : lorsque l'on place un générateur de nombres aléatoires (GNA) qui produit des séquences continues de « bits » (1 ou 0) dans un endroit où des personnes sont exposées à une émotion intense comme à l'Opéra ou bien dans une église pendant une cérémonie religieuse, on a remarqué que la séquence fixe de 0 et de 1 ne correspondait plus à 50/50, comme c'est le cas dans les conditions basiques lorsque le générateur se trouve isolé de toute influence extérieure. Le GNA est fabriqué avec les meilleurs composants pour qu'aucun élément perturbateur tel que les champs électromagnétiques, les variations de température ou même l'usure des matériaux ne vienne perturber son comportement aléatoire, ce qui veut donc dire que seule l'émotion émergeante de la conscience par un « système de pensées » ou par l'esprit du groupe a la capacité de modifier les séquences observées.

Confortés par ces résultats surprenants, les chercheurs ont ensuite décidé de connecter via Internet plusieurs GNA répartis sur la planète pour réaliser ce qu'ils ont appelé un « Global Consciousness Project ». Et ça a fonctionné ! Une bonne douzaine de GNA installés en Europe et aux États-Unis ont modifié de façon impressionnante leurs séquences aléatoires lors des funérailles de Lady Diana et au moment de la tragédie du 11 septembre 2001.

On peut bien sûr se demander par quel biais l'esprit est capable de réagir à une information émouvante pour influencer le comportement d'une machine. Est-ce un phénomène de psychokinésie induit par un flux énergétique ? Dans cette hypothèse, de quel flux énergétique s'agit-il ? Existe-t-il un support physique à cette connexion avec la matière ? Comment tout cela fonctionne-t-il ? Mystère. Lorsque l'on pose toutes ces questions à Roger Nelson, le directeur du GCP. de Princeton, il répond le sourire aux lèvres : « C'est comme l'aspirine, nous ignorons comment ça agit, mais ça agit ! »

Le Pr William A. Tiller de l'université de Stamford en Californie a longtemps travaillé sur les champs énergétiques non physiques du corps humain. Il a pu prouver que des personnes rassemblées pour penser avec la même intention étaient capables d'avoir une influence physique sur la matière. Pour ce faire, il a réuni quatre médiums dans un laboratoire du Minnesota et leur a demandé d'influencer par leurs pensées un appareil électrique capable d'abaisser ou de diminuer le pH de l'eau. L'appareil, installé dans un autre laboratoire situé à plusieurs milliers de kilomètres induisait une modification du pH de l'eau placée à proximité conforme aux pensées qui avaient été émises par les quatre médiums. Plus surprenant encore, Tiller note que si l'expérience est répétée de très nombreuses fois dans le même lieu, l'effet induit devient permanent ! En fait, tout se passe comme si une mémoire énergétique pouvait agir en modifiant les lois physiques d'un lieu.

À propos des expérimentations du Pr Tiller, le père Brune écrit :

Si certains lieux nous semblent vraiment « sacrés » et propices plus que d'autres à la méditation et à la prière, c'est qu'au cours des années et parfois des siècles d'innombrables fidèles sont venus y prier. Les sensitifs parlent d'ondes qui imprègnent ces lieux mais que nos appareils ne peuvent détecter. L'hypothèse de Tiller était que la modification induite par ces milliers de pensées avait pu se produire dans le « vide » de ce lieu.[1]

LA PRIÈRE

La guérison spirituelle

C'est encore à l'université de Princeton que fut mené le plus grand nombre d'études relatives à l'intérêt de la prière pour la guérison. Des groupes de malades tirés au sort ont pu bénéficier des soins de groupes de prières. Pour éviter toute subjectivité, médecins et malades ignoraient à qui les prières étaient destinées. En médecine, c'est toujours de cette façon, dite « en double aveugle », que l'on teste l'efficacité de nouvelles thérapeutiques. À ce jour, toutes les études sont probantes pour reconnaître que la prière augmente de façon significative les chances de guérison. Malheureusement les lobbies des laboratoires pharmaceutiques contestent régulièrement ces

---

1. BRUNE F., *Les morts nous parlent*, nouvelle édition, tome 2, éd. Oxus, 2006, p. 188.

résultats. Il est sûr que la guérison spirituelle n'arrange pas leur chiffre d'affaires ! Malgré cet acharnement employé par un pouvoir médical mercantile pour dénigrer ce genre d'études, certains soignants ne sont pas dupes et utilisent la prière et les ressources de l'esprit des patients pour les conduire sur le chemin de la guérison. S'il existe en France une majorité de médecins sceptiques et bornés, habilement manipulés dès leurs premières années d'étude par les laboratoires pharmaceutiques pour mépriser la guérison à distance et les pouvoirs de la prière, il en va tout autrement aux États-Unis, où 90 % des écoles de médecine ont un enseignement consacré à ces thérapies complémentaires. Et dans l'enseignement de ces médecines alternatives, la guérison spirituelle y occupe une place de choix. Une place aujourd'hui retrouvée car, déjà cinq siècles plus tôt, l'alchimiste et médecin suisse Paracelse (1493-1541) écrivait : « Vous devez savoir que la volonté est un puissant adjuvant de la médecine. »

De récentes enquêtes confirment que la spiritualité contribue de façon substantielle au bonheur et que les personnes animées d'une foi, quelle qu'elle soit, se sentent plus heureux que les athées. Les statistiques montrent que les sujets bénéficiant d'une foi puissante présentent des taux de délinquance, d'alcoolisme, de consommation de médicaments et d'échec matrimonial plus bas. Une récupération postopératoire est d'autant meilleure si la spiritualité des convalescents est forte, et cela a été démontré scientifiquement par Ronna Casar Harris et Mary Amanda Dew du centre de recherches médicales de l'Université de Pittsburgh, qui ont étudié l'évolution clinique des transplantés cardiaques. Les greffés du cœur très croyants étaient d'une meilleure santé physique et parvenaient à mieux dominer leurs émotions que ceux qui ne croyaient ni en Dieu ni à une vie dans l'au-delà. Dans le même ordre d'idées, l'équipe du Dr Thomas Oxman de la faculté de médecine de Dartmouth est parvenue à démontrer que les patients de plus de cinquante-cinq ans ayant subi une opération à cœur ouvert et qui étaient croyants avaient trois fois plus de chance de survie que les autres. Un fait semble incontestable : la croyance absolue à une survivance apporte un réconfort puissant face à la mort et à la souffrance. Si cette survivance est exprimée de différentes façons par les multiples religions de cette planète, son existence n'en demeure pas moins constante dans chacune d'entre elles.

L'efficacité de la spiritualité sur la santé n'est pas une découverte récente. En 1875, Mary Baker Eddy écrit un livre *Science et santé avec la clé des écritures* qui démontre que la maladie peut être vaincue par la prière et le recueillement. Son ouvrage, traduit en 17 langues, a déjà été vendu à près de dix millions d'exemplaires. Cette Américaine a eu l'expérience de sa propre guérison spirituelle. Alors que son médecin pensait qu'elle allait mourir, elle a guéri soudainement après avoir lu le récit d'un miracle dans les Évangiles. Elle s'est isolée et a médité pendant trois ans sur ce phénomène mystérieux jusqu'à ce qu'elle se rende compte qu'elle pouvait aussi guérir les autres.

Mais il n'est absolument pas nécessaire d'adopter les dogmes ou les principes d'une religion pour faire face aux divers problèmes de sa vie. On peut ne se reconnaître dans aucune des religions et être très spirituel. C'est la fameuse « spiritualité élémentaire » décrite par le dalaï-lama ; celle qui fait référence aux qualités humaines de base comme la bonté, la gentillesse, la compassion, le souci des autres. Que l'on soit croyant ou non-croyant, cette spiritualité-là est essentielle pour vivre heureux et en bonne santé. De nombreuses études ont montré que tous les sentiments négatifs comme la colère, la haine, la convoitise, la jalousie ou l'égocentrisme favorisent la survenue de maladies cardio-vasculaires et le développement de pathologies tumorales et infectieuses par une atteinte directe des défenses immunitaires. Les pensées négatives sont mauvaises pour tout le monde et, sur le plan spirituel, le positif est toujours le plus fort. La métaphore des oiseaux blancs et noirs rapportée dans le livre de Pierre

Pradervand[1] illustre parfaitement cela. L'auteur raconte qu'un vieux sage africain lui a expliqué que l'on était toujours gagnant en bénissant et toujours perdant en maudissant. Pour appuyer ses dires, le vieillard lui a demandé d'imaginer un mur où se trouvent des niches noires avec une forme spéciale ne pouvant accueillir que des oiseaux noirs – les mauvaises pensées – et des niches blanches spécifiques aux oiseaux blancs – les bonnes pensées. Pour que la démonstration soit valable, il faut considérer que toutes les niches sont occupées. Si Jean et Jacques ont de mauvaises relations et s'envoient des mauvaises pensées, l'oiseau noir envoyé par chacun trouvera une niche chez l'autre et fera des dégâts. Si Jean avait envoyé un oiseau blanc à la place du noir, l'oiseau noir de Jacques n'aurait pas pu se loger dans le mur de Jean ; il serait revenu de là où il était parti avec une énergie négative accrue. En revanche, l'oiseau blanc de Jean, ne pouvant se loger dans la niche noire de Jacques, serait retourné dans sa niche initiale renforcé par son voyage et Jean ne s'en serait trouvé que mieux.

Au cours de notre vie, nous sommes tous amenés à rencontrer de multiples problèmes d'ordre familial, affectif ou professionnel. Le vécu de ces périodes difficiles sera plus ou moins traumatisant

---

1. PRADERVAND P., *Vivre sa spiritualité au quotidien*, éd. Jouvence, 2007.

pour notre santé physique et mentale en fonction de la façon dont le stress sera géré et de l'importance des sentiments négatifs engendrés. En particulier, des chercheurs ont pu démontrer que les patients soumis à un conflit chronique mal géré développaient plus facilement une pathologie cancéreuse[1]. À l'inverse, de très lourdes contraintes peuvent être supportées sans dommage chez des personnes remplies de sentiments positifs. C'est encore Pierre Pradervand qui relate dans une interview le cas d'un déporté resté en parfaite santé dans un camp de concentration nazi pendant six ans parce qu'il aimait tous ceux qui l'entouraient[2]. Actuellement, des tests de psycho-neuro-immunologie sophistiqués ont pu prouver que l'amour était capable de renforcer le système immunitaire.

L'effet placebo est bien connu en médecine. Il repose sur l'efficacité d'une thérapeutique qui ne contient aucun principe actif. Il s'agit d'un phénomène réel aux mécanismes inconnus qui induit des guérisons ou des améliorations authentiques en l'absence de toute substance chimique ou pharmacologique active. Dans ce

1. ANTONI M. H., LUTGENDORF S. K., COLE S. W., « The influence of bio-behavioural factors on tumour biology : pathways and mechanisms », *Nature Reviews Cancer*, 2006, 6(3), pp. 240-248.

2. DRAPEAU E., « Rencontre avec Pierre Pradervand. », *La Revue de l'au-delà*, juin 2007, n° 114, p. 10.

cas, c'est le psychisme du patient qui va induire sa guérison. La pensée positive relayée par le placebo détermine l'amélioration des symptômes. L'autosuggestion de sa propre guérison va la rendre effective. À l'inverse, une mauvaise perception par le patient du médicament neutre qui lui est administré pourra entraîner des pensées négatives aggravant sa maladie et on parlera alors d'un effet nocebo. Classiquement, un médicament sans principe actif induit un effet placebo dans 30 % des cas et un effet nocebo dans 18 % des cas. Pour que le principe actif d'un médicament soit considéré valable, il faut donc qu'il donne des résultats positifs dans plus de 30 % des cas tandis que ses effets délétères mineurs ne doivent pas apparaître chez plus de 18 % de la population testée.

La puissance de l'effet placebo a très bien été démontrée sur un groupe de patients traités pour la maladie de Parkinson. Cette pathologie invalidante entraîne des troubles de la motricité et des tremblements incoercibles consécutifs à un déficit de la production cérébrale d'une hormone appelée la dopamine. Le traitement consiste à administrer une dopamine de synthèse fabriquée en laboratoire. Une équipe de médecins de l'Université de la Colombie-Britannique a démontré que lorsque l'on disait aux parkinsoniens recevant un placebo qu'ils avaient reçu de la dopamine, leur cerveau augmentait de façon significative la production de cette substance[1].

Je teste régulièrement l'efficacité de cet effet placebo sur mes patients en salle de réveil. Il arrive en effet quelquefois que des opérés se plaignent de douleurs impossibles à calmer par les moyens traditionnels et, dans ces cas-là, les différents antalgiques puissants administrés à des doses importantes ne viennent pas à bout de leurs plaintes incessantes. On peut diversifier les drogues ou augmenter leurs posologies, rien n'y fait ! Le patient continue à hurler que personne ne s'occupe de lui et qu'il portera plainte pour mauvais traitement dès qu'il sera rentré chez lui. Dans ces circonstances, il suffit souvent de dire qu'un produit nouveau leur est administré pour que la douleur cesse totalement dans les minutes qui suivent une injection de sérum physiologique ne contenant aucun principe actif ! J'ai pu aussi constater que cette thérapeutique était plus efficace lorsque le médecin anesthésiste pratiquait lui-même l'intraveineuse du « produit miracle » !

Cet effet placebo a même été expérimenté en chirurgie par J. Bruce Moseley. Cet orthopédiste a traité une population de patients atteints d'ostéoarthrite du genou soit par abstention chirurgicale, soit par une opération effectuée par arthroscopie.

---

1. FUENTE-FERNANDEZ R. and coll. « Expectation and dopamine release : mechanism of placebo effect in Parkinson's disease », *Science*, 2001, 293 (5532), 1164-1166.

Les patients non opérés pensaient avoir bénéficié d'une intervention chirurgicale puisqu'ils avaient été anesthésiés et pouvaient voir dès le réveil la présence de petites incisions sur leur genou. Des résultas similaires ont été constatés dans les deux groupes (opérés et non opérés).[1] On peut donc conclure de façon scientifique à l'efficacité de la force du psychisme, de la conscience ou de l'esprit sur l'évolution d'une guérison.

Nos pensées ont la faculté de nous attirer des énergies positives (effet placebo) ou des énergies négatives (effet nocebo). Les pensées négatives issues de sentiments négatifs comme la haine, la peur, la méchanceté, le désespoir, le découragement, l'égoïsme, l'intolérance vont favoriser l'installation de la maladie, alors qu'à l'inverse la bonté, la gentillesse, la patience, la tolérance, l'amour, la générosité, la charité et l'espoir sont des qualités qui vont rendre toute guérison possible, même les plus improbables. Mon expérience professionnelle m'a permis de constater régulièrement que les malades déprimés ou agressifs développaient souvent des complications inattendues après des chirurgies bénignes, alors que les patients courtois et aimables récupéraient parfaitement d'interventions parfois très lourdes.

---

1. MOSELEY J.B. and coll. « A controlled trial of arthroscopic surgery for osteoarthritis of the knee », *NEJM* 11 juillet 2002 ; 347 (2) : 81-88.

Conférencière mondialement connue pour ses travaux sur l'accompagnement des mourants, Betty J. Eadie a écrit :

> Quand nos pensées négatives prédominent, les défenses du corps risquent de s'affaiblir. C'est particulièrement vrai dans le cas où nos pensées négatives sont centrées sur nous-mêmes. C'est dans la dépression que nous nous révélons le plus égocentrique. Rien ne peut davantage miner notre force et notre santé naturelles qu'une neurasthénie prolongée. Mais quand nous nous appliquons à oublier notre ego pour nous intéresser aux besoins des autres et à la manière de leur être utile, la guérison s'opère. Un service rendu est un baume pour l'âme et le corps[1].

La prière et le cerveau

En ce qui concerne la prière, il est très difficile d'analyser scientifiquement ses mécanismes car c'est une action beaucoup trop complexe et intime pour pouvoir être abordée comme une fonction cérébrale ordinaire. Mon ami canadien Mario Beauregard a étudié avec des moyens très sophistiqués le cerveau des carmélites en prière. Comme on pouvait s'y attendre, il n'est pas parvenu à localiser un centre de la prière au

---

1. EADIE B.J., *Dans les bras de la lumière*, éd. Pocket, 2006, p. 61.

niveau cérébral car cette activité semble beaucoup trop subtile et personnelle pour avoir une topographie précise. Les états de méditation ou de prière peuvent s'exprimer tout autant sur les lobes préfrontaux ou pariétaux que sur les lobes temporaux. Il en est tout autrement pour d'autres fonctions intellectuelles, comme la parole, qui stimule une région bien spécifique du cerveau. L'équipe du Dr Beauregard a néanmoins mis en évidence une activité électrique du cerveau prépondérante (rythme thêta ou delta) au moment de la prière qui témoigne d'un certain niveau spécifique de concentration paraissant relativement constant[1]. Il est intéressant de noter que ces rythmes thêta ou delta sont des rythmes lents prédominants en période de sommeil profond et quasiinexistants en état de veille. Ce travail fera sans nul doute avancer considérablement la connaissance sur un phénomène totalement inconnu en neurosciences.

Pour certains, la méditation ou la prière semblent correspondre au contraire à une accélération de l'activité électrique cérébrale. Richard Davidson est chercheur au Laboratoire de neuroscience de l'Université du Wisconsin. Il a étudié les EEG de moines bouddhistes entraînés à méditer. Dans son protocole, les moines devaient se concentrer sur un empressement absolu à

---

1. BEAUREGARD M., O'LEARY D., *The Spiritual Brain. op. cit.*

aider les autres et sur un désir de compassion pour que tous les êtres vivants soient libres de toute souffrance. Davidson a observé que dans ces conditions l'activité électrique du cerveau des méditants s'accélérait rapidement. En fait, le degré d'activité de leurs cerveaux était si élevé qu'aucun autre scientifique n'avait rien vu de tel. Après être passé par une brève période transitoire d'ondes alpha lentes variant de 8 à 13 hertz, les moniteurs EEG affichaient des vagues soutenues dans des fréquences gamma, autrement dit des cycles extrêmement rapides de 25 à 70 hertz, alors que ceux des carmélites en prière étaient à l'inverse très lents avec des cycles thêta de 4 à 7 hertz. La bande gamma correspond aux fréquences d'ondes cérébrales employées par le cerveau lorsqu'il entreprend un effort considérable, comme lorsque nous sommes profondément captivés par quelque chose, que nous passons des souvenirs récents en revue, que nous sommes en période d'apprentissage intensif ou bien lorsque nous avons une inspiration subite. Autre résultat intéressant : les moines ayant la plus longue expérience de la méditation avaient les niveaux les plus élevés d'activité gamma.[1]

Au total, pour résumer toutes ces études, on peut dire qu'il ne semble pas y avoir de « recettes »

---

1. McTAGGART L., *La Science de l'intention*, éd. Ariane, 2008, p. 117-122.

bien déterminées pour prier. Certains, comme les carmélites, mettent leurs cerveaux « au repos » avec des rythmes thêta prépondérants, tandis que d'autres, comme les moines bouddhistes, activent leurs neurones en rythme gamma dans une sorte de concentration intense plutôt orientée sur un univers intérieur.

Mon expérience à Lourdes

J'ai compris très tôt que la prière ne consiste pas à simplement réciter des textes religieux ou des mantras, mais se définit plutôt comme un contact divin par l'intermédiaire de l'esprit. Bien sûr, les rituels et les lieux sacrés comme Lourdes, Fatima, La Mecque ou encore Jérusalem peuvent aider à établir ce contact, mais on peut prier partout et dans n'importe quelle circonstance, y compris au beau milieu de la foule d'un métro en pleine heure de pointe !

Pour prier, il suffit de s'isoler du monde en fermant les yeux et de rejeter hors de soi toute pensée négative de colère, de haine, de jalousie ou de rancœur. Il faut pardonner et aimer. Personnellement, je me sers des mouvements respiratoires ; j'expire le négatif et j'inspire le positif. Je me remplis d'amour et lorsque je réussis à atteindre un certain niveau de sérénité, un profond bien-être m'envahit très rapidement.

À l'âge de neuf ans, une mauvaise chute fractura gravement mon épaule droite. Après de nombreux soins et de longs mois de rééducation, le verdict du chirurgien fut sans appel : je resterais paralysé avec une rotation de la tête humérale limitée à 10° dans tous les plans de l'espace jusqu'à ce que je sois en âge de pouvoir bénéficier d'une prothèse d'épaule. Mes parents étaient bien plus désolés que moi. Résigné, j'acceptai ce handicap avec philosophie. Je me déplaçais tant bien que mal le coude collé au corps, en me servant de ma main gauche pour manger ou pour écrire. Et puis, un beau matin, sans savoir pourquoi ni comment, j'ai demandé à ma mère de me conduire à Lourdes. Ne sachant plus que faire, ni à quel saint se vouer pour que je redevienne un petit garçon comme les autres, dès le lendemain mes parents décidèrent de satisfaire mon caprice d'enfant. Ma grand-mère qui était très pieuse et très croyante insista pour nous accompagner dans ce lieu de pèlerinage. Je me souviens d'elle comme si c'était hier. Pendant tout le voyage, elle récita des chapelets en silence à côté de moi, tandis qu'à l'avant de notre vieille DS ma mère feuilletait un magazine sans rien dire.

Lourdes est aujourd'hui synonyme de foi, d'espérance et de guérison. Tout a commencé le 11 février 1858. Ce jour-là, Bernadette Soubirous, une jeune analphabète de quatorze ans, partit ramasser du bois près d'une grotte située au bord d'un petit ruisseau à un kilomètre de l'ouest de Lourdes. Elle s'apprêtait à passer le gué lorsque soudain la grotte s'illumina d'un halo de lumière entourant l'apparition d'une jeune femme. Bernadette se signa et récita une prière. De retour chez elle, elle se confia à sa sœur qui relata l'événement à sa mère, qui pour toute réponse frappa les deux filles qui avaient osé raconter des balivernes. Malgré tout, Bernadette retourna plusieurs fois à la grotte et affirma dialoguer avec l'apparition qui demandait de lui faire la grâce de revenir la voir tout en lui disant qu'elle était l'Immaculée Conception. Bernadette n'eut pas peur de parler et la nouvelle prit rapidement de l'ampleur. Le 21 février 1858, plus de 100 personnes se rendirent sur les lieux ; elles furent plus de 8 000 le 4 mars de la même année ! Le mystère de Lourdes était accompli. À l'instigation du curé de Lourdes et avec l'accord du maire, Bernadette Soubirous fut placée à l'hospice le 15 juillet 1860 pour être protégée des pèlerins et surtout des curieux qui affluaient massivement. Elle y resta six ans, jusqu'à son départ pour Nevers le 4 juillet 1866. Le 30 octobre 1867 elle se fit religieuse dans la congrégation des sœurs de la charité de Nevers. Elle tomba malade en 1873 et fut dans l'incapacité d'assurer son travail d'infirmière. Après avoir passé cinq années alitée,

Bernadette Soubirous mourut le 16 avril 1879, un mercredi de Pâques.

L'apparition divine est incontestable et sera officiellement reconnue après enquête par l'évêque de Tarbes le 18 janvier 1862.[1]

Lourdes devint alors le site privilégié où la Mère de Jésus, par la voix d'une adolescente inculte, avait décidé de transmettre aux hommes un message de paix, d'amour et d'harmonie. Depuis, de nombreuses guérisons miraculeuses ont lieu. Certaines sont enregistrées par le Bureau des consultations médicales, mais la plupart restent dans l'ombre.

Une fois arrivé en ville, il faut se garer assez loin du site de pèlerinage et rejoindre la grotte en marchant. Avec mes parents et ma grand-mère, nous suivions la file. Le grincement lancinant des roues des chariots, les gémissements de douleur, les chants liturgiques, les prières psalmodiées, le cliquetis des chapelets égrenés envahissaient mon âme d'une étrange sensation ; un mélange subtil de faiblesse et de puissance ; la faiblesse des handicaps et des maladies confrontée à la puissance de la foi. Nous étions tous en communion, en symbiose. Nous étions la foule, et chacun d'entre nous était la foule. Nous progressions vers Marie comme l'aurait fait une main tendue vers

1. BAUDOUIN B., *Le Guide des voyages spirituels.*, éd. J'ai lu, 2005, p. 99-100.

un espoir incertain. Dans ce ruisseau humain affleurant la roche, j'étais une molécule d'eau perdue dans un bouillonnement terrible. Des centaines de cierges illuminaient la voûte. Leurs scintillements se reflétaient dans nos yeux. Nous avancions lentement. De plus en plus lentement. Puis vint enfin mon tour. Je déposai un baiser sur la pierre lisse et froide. Je touchai le minéral poli et je priai. Je priai, mais pas pour moi. Oh non, surtout pas pour moi ! Mon petit bobo à l'épaule me paraissait bien dérisoire à côté de toute cette misère et de tous ces malheurs qui m'entouraient. Les plus chanceux, lucides, progressaient sur des fauteuils roulants, et les autres, tous les autres, si nombreux, subcomateux, grimaçaient leurs souffrances sur des civières hérissées de poulies et de vérins. J'avais presque honte d'être là, parmi eux, en aussi bonne santé. Je priai pour eux bien sûr. Pas pour moi.

Je priai en m'adressant à Elle : « Marie, faites que tous ces pauvres gens guérissent. Moi ce n'est rien. Non, vraiment rien… Je ne souffre pas. »

Aussitôt un frisson délicieux me parcourut le dos. J'étais heureux, rempli d'amour et de compassion.

Sur le chemin du retour, nous étions trop fatigués pour parler. La DS familiale grignotait les kilomètres en silence. Mon père se concentrait sur sa conduite car la circulation se faisait de plus en plus dense. Nous savions que la route serait longue et pénible ; c'est généralement le cas le dimanche soir en période d'hiver lorsque les citadins rentrent du ski. Ma grand-mère murmurait des choses inaudibles en manipulant son chapelet, tandis que moi, le front appuyé contre la vitre humide, je regardais sans le voir le défilé des phares qui nous croisaient.

Nous étions presque arrivés à la maison lorsque j'ai soudain ressenti une douce chaleur s'installer au niveau de mon épaule malade. Une sorte de brûlure bizarre qui ne chauffait pas. Il n'y avait pas vraiment d'impression de température dans cette sensation. C'était plutôt comme une espèce de pression. On eût dit une main de géant qui m'enserrait tout le bras sans vouloir me blesser.

Je compris aussitôt que j'étais en train de guérir mais je n'en dis rien à personne.

Mon intuition ne m'avait pas trompé : dès le lendemain, je bougeais mon épaule paralysée depuis des mois comme si ce stupide accident n'avait jamais existé. Mes parents étaient fous de joie. Ils n'en croyaient pas leurs yeux et me répétaient sans cesse :

« Voyons, vas-y, lève encore ton bras pour voir ! »

Ma grand-mère fut la moins étonnée de nous quatre ; normal, elle avait prié pour ça !...

Le chirurgien qui s'était occupé de moi et qui avait prédit l'implantation future d'une prothèse d'épaule eut bien du mal à comprendre cette guérison inexplicable. Il m'examina un grand moment, observa longuement les nouveaux clichés radiologiques avant de déclarer en fronçant les sourcils :

« C'est incroyable, on dirait qu'il n'y a jamais eu de fracture dans cette épaule ! »

Après avoir raconté cette histoire à mes enfants, Laurent, un de mes jumeaux, me dit :

— *Tu sais, papa, moi aussi un jour Marie a fait un miracle pour moi.*

— *Ah bon ?*

— *Oui, un jour Marie m'a sauvé la vie...*

— *Tu ne m'en as jamais parlé... Pourquoi ?*

— *Oui, j'ai gardé ça pour moi.*

— *Mais pourquoi ?*

— *Bof j'sais pas.*

Connaissant mon fils, je compris qu'il ne fallait pas insister. J'attendis donc en silence qu'il veuille bien débuter son histoire. Chose qu'il ne tarda pas à faire.

— *On était au resto à Lourdes avec papy, mamie et leurs amis. J'avais neuf ans moi aussi, comme toi quand Marie t'a guéri l'épaule. On était allé à la grotte le matin et mamie m'avait acheté une petite vierge en bronze que j'avais mise à côté de mon assiette. Et puis là, je me suis étouffé et j'ai cru que j'allais mourir !*

— Comment ça, étouffé ?

— J'avais avalé un morceau de viande par le mauvais trou, j'pouvais plus respirer et je me disais : « je vais mourir, non c'est trop con de mourir comme ça ! »

— Et alors, personne n'a rien fait ?

— Non, rien ! Moi je pouvais plus parler. J'essayais, mais rien ne sortait. Pas même un son. Rien. Alors j'ai fait des gestes avec les bras pour qu'ils comprennent, mais je me suis fait gronder, ils croyaient tous que je faisais l'idiot ! Et moi j'étais de plus en plus mal, j'y voyais presque plus et je les entendais rire et discuter comme si j'étais de plus en plus loin, et là je me suis dit : « ça y est, cette fois t'es foutu ! » Je me suis dit aussi : « Ça sert à rien de remuer, de toute façon t'es foutu, ils voient pas que t'es mal... » Avant de m'endormir j'ai regardé la petite statue de Marie et je lui ai demandé de me sauver. C'était trop con de mourir comme ça, t'sais !

— Elle t'a entendu ?

— Oui ! Dès que j'ai pensé ça, mamie m'a mis un doigt dans la bouche et m'a enlevé le morceau de viande.

Laurent a aujourd'hui vingt et un ans. Il aura attendu douze années avant d'oser me parler de son sauvetage miraculeux.

LA SYNCHRONICITÉ

Les fruits de nos espoirs et de nos prières peuvent également se réaliser par simple synchronicité.

Ce concept fut évoqué pour la première fois en 1930 par Carl Gustav Jung, un psychiatre suisse qui fut en début de carrière le collaborateur de Sigmund Freud et qui a défini la synchronicité comme étant une coïncidence temporelle de deux ou plusieurs événements sans lien causal entre eux mais possédant un sens identique ou analogue. La synchronicité doit donc se distinguer du « synchronisme », qui désigne la simple simultanéité de deux événements distincts, indépendants d'une relation permettant de donner un sens à leur existence. Il est donc vraisemblable que les synchronismes ne soient en fait que des synchronicités déguisées dont le sens nous échappe car, s'il est permis de penser que le hasard n'existe pas, l'existence des synchronismes est sérieusement remise en question !

La synchronicité est volontiers reliée aux phénomènes intuitifs, télépathiques ou médiumniques car les états mystiques ou modifiés de conscience ainsi que la recherche spirituelle ou artistique sont propices à l'émergence de coïncidences prédéterminées. L'astrologie constitue un bel exemple de synchronicité entre, d'une part, la position des planètes à la naissance d'une personne et, d'autre part, la destinée et le caractère de celle-ci. Certains romans initiatiques comme *L'Alchimiste* de Paulo Coelho ou encore *La Prophétie des Andes* de James Redfield vont même plus loin en suggérant que les synchronicités déterminent le destin des hommes.

En physique quantique, la non-séparabilité des particules serait une forme de synchronicité, de même que l'introduction de la vie sur notre planète ou la création de l'Univers.

Selon Jung, il existerait un inconscient collectif situé dans une autre dimension, hors de l'espace-temps, à la fois âme et mémoire de l'Univers, sorte de supra conscience cosmique à laquelle nous serions reliés par notre inconscient personnel.

En fait, il faut avoir un esprit suffisamment ouvert pour identifier et admettre les synchronicités. Ceux qui s'engagent sur un chemin spirituel deviennent nécessairement plus attentifs aux coïncidences de leur destinée et considèrent ces événements harmonieux comme des signes envoyés de l'au-delà ou, mieux encore, comme de véritables cadeaux divins.

En cherchant bien, chacun d'entre nous peut retrouver de tels phénomènes dans son propre parcours de vie. Sur le moment, nous sommes dans l'impossibilité de comprendre la raison d'une situation donnée. Bien souvent, celle-ci nous semble incongrue, mal venue, voire même dramatique, et je pense dans ce dernier cas précis à la douleur du deuil. L'explication vient plus tard, émouvante et éclatante de vérité. Combien de parents se sont tournés vers la spiritualité après la perte d'un enfant ? Accepter le déterminisme d'une vie est certainement l'une des meilleures armes face aux tragédies.

La dernière synchronicité me concernant eut lieu lors d'une de mes conférences traitant de NDE. Ce jour-là, je devais rejoindre l'amphithéâtre de Mégacité à Amiens après avoir récupéré mes livres à l'aéroport pour les proposer à la vente à l'issue de mon intervention. Oui mais voilà, il y avait un problème : mon carton de livres enregistré à Toulouse n'avait pas pris le même vol que le mien et il fallait attendre deux heures supplémentaires pour pouvoir le récupérer. Autant dire que ce délai s'avérait totalement incompatible avec l'heure de mon rendez-vous. Je convins donc avec la réceptionniste du service bagages de reprendre mon colis à mon retour, le soir même, avant mon embarquement pour Toulouse. « Pas de problème, monsieur, une hôtesse vous attendra ici avec votre bagage. Je passe les consignes dès maintenant », me dit-elle avec un petit rictus crispé tout en pianotant sur son clavier d'ordinateur.

Bernard, le sympathique chauffeur chargé de me faire parcourir les 150 kilomètres qui nous séparaient du lieu de ma conférence, semblait très contrarié de cette situation qui, de toute évidence, allait me faire perdre l'opportunité d'une bonne vente. « Vous savez, Bernard, si mes livres ne sont pas avec nous, c'est qu'il doit y avoir une raison valable. L'Au-delà aide toujours ceux qui travaillent pour sa cause ! » lui dis-je confiant. En effet, j'ai déjà constaté à plusieurs occasions que je bénéficie de certaines « protections » lorsque je m'engage à défendre l'existence de l'au-delà. Des détails insignifiants pouvant passer inaperçus me confortent dans cette idée, par exemple une place de parking qui se libère devant moi alors que tout est complet, un TGV qui a dix minutes de retard pour me permettre de le prendre, le désistement d'un conférencier qui m'offre l'opportunité de le remplacer au pied levé, ma voiture qui roule sans essence jusqu'à la prochaine station-service, une grève de la SNCF au moment où je voyage en avion et quinze jours plus tard une grève surprise du personnel au sol alors que je suis dans le train... bref, une foule de choses qui me font dire que oui, les portes de la facilité s'ouvrent devant moi chaque fois que je prends mon bâton de pèlerin pour proclamer à la face du monde que l'après-vie existe.

Compte tenu de ces synchronicités à répétition, cette histoire de livres abandonnés à 150 kilomètres de mes lecteurs potentiels ne m'inquiétait guère. Tout en ignorant les raisons de cette déconvenue, je savais au fond de moi qu'il fallait que cela se passe ainsi, c'est tout, point à la ligne ! En fait, l'explication arriva plus tard.

Micheline Goult, l'organisatrice de ma conférence, venant d'ouvrir une librairie à Amiens put proposer au public de retirer mes ouvrages dans sa boutique – qui porte le joli nom de « Pierres Célestes » – dès le lendemain de ma conférence en échange de feuilles blanches dédicacées par mes soins à la fin de mon intervention, les ouvrages devant être récupérés par le chauffeur me ramenant à Paris. La vente des « livres fantômes » fut un succès. Mes lecteurs firent l'acquisition de leur dû dans un lieu que certains d'entre eux n'auraient peut-être jamais connu : la librairie ésotérique de Micheline Goult. Comme disait ma grand-mère : « Il le fallait comme ça ! » Mais la plus jolie synchronicité restait à venir.

En effet, quelques heures plus tard, comme convenu, une charmante hôtesse m'attendait à Roissy pour me restituer le carton de livres tant attendu. La jeune femme au regard cristallin avait un teint pâle qui lui donnait un petit air fragile presque enfantin et sa jolie bouche en cœur dessinait des « o » quand elle parlait :

— *Mais je ne comprends pas, monsieur : si vous repartez maintenant à Toulouse, pourquoi ne voulez-vous pas que je fasse transiter votre bagage directement là-bas ? Cela vous éviterait de le faire enregistrer une nouvelle fois ici !*

— *En fait, je dois le récupérer tout de suite pour donner son contenu au monsieur là-bas*, lui dis-je *en désignant Bernard qui m'attendait.*

Devant son air inquiet et par crainte d'une fouille appuyée aboutissant à un retard supplémentaire, je m'empressai de la rassurer :

— *Je viens de faire une conférence à Amiens et je dois laisser les livres qui sont dans ce bagage à ce monsieur qui doit les déposer chez un libraire. Les personnes qui n'ont pas pu avoir mes bouquins cet après-midi pourront les récupérer demain dans cette librairie.*

— *Ah, d'accord, je vois... Euh, puis-je vous demander quelque chose qui n'a rien de professionnel ?*

— *Oui, bien sûr...*

— *Quel était le sujet de votre conférence ? Vous n'êtes pas obligé de me répondre, mais je suis curieuse de savoir, me dit-elle en rougissant légèrement.*

— *Je suis médecin anesthésiste et je fais des conférences sur l'après-vie.*

— *Sur la vie après la mort, c'est ça ? balbutia-t-elle visiblement bouleversée.*

— *Oui, c'est ça : sur la vie après la mort. Tous mes livres traitent de ce sujet. Mon dernier livre s'appelle* L'après-vie existe. *Je sais que ce n'est pas un sujet facile, qu'on ne peut pas parler de ça à n'importe qui, mais je...*

Une larme roula sur sa joue et ses lèvres se mirent à trembler.

— *C'est merveilleux ! Vous êtes un ange tombé du ciel ! Après ce qui vient de m'arriver, je cherche*

justement ce genre de lecture. Je vais vous acheter
votre livre. Vous permettez que je vous embrasse ?

— *Euh oui... bien sûr.*

— *Alors vous, on peut dire que vous arrivez au*
bon moment ! Je suis sûre que c'est Dieu qui vous
a envoyé jusqu'à moi. Ce n'est pas par hasard si
on est là maintenant. Moi ici et vous avec vos
livres. Ah ça non, ce n'est pas un hasard !

Elle prêchait un convaincu.

Dans mon exercice professionnel, j'ai eu l'occasion d'observer de nombreuses synchronicités, et
l'histoire de Francis Marfand n'est qu'un exemple
parmi tant d'autres.

M. Marfand est un fringant quinquagénaire
en parfaite santé qui n'a même pas de médecin
traitant ; rien de plus normal pour lui puisqu'il n'a
jamais été malade ! Il n'a jamais fumé et ne boit
pas une goutte d'alcool. Il a une passion : le vélo.
Des milliers de kilomètres à son actif. Aucune
maladie, aucune opération, rien. D'ailleurs, il n'a
même pas de carnet de santé et en tant qu'artisan
libéral peu soucieux de son avenir médical, il ne
bénéficie d'aucune couverture sociale.

Au beau milieu d'une nuit de décembre, Francis
est réveillé par une alarme de voiture stationnée
devant sa maison. Le bruit est insupportable car
il s'interrompt régulièrement pour reprendre de
plus belle au bout de quelques minutes. Pour

lui, c'en est trop : très agacé, il bondit de son lit, enfile un peignoir de bain et décide de sortir dans la rue pour essayer de mettre fin à ce vacarme qui est sur le point de lui faire passer une nuit blanche. Oui mais voilà, le valeureux cycliste n'a pas l'habitude d'utiliser cette paire de mules achetée récemment au marché du village. Il dérape sur une des marches verglacées de son perron et se casse un poignet.

Je vois le lendemain ce sympathique patient en consultation. Il doit bénéficier dans l'après-midi d'une intervention chirurgicale sous anesthésie pour traiter sa fracture. Bien qu'il n'existe chez lui ni antécédent médical ni facteur de risque particulier, je demande une consultation cardiologique, cette prescription se faisant classiquement chez les hommes de plus de quarante ans avant toute anesthésie générale. Et là, surprise ! M. Marfand a un électrocardiogramme perturbé qui montre une souffrance myocardique aiguë. Le patient est évacué sans délai dans un centre spécialisé de cardiologie interventionnelle qui lui dilate en urgence une grosse artère coronaire. L'infarctus a pu être évité à temps. Celui-ci aurait probablement été mortel à très brève échéance en raison de l'importance de la sténose coronarienne. Ouf, il était temps !

Francis Marfand a donc échappé à la mort grâce à une alarme de voiture qui, sans raison apparente, s'est mise en route devant son domicile par une belle nuit d'hiver.

Les synchronicités peuvent aussi sauver des vies... inch'Allah !

LA MÉDIUMNITÉ

Si nous sommes tous capables de reconnaître des synchronicités, de prier, chacun d'entre nous peut de la même façon être ou devenir médium. Il suffit pour cela de s'avoir s'ouvrir suffisamment à la spiritualité. Je suis intimement convaincu que cette capacité existe chez tous les êtres vivants, y compris chez les animaux. Oui, nous avons tous la possibilité de recevoir des messages de l'au-delà, personne n'est exclu. Nous sommes tous médiums. Bien sûr, certains individus sont plus doués que d'autres car bien plus sensibles et mieux entraînés. Il en va de même pour n'importe quelle faculté humaine, et la médiumnité ou la spiritualité ne dérogent pas à la règle. Pourquoi en serait-il autrement ? Quelques personnes naissent avec une « antenne parabolique » sur la tête tandis que d'autres, les plus nombreuses, ne possèdent que de minuscules « antennes râteaux » ridicules. La réception est donc plus ou moins bonne en fonction des individus, mais elle est néanmoins toujours possible et peut se développer au fil du temps. Quelquefois, celle-ci permet de produire bon nombre de facultés extraordinaires, dont la vision à distance ou la possibilité de percevoir des objets ou des événements qui sont hors de portée pour un humain normal.

Le médium Ingo Swann semble posséder ces dons psychiques naturels. Ses possibilités de vision à distance ont été utilisées par le gouvernement américain dans un programme de recherche très sérieux. Ce voyant est actuellement considéré comme étant l'un des meilleurs au monde. Le fonctionnement de son cerveau a été étudié par le Dr Michael Persinger qui est professeur de psychologie à l'Université laurentienne du Canada. Dans une des expériences, on a demandé à Swann de se servir de ses dons pour identifier des objets placés dans une pièce éloignée après l'avoir branché à un appareil EEG. Aux moments où Swann arrivait à « voir » à distance ces objets, son cerveau manifestait des activités électriques considérables dans le lobe occipital droit, la partie du cerveau qui est liée à la vue. Les ondes cérébrales du médium étaient celles que l'on retrouve dans les états modifiés de conscience, qui permettent de recevoir des informations devenant inaccessibles à une conscience en état de veille normale. Le lobe pariéto-occipital de l'hémisphère droit de Swann apparaît anormalement hypertrophié sur les examens d'IRM, et c'est précisément cette partie du cerveau qui reçoit les stimuli sensoriels et visuels[1]. Le Dr Persinger a montré que le cerveau de Sean Harribance[2], un autre sujet psy tout aussi doué pour la vision à distance, présentait sur les coupes IRM et les différents enregistrements EEG les mêmes singularités morphologiques et électriques au niveau de la région pariéto-occipitale droite. Swann et Harribance ont un cerveau qui leur permet de « voir » bien au-delà des limites imposées par le temps, la distance et les cinq principaux sens. Ces facultés exceptionnelles sont-elles congénitales ou développées en fonction du vécu ? La question reste posée.

J'ai eu l'occasion à plusieurs reprises de pouvoir juger les extraordinaires prouesses de ces hommes et de ces femmes qui perçoivent les entités des disparus au milieu d'un public, car je suis souvent invité à faire des conférences dans des associations d'aide aux personnes en deuil où la deuxième partie du programme est généralement consacrée à cela. J'avoue être régulièrement surpris et troublé par la précision de leurs voyances. Les détails donnés et reconnus sur le passé des défunts ne laissent aucun doute sur la réalité des contacts avec le monde de l'Invisible.

---

1. McTAGGART L., *La Science de l'intention, op. cit.*, p. 126-127.
2. ALEXANDER C. and coll., « EEG and SPECT Data of a selected subject during psi tests : the discovery of a neurophysiological correlate *Journal Of Parapsychology*, 1998 ; 62 (2) : 102-104.

J'ai aussi eu le privilège d'assister à des prestations médiumniques en écriture automatique. Dans ces surprenantes séances, le médium en état de transe pose la pointe de son stylo sur une feuille de papier et sa main trace toute seule à une vitesse incroyable un texte de plusieurs pages « dicté » par l'au-delà. Parfois, le médium écrit sans faute d'orthographe un texte dans une langue qu'il ignore totalement. Il peut aussi s'agir d'une réception en écriture inversée et il faut dans ce cas placer un miroir sur le côté pour pouvoir décoder le message. Autant dire que toute supercherie semble dans ces conditions totalement impossible.

Il faut distinguer l'écriture automatique de l'écriture inspirée. Dans ce dernier cas, le médium écrit les messages reçus sans que sa main soit directement guidée.

Le terme de « xénoglossie », créé par le Pr Charles Richet, désigne la faculté pour un médium de s'exprimer dans une autre langue que la sienne. La plupart du temps, le dialecte oral ou écrit du médium en transe lui est totalement inconnu et les messages reçus doivent être traduits par celui à qui ils sont destinés. S'instaure alors une véritable conversation entre le défunt et son interlocuteur par l'intermédiaire d'un canal médiumnique qui ne comprend rien à ce qu'il peut dire ou écrire ! Ici encore, ce genre d'échange surprenant prouve bien la réalité de la connexion avec le monde de l'Invisible.

On peut donc dire que les médiums servent de relais, d'instrument pour établir une communication entre le monde des vivants et celui de ceux qui sont déjà passés de l'autre côté – la réception pouvant se faire en images (en « clairvoyance »), par des sons (en « clairaudiance ») ou bien encore par l'écriture.

Un jour, lors d'une de mes conférences faites en la présence de Mireille Décloux, je fus le bénéficiaire d'une surprenante information venue de l'au-delà. En effet, cette médium bien connue dans le monde spirituel reçut en écriture inspirée, c'est-à-dire sans que sa main soit directement guidée par des mouvements volontairement contrôlés, un message qui m'était destiné. Elle l'avait noté pendant que je parlais et me le remit à la fin de mon exposé. J'ai précieusement conservé ce texte émouvant qui sent le tabac brun et la rose[1]. Un parfum que je perçois de plus en plus souvent depuis ce formidable cadeau. Ces émanations se produisent dans des circonstances bien particulières, comme en cet instant même, au moment où je rédige ces lignes au beau milieu de la nuit.

En vous, vous possédez la perle de la connais-sance, en vous, vous avez la véritable Vie. Une

---

1. Perceptions olfactives généralement induites par la présence du père Pio.

nouvelle route s'ouvre devant vous, une route faite de cailloux et d'embûches, mais une route qui vous conduira vers la Lumière. Vous êtes une petite lumière de la Vie, vous devez transmettre cet amour que vous possédez en vous. Je vous exhorte à écouter votre guide et à effacer les questions qui remplissent votre ardoise. Je vous exhorte à irradier de la luminosité de chaque cœur humain. Je t'exhorte avec tout mon amour à prendre conscience de ma présence à tes côtés. Reçois ma bénédiction toute spéciale. Je n'ai guère aimé la médecine, ce qui m'a fait te vouvoyer, mais en toi je place tous mes espoirs et toute ma confiance.

Le 24 juin 2007 à 15 h 10,
père Pio de Pietrelcina

Certains médiums ont la faculté de pouvoir être « incorporés » par les entités des disparus. Dans ces séances, leur aspect physique, leur voix et leurs mimiques reproduisent la personnalité du défunt. Au cours de ses séances, Mireille Décloux bénéficie parfois de ce privilège.

On me demande souvent s'il est bien recommandable d'établir des contacts médiumniques avec l'au-delà car mes conférences font largement référence à la télépathie et au travail des médiums. Je réponds que ces contacts ne peuvent s'établir qu'en ayant des intentions pures et avec des moyens adaptés ; il n'est bien sûr pas question de demander les chiffres du prochain loto gagnant avec une planche de oui-ja ! Les contacts recherchés ne doivent pas se faire n'importe comment avec n'importe qui par simple jeu ou curiosité, car le bas astral regorge d'esprits en déroute qui ne demandent qu'à se manifester pour troubler le monde des vivants. Certains adeptes de pratiques spirites mal conduites ont perdu leur équilibre psychique et ne s'en sont jamais remis. Les communications avec l'Invisible doivent se réaliser dans le recueillement et la prière en s'entourant de protections. Une chose est certaine : chaque signe ou message reçu est une immense grâce qui mérite les plus grands remerciements.

La position du Vatican sur la médiumnité est aujourd'hui bien claire. Depuis décembre 1996, l'Église catholique reconnaît et autorise les contacts avec l'au-delà. Elle admet que celui qui dialogue avec le monde des défunts ne commet pas de péché s'il le fait sous l'inspiration de la foi. C'est le père Gino Concetti, un des théologiens les plus compétents du Vatican, qui a rédigé le premier un article dans ce sens dans le prestigieux quotidien officiel du Saint-Siège *l'Osservatore Romano*. Jusqu'alors, les autorités ecclésiastiques avaient rejeté tout sujet touchant au paranormal. Le père Gino Concetti considère que selon le catéchisme moderne, Dieu permet à nos chers défunts qui vivent dans la dimension ultraterrestre d'envoyer des messages pour nous guider en certains moments de notre vie. Il déclare que ces messages peuvent être perçus facilement par des personnes sensitives comme les médiums et les clairvoyants, mais que l'on ne doit faire appel à leurs compétences qu'avec une très grande prudence. Les médiums doivent pratiquer leur art en s'inspirant de la foi de Dieu, et leurs échanges feront abstraction des pratiques d'idolâtrie, de superstition, de nécromancie, d'occultisme ou d'ésotérisme qui incitent à la négation de Dieu et de ses sacrements.

Lorsqu'on demande au père Gino Concetti avec quelle motivation un fidèle peut-il entreprendre un dialogue avec les trépassés, il répond que ce contact avec l'âme d'un défunt ne peut se faire que dans des situations de grande nécessité, comme après la perte dans des circonstances tragiques d'un père, d'une mère ou d'un enfant à laquelle l'on ne peut se résigner. On peut aussi, selon lui, s'adresser aux défunts si l'on a besoin de résoudre un grave problème de vie, car nos ancêtres nous aident et ne nous envoient jamais de messages portant atteinte à nous-mêmes ou à Dieu.

À la suite des nouvelles découvertes dans le domaine de la psychologie sur le paranormal et des déclarations du père Gino Concetti, l'Église catholique a donc décidé de ne plus interdire les expériences de dialogue avec les trépassés, à condition que celles-ci soient menées avec une sérieuse finalité religieuse et scientifique.

MÉDIUMNITÉ ET PHYSIQUE QUANTIQUE

D'un point de vue plus scientifique, la médiumnité peut se concevoir comme une connexion privilégiée avec l'univers supralumineux tachyonique de la physique quantique ; un univers dans lequel, comme nous l'avons déjà vu, le temps ne s'écoule plus et où, par conséquent, n'existent ni présent, ni futur, ni passé. Si l'on admet cette hypothèse, on comprend un certain nombre de phénomènes réalisables par les médiums dans notre univers temporel. Grâce à une connexion sensitive avec ce monde parallèle supralumineux, un médium peut accéder à la connaissance du passé et du futur d'un individu ou d'une situation donnée.

Si on croit à la réincarnation, on peut aussi se demander comment un médium serait capable d'entrer en contact avec l'entité d'un défunt disparu depuis plusieurs décennies qui peut être passé dans des sphères supérieures ou être déjà réincarné.

Ici encore, la physique quantique peut nous donner la réponse. En effet, dans l'univers supralumineux se trouve « concentrés » non seulement notre passé et notre futur, mais aussi l'intégralité de nos vies antérieures et à venir, si bien qu'un médium a la possibilité de visualiser le défunt tel qu'il lui apparaît ici et maintenant alors que ce dernier peut déjà être réincarné ou avoir atteint d'autres sphères. Cette prouesse d'ubiquité est extrêmement difficile à comprendre et à accepter car il n'existe dans notre Univers aucun fait ou événement se déroulant dans un espace temps non linéaire. Ainsi, n'importe quel événement vécu dans une vie serait inscrit dans une conscience globale supralumineuse de connaissance intégrale, et ce n'est que la projection de ces événements filtrés par notre cerveau dans notre univers infralumineux qui nous donnerait l'illusion qu'il existe un passé, un présent et un futur alors que coexisteraient dans ce véritable champ akashique tous les événements de toutes nos vies passées, présentes et futures.

Ce raisonnement permet de comprendre les perceptions de vies antérieures chez les enfants de moins de quatre ans. Le système de filtre entre la conscience supralumineuse et le cortex n'étant pas encore formé, il y aurait une possibilité d'interférences de perception de plusieurs vies simultanées. D'où cette impression d'avoir déjà vécu à une autre époque et dans un autre corps ou d'être en contact avec des êtres invisibles. Malheureusement, on ne tient généralement pas compte des dires (limités) et des ressentis des très jeunes enfants !

Ainsi, dans des circonstances spécifiques, notre esprit serait capable de voyager dans le temps. Dans le temps mais aussi dans l'espace, comme au cours des voyages astraux.

LE VOYAGE ASTRAL

Il n'est absolument pas nécessaire d'être en danger de mort pour sortir de son corps et vivre un état de conscience modifié. Certains états de relaxation ou de méditation rendent possibles ces fameux voyages astraux pour chacun d'entre nous, à condition d'être suffisamment persévérant et de ne pas avoir peur. Cet e-mail qui m'a été adressé par Julie Loustau illustre bien ce propos :

Je tiens à témoigner sur le sujet de la décorporation. Je pense que beaucoup de personnes se demandent si cela existe vraiment. J'ai entendu parler du « voyage astral » il y a environ un an et j'ai voulu essayer.

Après une dizaine d'essais sans réussite, j'ai baissé les bras. Et puis, plusieurs mois plus tard, j'ai voulu réessayer, j'y croyais à nouveau, j'en avais envie et j'étais redevenue curieuse. Je me suis allongée, j'ai décontracté chaque partie de mon corps les unes après les autres, en pensant par exemple : « Je ne sens plus mes orteils, je ne sens plus mes pieds, je ne sens plus mes chevilles... » et ainsi de suite. J'en suis arrivée à un stade où je respirais à peine, j'avais l'impression de dormir éveillée. Je ne sentais plus mon corps, c'était comme si j'étais devenue poussière en moins de dix minutes. Et soudainement j'ai senti des picotements sur tout le haut de mon corps, des picotements venant de l'intérieur de moi-même. J'ai eu la sensation de tomber, j'avais la tête qui tournait et j'ai eu peur. J'ai eu un sursaut et je me suis redressée. C'est à ce moment-là que j'ai compris que j'y étais presque, mais j'ai eu peur, je ne sais pas pourquoi, comme une peur de partir pour toujours, comme si le fait de quitter mon corps signifiait ne plus jamais le retrouver. Depuis, je n'ai plus jamais renouvelé l'expérience de la décorporation car j'ai toujours peur de ne plus jamais revenir. Je voulais juste dire, à vous et à tous les gens sceptiques, que le voyage est réel... et que c'est ça qui est un peu effrayant.

Toutefois, « l'effort » à fournir pour effectuer ces singuliers voyages ne semble pas être absolument indispensable car il arrive aussi que les sorties de corps se produisent spontanément et involontairement en entraînant une sensation fort désagréable, la personne victime de cet état singulier ayant alors l'impression d'évoluer en dehors de son corps matériel et d'être, selon l'expression populaire, « à côté de ses pompes ».

Marie-Christine est vétérinaire. Elle exerce son métier dans la région marseillaise tout en organisant des enseignements et des stages sur les dysfonctionnements, les troubles du comportement et le mal-être des animaux de ferme et de compagnie. Son travail exige de la rigueur et de l'abnégation. Le diplôme qu'elle a et qui lui permet de réaliser sa passion ne peut être obtenu qu'à l'issue de longues études difficiles. Autant dire que Marie-Christine est une personne qui a donc, a priori, « les pieds sur terre ». Pourtant, régulièrement et bien malgré elle, la jeune femme « décolle » et quitte son corps. Dans le témoignage qu'elle m'a très aimablement confié, on retrouve, comme dans celui des expérienceurs, la notion de perte des repères spatio-temporels traditionnels.

> *Docteur,*
>
> *Je me permets de vous exposer ce que je vis depuis des années et peut-être pourrez-vous me donner un éclairage.*
>
> *Je vis au quotidien la difficulté et parfois l'impossibilité de rester dans mon corps physique. Je ne réalise pas des voyages extraordinaires, je suis juste « décalée » de mon corps. Si je souhaite ouvrir une porte, par exemple, même en me concentrant mentalement, je place ma main à côté de la poignée. Ainsi, je puis m'asseoir à côté d'un fauteuil, me cogner à des portes ou à des objets...*

Allongée dans mon lit, je n'arrive pas à sentir mon corps sur le matelas, je me sens flotter dans les airs et parfois parcourue de courants électriques à fleur de peau. Dans cet état, j'ai du mal à me concentrer intellectuellement et parfois à garder les yeux ouverts. Je passe parfois des journées entières à essayer de réintégrer mon corps ; puis, à mon insu, subitement, je sens le recalage physique, comme si quelqu'un me bousculait physiquement. Alors, mon regard s'éclaire et je vois mon environnement comme s'il avait changé, comme s'il était plus net et plus lumineux. J'ai quelques activités qui me permettent d'interrompre cette situation et me sentir dans mon corps : danser, être avec les animaux, me baigner dans la mer. Lorsque je danse ou que je suis avec les animaux durant trois heures, j'ai l'impression que cela fait trois minutes. Je n'ai pas la notion du temps dans ces moments-là. Avec les humains, je m'ennuie au bout de trois minutes. Au vu des autres, je suis trop rapide dans ce que j'entreprends. Cette vivacité d'esprit me vaut d'avoir passé ma scolarité à attendre (que les autres aient terminé) et à m'ennuyer. Le passé, le présent et le futur sont souvent confondus. Quelquefois j'ai une information que je croyais passée et en réalité c'est du futur. Je vois fréquemment les « auras » des hommes, des animaux, des plantes et des choses. Il m'arrive souvent, au quotidien, dans la rue, dans ma voiture, au travail, de me sentir envahie, enveloppée de chaleur et de lumière. Lorsque je ferme les yeux, je vois des formes lumineuses plus ou moins colorées. Depuis toute petite, je ressens physiquement des présences qui m'entourent. À quarante ans, ma vie sur terre est vraiment compliquée par ces processus que je qualifie d'être non incarné dans le temps des humains. Comme si j'étais restée « bloquée » à un niveau où la matière est moins dense et le temps, différent...

Martine est chirurgien-dentiste et spécialisée en identification et criminalistique. Violentée par son père, elle a fait une NDE négative à l'âge de cinq ans et plusieurs voyages astraux qui ne sont pour elle que des « hallucinations » (n'oublions pas qu'elle a été influencée par de longues études médicales...). Elle reconnaît malgré tout que son expérience de vie lui a donné une maturité et un don de mémorisation hors du commun. Voici son témoignage tel que je l'ai reçu par e-mail :

Bonjour,
J'ai cinquante ans. À cinq ans, sous les coups de mon père j'ai fait une NDE que j'ai refusée d'accepter jusqu'à présent. Régulièrement, le soir, jusqu'à la naissance de mon premier enfant, je subissais l'hallucination suivante. Je me trouvais dans un tunnel vert sombre dont il semblait

émaner une lumière. À l'extérieur du tunnel il y avait beaucoup de bruits et d'agitations qui me parvenaient comme une distorsion. À l'inverse, dans le tunnel régnaient le silence et l'immobilité. Le contraste m'épuisait et dans ce tunnel je flottais sans pouvoir bouger. Et je me rendais compte que je n'étais pas seule dans ce tunnel. Il y avait une présence qui montait vers moi ou moi qui allais vers elle. J'étais incapable de le savoir. C'était un peu comme quand on est à côté d'un train qui démarre. Cette présence me terrifiait, contrairement à ce que j'ai pu lire dans d'autres témoignages.

Après cela j'ai été anorexique jusqu'à l'adolescence.

Et quand j'ai été scolarisée, à l'âge de six ans, j'avais l'impression d'avoir mille ans de plus que les autres enfants. J'ai bénéficié d'une excellente mémoire qui me permet de mémoriser n'importe quel texte, même d'anatomie, ce qui m'a beaucoup aidée pour mes études médicales.

J'espère que mon témoignage pourra être utile, car cet événement a été pour moi source de beaucoup de souffrance.

Cordialement.

On peut supposer que l'événement déclencheur qui a fait tant souffrir Martine lui a quand même permis d'avoir un beau parcours de vie. Malheureusement, il faut quelquefois avoir ce type d'expérience traumatisante pour que soient révélées nos valeurs cachées et c'est souvent dans la douleur que nous donnons le meilleur de nous-mêmes.

Anne-Marie Moulin est devenue médium à la suite d'une NDE survenue à l'âge de quarante ans au cours d'un accident mineur. Sa médiumnité lui permet d'avoir accès à cet espace supra lumineux où le temps n'existe pas. Lors d'une de ses nombreuses sorties de corps, relatée dans son magnifique ouvrage *Le Papillon libéré*, Anne-Marie Moulin rencontre non seulement son père décédé depuis de nombreuses années, mais, encore plus surprenant, elle-même cinquante ans plus tôt :

> *Mon père apparaît au milieu de l'allée, tenant une petite fille par la main. Je la reconnais immédiatement et demeure interdite, emportée par un torrent d'émotions, car c'est de moi dont il s'agit, à l'âge d'environ cinq ans. Mais tous deux me sourient et m'adressent des signes d'amitié. Une surprenante conversation s'engage alors. Papa m'assure qu'il est heureux dans l'au-delà ; il témoigne de l'existence post mortem à laquelle il ne croyait pourtant pas de son vivant.*
>
> *Puis il déclare vouloir me faire comprendre que le temps n'existe pas et qu'il n'est ici-bas qu'une illusion. Ainsi dit-il : « Le temps n'est pas linéaire, comme on l'entend généralement dans le monde physique. Il serait plus juste de le*

représenter par un cercle que l'on peut parcourir soit dans le sens des aiguilles d'une montre, soit dans le sens inverse. Ainsi, présent, passé et futur forment des points qu'il est toujours possible de joindre sur la courbe des événements de nos vies. » [...] Pour illustrer son propos, mon père m'invite alors à l'expérience la plus incroyable qui se puisse concevoir. J'effectue une sorte de va-et-vient entre la petite fille que j'étais et ma personnalité actuelle, avec tout le contexte psychologique et émotionnel qu'engendre le franchissement d'un pont d'un demi-siècle[1].

Comme nous venons de le voir, les voyages astraux peuvent être l'occasion de contacts avec nos chers disparus. Henriette Lucet, devenue médium au soir de sa vie m'écrit une lettre très touchante :

Je n'ai qu'une croyance limitée en la réincarnation, mais j'ai depuis 2004 une certitude concernant la vie éternelle. Ma mère est morte en janvier 1989 à l'âge de quatre-vingt-douze ans. Or, en septembre 2004, au moment où j'allais quitter Perpignan pour me rendre à Nice assister mon frère en fin de vie, je me suis éveillée brutalement pour voir ma mère, en chair et en

1. MOULIN A.-M., *Le Papillon libéré*, éd. Patrick Lannaud, 2005, p. 75.

os, apparemment, se détachant dans le cham-
branle de la porte (avec son air de cinquante
ans et le genre de chapeau extravagant qu'elle
portait alors). Elle m'a regardée longuement,
avec tristesse... puis s'est effacée. J'en ai conclu
qu'elle disait partager ma peine et m'assurait
qu'elle serait là pour accueillir son enfant par
télépathie. Je précise que je suis du genre prag-
matique et sceptique, protestante réformée, ce
qui n'entraîne pas aux élucubrations, et que
ce souvenir m'émeut beaucoup encore. J'ai eu
depuis d'autres visites d'un ami disparu sous
des formes très diverses qui m'ont beaucoup
réconfortée. Je suis une vieille dame de quatre-
vingt-six ans ! Amitiés et courage pour continuer
sous les moqueries des imbéciles. »

H. Lucet.

En Occident et en particulier en France, le travail des médiums est souvent tourné en dérision
par des réactions de mépris ou de moquerie ;
depuis l'époque freudienne, les manifestations de
l'esprit – qui sont le lien privilégié de chaque individu avec l'au-delà et les mondes parallèles – sont
attribuées aux couches profondes de la psyché,
point barre, la discussion est close ! À l'inverse,
les civilisations anciennes, plus ouvertes et plus
éveillées aux mondes subtils, considèrent les phénomènes surnaturels avec respect et déférence.

Les méditations taoïstes, les danses indiennes ou les transes chamaniques sont autant de moyens d'accès aux dimensions supérieures qui dépassent de très loin nos barrières habituelles du temps et de l'espace. Depuis l'aube des temps, les pouvoirs des chamans restent sans limite.

Le chaman accompli est capable de voler dans les airs, de se rendre invisible, de marcher sur le feu ou sur l'eau, de maîtriser les éléments (il peut faire tourner le vent, arrêter la pluie, faire venir le soleil ou provoquer l'orage...), de lire dans les pensées d'autrui, de communiquer avec le monde des morts, de parler avec les animaux, de bloquer sa respiration, de matérialiser un objet, de tuer ou de guérir à distance, de prédire le futur ou de lire dans le passé, de se trouver au même moment dans des lieux différents, de voyager sur d'autres planètes ou dans d'autres dimensions[1]...

Certaines plantes comme l'ayahuasca ou l'iboga permettent d'atteindre des états de conscience modifiés. Ces états induits, proches des transes chamaniques, donnent à l'esprit l'occasion de se manifester en ouvrant une porte cachée sur le chemin de l'éveil. Bien que l'usage de drogues hallucinogènes soit répandu, de nombreuses cultures

---

1. QUESTIN M.-L., *Entrez dans la 5ᵉ dimension*, éd. Trajectoire, 2005, p. 32.

ont recours à un intense rythme musical répétitif pour créer les mêmes sensations. Ainsi, les Amérindiens de la tribu Ojibwa se servent des battements de tambour, des bruits de crécelle, des chants, des piétinements saccadés de danses nues ou de charbons ardents entrechoqués pour y parvenir. Ces bruits bien particuliers sont efficaces pour engendrer une concentration très élevée, et de nombreuses études ont démontré que le fait d'écouter le rythme d'un tambour a pour effet de ralentir l'activité cérébrale pour emmener l'individu jusqu'à un état de transe et le transporter dans un état de conscience modifié[1].

Certains guérisseurs chamaniques ont pour habitude de chantonner doucement ou de se servir d'une crécelle ou d'un autre instrument de musique, mais dans tous les cas les rythmes ainsi construits les conduisent à un état méditatif leur permettant d'entreprendre une thérapie holistique.

1. SALISH J.W.G., *Indian Mental Health and Culture Change : Psychohygienic and Therapeutic Aspects of the Guardian Spirit Ceremonial*, New York, Hold Rienehart and Winston, 1974.

CHAPITRE 13

L'IBOGA ET L'AYAHUASCA

Nous avons vu précédemment que les récepteurs cérébraux NMDA, sérotoninergiques et endorphiniques mis en cause dans les NDE étaient en fait responsables d'hallucinations autoscopiques externes lors de leur stimulation par des drogues telles que la kétamine, le LSD ou la morphine. Nous avons également précisé que ces produits chimiques employés à forte dose pouvaient induire des NDE par le biais d'une neurotoxicité directe (pour le LSD) ou indirecte en occasionnant une hypoxie cérébrale, elle-même induite soit par des arythmies cardiaques provoquant des bas débits cérébraux (pour la kétamine), soit par des dépressions des centres respiratoires centraux (pour la morphine).

L'ayahuasca et l'iboga sont des plantes hallucinogènes qui mettent en cause les récepteurs sérotoninergiques et NMDA du cerveau. À forte dose, l'ingestion de ces végétaux peut provoquer des hypoxies cérébrales par bas débit cardiaque résultant de leurs effets tachycardisant et hypertensif[1] couplés à une déshydratation[2] secondaire aux diarrhées et aux vomissements. Dans certaines conditions d'utilisation, la déperdition hydrique est renforcée par la sueur des transes et la chaleur du climat. À tous ces facteurs délétères pour le cerveau peut même s'ajouter l'hypoglycémie consécutive à un jeûne prolongé. On peut donc en conclure que ces plantes peuvent – au même titre que la kétamine, le LSD ou la morphine – provoquer d'authentiques NDE.

Cela étant précisé, il n'en demeure pas moins que, employées à bon escient et avec un encadrement compétent, l'ayahuasca et l'iboga peuvent servir à traiter certaines pathologies et à faire atteindre des états modifiés de conscience intéressants à explorer.

De mon point de vue, les expérimentateurs, suffisamment avertis sur les propriétés et les

---

1. Classiquement, une tachycardie entraîne une augmentation du débit cardiaque (qui est le produit du volume d'éjection ventriculaire par la fréquence cardiaque), mais à partir d'un certain seuil une accélération excessive du rythme des battements du cœur entraîne une chute de son débit. L'augmentation de la tension artérielle fait chuter le débit cardiaque en gênant l'éjection ventriculaire du cœur.
2. La déshydratation induit une baisse de débit cardiaque par réduction de volume du sang circulant.

dangers de ces plantes et accompagnés par des gens initiés, devraient donc avoir la possibilité de les utiliser en toute liberté. Or, en France, ces substances sont interdites et figurent désormais sur le registre des stupéfiants : depuis 2005 pour l'ayahuasca et 2007 pour l'iboga. Pourtant, on ne peut craindre l'utilisation de ces plantes en tant que « drogue ludique » car les goût très amer et leurs effets digestifs désagréables sont suffisamment dissuasifs pour décourager n'importe quel junky. Consommer ces substances est davantage une épreuve qu'un plaisir !

Alors, pourquoi cette interdiction en France ? Par un souci de santé publique ? Non, certainement pas ! Des exemples très récents nous montrent bien que les enjeux économiques dépassent de loin cette saine motivation. En effet, c'est dans notre beau pays que l'on vient d'autoriser l'utilisation du Prozac chez les enfants alors que cet antidépresseur puissant avait dans un premier temps été déclaré dangereux dans cette indication par l'Agence française du médicament. Toutefois, le laboratoire commercialisant le produit est passé outre cette interdiction en finançant une étude européenne qui a déclaré les effets bénéfice-risque en faveur de son utilisation. Personne ne peut dire aujourd'hui ce que deviendront des enfants drogués au Prozac !

C'est aussi en France que l'on a maintenu la vaccination du BCG obligatoire dès la maternelle alors que les chercheurs de l'OMS avaient alerté l'opinion publique depuis longtemps en déclarant que celle-ci ne devait être réservée qu'aux populations à risque. Malheureusement, les experts français, qui travaillent tous pour les laboratoires commercialisant le vaccin ou qui sont des fonctionnaires soumis au devoir de réserve, avaient rendu jusqu'à ce jour des avis contraires aux experts américains. Dans cette ambiance mercantile, on peut se poser des questions sur l'efficacité réelle de la « BCG thérapie » prescrite actuellement dans le traitement de certains cancers...

Compte tenu du contexte social actuel, où toutes les valeurs sont fondées sur le profit, on peut donc aussi se demander avec juste raison si ces interdictions récentes d'utilisation de l'ayahuasca et de l'iboga ne visent pas plutôt à obtenir l'exclusivité de la fabrication et de la vente de leurs principes actifs concentrés sous forme de médicaments (coûteux de préférence).

Des recours ont été demandés en Conseil d'État pour obtenir la levée de ces interdictions qui portent atteinte à la liberté de culte et de religion mais, à ce jour et à ma connaissance, aucune démarche n'a pu aboutir.

L'IBOGA

Boghaya signifie « soigner » en dialecte africain. Un fait est certain : l'iboga est une plante qui a de véritables propriétés médicinales. Elle est notamment capable de soigner certaines dépressions ou angoisses ainsi que la plupart des dépendances aux drogues dites dures comme le crack, la morphine ou la cocaïne, pour lesquelles la médecine occidentale est bien trop souvent impuissante.

Le principe actif de ce végétal est l'ibogaïne qui est l'alcaloïde contenu dans ses racines. On trouve cet arbuste dans les forêts tropicales de l'Afrique centrale, du sud du Cameroun au Nord-Congo.

Cela fait plusieurs centaines d'années que les populations nomades pygmées utilisent l'iboga pour ses vertus thérapeutiques et pour des pratiques spirituelles dont la principale s'appelle le « bwiti ». On suspecte même son utilisation au XIIe siècle chez les cathares lors de leurs rites initiatiques. Dans l'initiation, en terre d'Oc comme en Afrique, la plante fait le lien entre la connaissance et le sacré en ouvrant les portes de la conscience tout en permettant une véritable introspection. Ces approches initiatiques rejoignent dans leurs concepts celles des grandes spiritualités, en particulier celle du bouddhisme tibétain et aussi celle des théories comportementales et cognitives de la psychologie moderne.

L'iboga ne doit pas être utilisée n'importe comment et par n'importe qui, car elle présente de réels dangers. En particulier, elle provoque des hypertensions artérielles, des tachycardies et des vomissements. Un « nganga », sorte de guérisseur accompagnateur, devra encadrer l'initié dans un rituel musical de chants et de danses.

Selon la tradition, l'initiation ne devra avoir lieu qu'une seule fois dans la vie, car le voyage induit par l'iboga conduit vers le monde des esprits et ne pourra être refait qu'au moment de la mort.

L'AYAHUASCA

L'ayahuasca est utilisée depuis plusieurs millénaires par les chamans des tribus indiennes d'Amazonie. En kichwa selvatique, *aya* signifie « esprit des morts » et *huasca*, « liane » ; ce mélange de végétaux ingéré sous forme de breuvage est donc « la liane des esprits des morts ».

Chez les Amérindiens, l'ayahuasca est utilisée pour entrer en transe dans un but divinatoire ou lors de rituels de guérisons sacrées.

En fait, ce produit est un mélange de deux plantes contenant chacune un principe actif : un alcaloïde hallucinogène, le DMT (diméthyltryptamine), pour l'une et un inhibiteur enzymatique de la monoamineoxydase ou IMAO pour l'autre – l'IMAO permettant au DMT de ne pas être détruit par les enzymes lors de l'absorption buccale. Il est intéressant de noter que le DMT, qui est une substance hautement hallucinogène, est produit à faibles dose par le cerveau humain, avec lequel elle est donc compatible. Cette molécule agit sur le psychisme en venant occuper les récepteurs sérotoninergiques cérébraux.

Ici aussi, ce breuvage ne doit pas être pris en dehors du contrôle d'un initié, et c'est généralement un chaman qui a la charge de faire absorber la décoction dans le cadre d'un rituel bien précis. Les risques de *bad trip* sont importants pour le néophyte mal encadré. Les effets secondaires digestifs quasiconstants : diarrhées, vomissements, peuvent dissuader les plus courageux. Enfin, comme l'iboga, l'ayahuasca peut entraîner des hypertensions artérielles et des tachycardies.

En dehors des hallucinations auditives et visuelles, cette combinaison de plantes procure un sentiment d'euphorie associé à des phénomènes de clairvoyance et d'expériences mystiques.

Jeremy Narby, anthropologue spécialisé dans l'étude des populations indigènes d'Amazonie, a vécu un état de conscience modifié particulier en ingérant ce breuvage. Il raconte son expérience dans un de ses livres :

> *J'ai eu accès à des images sonores tridimensionnelles, ultracolorées et capables de défiler à une vitesse ahurissante ; ces images sonores*

semblent contenir de l'information interactive biomoléculaire et curative. Le travail du chaman consiste à interagir avec ces images pour ramener l'information utile et vérifiable dans la réalité quotidienne. Cette interaction s'articule autour de la voix, du son et de la mémoire avec le chant comme support mnémonique. L'ayahuasca peut être comparée métaphoriquement à un univers cybernétique en étant tour à tour télévision, Internet et microscope[1].

Les informations interactives émanant d'une autre dimension peuvent être collectées par des procédés moins dangereux pour la santé de celui ou de celle qui souhaite explorer l'au-delà. Bon nombre de chamans n'ont qu'un simple tambour pour aboutir aux mêmes résultats !

En utilisant des techniques plus modernes, il est aujourd'hui possible de rentrer en contact avec l'Invisible et d'établir de véritables dialogues avec les défunts sans pour autant faire une expérience de mort imminente ou ingérer des plantes hallucinogènes.

1. NARBY J., *Le Serpent cosmique, l'ADN et les origines du savoir*, Georg Éditeur, 2006, pp. 121-122.

Chapitre 14

COMMUNIQUER
AVEC LES MORTS

> *Si ce que je dis est bien fondé, nous*
> *pourrons en témoigner dans l'autre*
> *dimension en temps et lieu ; si par*
> *contre ce que je dis n'existe pas... per-*
> *sonne ne le saura jamais.*

Marylène Coulombe (médium)[1]

La transcommunication (TC) désigne une communication établie avec l'au-delà ; elle peut être
« mentale », désignée par le sigle TCM, ou bien
« instrumentale » et on parle alors de TCI.

---

1. COULOMBE M., *Les morts nous donnent signe de vie, op.*
cit. p. 23.

LA TCM

La TCM regroupe toutes les communications relayées par une activité médiumnique comme l'écriture inspirée ou automatique, la clairvoyance ou la clairaudience. Quelquefois, l'entité peut incorporer le médium en se servant de son corps pour exprimer ses ressentis ou encore, plus rarement, en émettant un ectoplasme issu du corps du médium.

J'ai vécu une expérience de TCM de façon fortuite avec Catherine Langlade, l'épouse décédée de Philippe Ragueneau. Cet homme de presse et de communication, Compagnon de la Libération, titulaire des plus prestigieuses décorations militaires, connu pour sa rigueur et son honnêteté intellectuelle, fut l'auteur de nombreux ouvrages qui n'ont rien d'ésotérique ou de paranormal.

Pourtant, en 1995, touché par le deuil récent de son unique amour, Philippe Ragueneaud publia *L'Autre Côté de la vie*[1]. Dans ce document aussi troublant que dérangeant, l'écrivain explique comment, par-delà la mort, Catherine, sa compagne de toujours, communique avec lui par une sorte de lien télépathique permanent. À la fin de son existence, se sachant perdue, la femme du journaliste s'est engagée à rester en contact avec son

---

1. RAGUENEAU P., *L'Autre Côté de la vie*, Éditions du Rocher, 1995.

mari après son décès. Elle y parvint fort bien et lui demanda notamment de raconter aux autres ce qui lui arrivait « pour donner, dit-elle, de l'espérance aux désespérés ».

J'avais bien entamé la lecture de cet ouvrage, lorsque soudain, en dépit de toute logique et de toute explication, une idée obsédante envahit mon esprit : il fallait que j'envoie *Coma dépassé*, mon premier roman écrit en 2001, à l'auteur de *L'Autre Côté de la vie*. Pourquoi ? Je l'ignorais totalement. À vrai dire, je trouvais même l'idée stupide ; le récit que je lisais n'avait pas grand-chose à voir avec mon texte et je ne voyais vraiment pas ce qui aurait pu m'inciter à faire une pareille démarche. J'essayais donc à plusieurs reprises de reprendre ma lecture, mais rien à faire : dans ma tête « on » insistait pour que je fasse cet envoi. Il m'était même devenu tout à fait impossible de faire quoi que ce soit d'autre. Je commençais à paniquer. Je pensais : « Comment pourrais-je envoyer mon bouquin à une personne dont je ne connais pas l'adresse ? » Puis, sans savoir pourquoi, j'ouvris de nouveau le livre… à la page où était mentionnée l'adresse de Philippe Ragueneau ! Compte tenu de cette dernière synchronicité, qu'aurais-je pu faire d'autre que d'obéir à la petite voix mystérieuse devenue de plus en plus pressante et d'adresser *Coma dépassé* à ce célèbre auteur ? C'est ce que je fis aussitôt en accompagnant mon colis d'une lettre explicative qui était en fait une sorte de rapport circonstancié et précis des événements récents me poussant à faire cette démarche qui risquait de me couvrir de ridicule. Mais il n'en fut rien, bien au contraire. Contre toute attente, je reçus, une semaine plus tard, un émouvant courrier posté de Gordes.

Cher Monsieur,

Merci de m'avoir adressé Coma dépassé *dont je viens de commencer la lecture.*

De toute évidence, c'est Catherine qui vous a demandé de m'envoyer cet ouvrage, sans doute parce qu'à un titre ou à un autre quelque chose, dans ce récit, me concerne ou mérite mon attention. Je le saurai au fil de ma lecture.

Ce n'est pas la première fois qu'elle se sert de quelqu'un pour me passer un message. La dernière preuve m'en a été donnée le jour même où je recevais votre lettre (curieuse coïncidence...). Je vous raconte.

J'étais sorti pour aller prendre un billet de train gare de Lyon. Après quoi, j'ai acheté un journal et, sur la route du retour, je me suis arrêté pour acheter du pain. Tout cela fait, j'arrive chez moi... et je constate que j'ai perdu mon trousseau de clés. (Je les mets dans la poche arrière de mon pantalon, avec la petite monnaie. Ce qui fait que lorsque je paye, il m'arrive aussi de sortir mes clés.)

Je décide de refaire le chemin inverse pour découvrir sur quel comptoir j'ai perdu mes clés

et je commence par la boulangerie. Non, la bou-
langère n'a pas vu les clés oubliées près de sa
caisse. Elle me regarde et dit soudain : « Elles
sont sur votre boîte aux lettres. »

Je suis stupéfait et interloqué... Comment sait-
elle que ma boîte s'ouvre avec une clé de mon
trousseau et, surtout, comment sait-elle que j'ai
pris mon courrier en sortant, ce que personne ne
fait jamais pour ne pas s'encombrer. (C'est en
rentrant chez soi que l'on prend son courrier).

Illumination !... « C'est un coup de Catherine. »
Je rentre chez moi dare-dare, me fais ouvrir le
portail par un voisin... et je trouve mes clés sur
la boîte aux lettres...

Dans la soirée j'ai interrogé Catherine. Elle
me répond : « Je me suis servie de la boulangère
pour te renseigner. »

J'ai revu cette brave femme et je lui ai demandé
pourquoi elle m'avait dit cela. « Je ne sais pas,
c'est idiot... Tout à coup j'ai eu cette phrase
dans la tête et je l'ai sortie... »

Comme vous le dites si bien : devant l'inex-
plicable, restons humbles.

Très amicalement à vous,

Philippe Ragueneau

P.S. : Et nous sommes, tous les deux, sains
de corps et d'esprit.

En fait, je ne connaîtrai jamais la raison pour laquelle Catherine Langlade tenait absolument à ce que son époux lise mon livre. J'appris quelques semaines plus tard, de façon tout à fait fortuite – en allumant le poste de ma voiture –, le décès de Philippe Ragueneau. Pourquoi vouloir écouter la radio à ce moment précis ? Encore un coup de Catherine ?

En tout cas, une chose est sûre, si la boulangère n'avait pas conseillé à M. Ragueneau d'aller récupérer ses clés oubliées sur la boîte aux lettres, il n'aurait jamais pu trouver mon livre car l'écrivain était sur le point de quitter Paris pour passer un long séjour dans sa résidence d'été à Gordes.

L'IADC

L'Induced After-Death Communication (IADC) ou communication post-mortem induite (CPMI) désigne une thérapie du deuil mise au point par le Dr Allan Botkin, psychologue dans l'Illinois. Son principe repose sur la démarche opposée à celle qui consiste à annihiler la souffrance de la disparition des êtres chers en éteignant les liens émotionnels avec les défunts. Selon le Dr Botkin, pour ne plus souffrir, il ne faut pas oublier les morts mais au contraire cultiver avec les disparus un lien durable et positif. Sa technique thérapeutique utilise l'EMDR (Eye Movement

Desensitization and Reprocessing), ou mouvement des yeux, désensibilisation et retraitement (de l'information) qui est un processus de désensibilisation des idées négatives et des souvenirs douloureux par des cycles de mouvements rapides des yeux commandés par le thérapeute. L'EMDR, qui a été introduit en France par David Servan-Schreiber, permet de soulager la souffrance du deuil dans 70 % des cas. Le patient est invité à se concentrer sur son chagrin. La plupart du temps, il visualise la personne décédée qui le rassure et l'encourage à se consoler. Mais le plus surprenant est d'apprendre qu'il arrive aussi que le défunt communique au patient des informations qu'il ignorait. Cette thérapie du deuil fonctionne avec des personnes de toutes croyances, y compris les athées et les sceptiques.

Le Dr Botkin découvrit l'IADC par le plus grand des « hasards » en traitant par EMDR un soldat du Vietnam cruellement touché par le décès de Le, une enfant vietnamienne qu'il s'était promis d'adopter et de ramener chez lui. Malheureusement, la cruauté de cette guerre stupide ne lui laissa pas l'occasion de réaliser son projet. Le village de Le fut bombardé et notre valeureux soldat pleura longtemps sur le corps sans vie de la fillette gisant dans la boue. Il était bouleversé et le chagrin ne le quitta plus jusqu'à sa rencontre avec Botkin en 1995. En séance d'EMDR, il retrouva Le, devenue une belle femme aux longs cheveux noirs qui irradiait de lumière dans une belle robe blanche. Elle lui parla et le remercia de s'être occupé d'elle avant sa mort. Le patient, convaincu d'être en sa présence, fut même capable de sentir les bras de la jeune femme autour de lui. Sa souffrance disparut aussitôt et son cœur se remplit de joie.

Dans un premier temps, le Dr Botkin pensa qu'il s'agissait d'une hallucination, mais après avoir traité de la même manière d'autres sujets présentant des symptômes similaires, le psychologue finit par s'interroger sur la réalité des contacts avec les défunts au cours des EMDR[1].

LE PSYCHOMANTEUM DU DR MOODY

Le Dr Raymond Moody était professeur de philosophie avant de devenir psychiatre. Se souvenant des philosophes de la Grèce antique, il voulut remettre au goût du jour leur psychomanteum. Ce nom étrange désigne une sorte de caverne qui, grâce à un jeu de surfaces réfléchissantes, permettait de rentrer en contact avec les esprits des disparus pour pouvoir converser avec eux. Partant de la connaissance de cette expérience antique, Raymond Moody reconstitua chez lui, en Alabama,

---

1. TYMN M.E., « Communication Postmortem induite : une nouvelle thérapie contre le chagrin », *Nexus* novembre-décembre 2006, n° 47, pp. 51,52.

un psychomanteum. Il eut la grande surprise de constater l'efficacité du système. Le dispositif fonctionnait aussi sur lui-même ! À propos de sa grand-mère qu'il put toucher lors d'une de ses séances, il dit : « Elle était aussi vraie que n'importe qui de vivant ! » La majorité des personnes qui pénétraient dans ce local obscur, obtenaient des résultats et pouvaient dialoguer avec des défunts. L'une d'elles eut un contact physique tellement fort avec son fils décédé que celui-ci put la soulever de terre ! Après un passage dans le psychomanteum, persuadés de l'existence d'une vie après la mort, les postulants à ce procédé original de communication ont pu reprendre espoir. Moody a aussi constaté un phénomène intéressant sur les modifications se produisant sur les sujets qui s'étaient prêtés à son expérience : ces derniers subissaient les mêmes transformations psychologiques que les expérienceurs. En particulier, ils n'avaient plus peur de mourir, se détachaient des valeurs matérielles de ce monde, se tournaient davantage vers les autres en devenant meilleurs et plus aimants. En plus, l'expérience leur faisait comprendre que leur disparu était en paix, heureux et continuait, de façon spirituelle, à être à leur côté. Le psychomanteum avait donc un pouvoir thérapeutique indéniable dans les douleurs du deuil.

Malheureusement, victime de la moquerie et de la méchanceté de bon nombre de ses confrères,

Raymond Moody préfère aujourd'hui ne plus parler de ces expériences passionnantes, mais rien ne dit qu'il ne poursuive pas encore ses recherches en cachette...

Bien avant Moody, les chamans Toungouses de Sibérie utilisaient des miroirs de cuivre pour voir les esprits des défunts qu'ils consultaient pour résoudre les problèmes de la vie quotidienne que rencontraient la communauté et les individus. Les ancêtres disparus pouvaient par ce biais donner leur avis sur les affaires courantes des tribus. Dans leur langue, le mot « miroir » dérive du mot désignant l'âme ou l'esprit, et donc le miroir était bien assimilé au « réceptacle » de l'esprit.

Dans d'autres rituels, on peut aussi retrouver cette pratique de consultation d'esprit par l'intermédiaire de surface réfléchissante de différents objets tels que la boule de cristal, l'encre, les vases remplis d'un liquide, qu'il s'agisse de sang ou de vin, les lampes, l'eau des lacs, la pierre polie, etc.

OUI-JA, TABLES TOURNANTES ET VERRES QUI BOUGENT

Tous les phénomènes de mobilisation d'objets « par l'esprit » sont regroupés sous le terme de « psychokinésie ».

On ne peut nier la réalité des faits constatés objectivée par le déplacement effectif des objets.

D'autres bien avant nous ont fait tourner des tables : Dumas, Sue, Flaubert ou Quinet. Victor Hugo rentrait en contact de cette façon avec sa fille Léopoldine décédée par noyade, mais aussi avec Galilée ou Molière.

Qui n'a jamais assisté à ce genre de manifestation spirite ? Je relate à ce propos dans mon livre *L'après-vie existe* une séance de « verre qui bouge » faite avec ma femme et mes deux enfants. Cette expérience nous a permis de rentrer en contact avec ma grand-mère maternelle et celle de mon épouse. Les deux mamies ont donné des réponses précises à nos questionnements par l'intermédiaire d'un verre disposé à l'envers sur une table et à peine effleuré par nos doigts. Nous avions convenu d'un code : un déplacement à droite signifiait oui, un à gauche, non. Ce contact avec nos chères disparues avait été préalablement annoncé par le médium Henry Vignaud : « Vous aurez bientôt un contact avec l'au-delà car là-haut on apprécie beaucoup ce que vous faites » m'avait-il dit lors d'une séance médiumnique en public. Puis il avait rajouté : « Cela se passera la nuit mais il ne faudra pas avoir peur. » Deux nuits plus tard, m'apparaissait en rêve Édith Piaf qui me demandait de me souvenir de la date du 7 août. Et ce fut précisément à cette date, à minuit passé de quelques minutes, qu'eut lieu l'épisode du verres ! Un contact qui, malgré de multiples tentatives, ne put jamais plus se réaliser.

Reste à déterminer le mécanisme de la psychokinésie dans ce cadre particulier ; est-ce une sorte de télépathie entre les participants qui, plus ou moins consciemment, vont vouloir mobiliser des objets, ou bien alors une transmission de messages venant de l'au-delà ? La question reste ouverte, mais en ce qui me concerne je pencherais plutôt vers la dernière hypothèse, car comment expliquer dans le cas d'une simple télépathie qu'une planche de oui-ja se déplace en désignant les lettres de plusieurs mots d'une langue étrangère ignorée de tous les protagonistes, comme ce fut le cas lors d'une séance chez ma tante ? En tout cas, une chose est certaine : la pratique du spiritisme peut être dangereux chez le non-initié car un contact direct avec le bas astral[1] peut avoir des répercussions désastreuses pour la santé mentale. Chose que j'ignorais totalement au moment où nous avons fait en famille cette expérience du « verre qui bouge ». J'ignorais tout autant la spiritualité d'Édith Piaf, qui m'avait fixé ce rendez-vous par l'intermédiaire d'un rêve. J'appris plus tard que la chanteuse étayait ses convictions de survivance en assistant à des conférences d'ordre

_____

1. Le bas astral défini par les médiums comme un univers parallèle très proche du nôtre dans lequel évoluent des entités ou des âmes non encore ascensionnées souvent assimilées à des esprits farceurs.

spirite et qu'elle priait avec autant de conviction et de ferveur que lorsqu'elle chantait. Son entourage peut en témoigner : « Quand elle se recueillait, Édith se coupait du monde. Elle possédait une gravité et une concentration d'une puissance infinie. » Elle croyait en la réincarnation et avait la certitude qu'après la mort ceux qui partent dans l'au-delà se retrouvent ; « Dieu réunit ceux qui s'aiment[1] » est l'un de ses plus beaux credo.

LA TCI

La TCI nécessite des instruments pour établir la transcommunication. Ces instruments sont le plus souvent électroniques : téléphone, téléviseur, haut-parleur radio, magnétophone, ordinateur, imprimante, fax, etc. Toutefois, par abus de langage, le terme « TCI » désigne la plupart du temps des enregistrements de voix de disparus faits sur un « support vibratoire » servant de bruit de fond comme des fréquences de radio particulières, de l'eau qui coule, du papier froissé, des frottements d'objets, le clapotis d'un ruisseau, le bruissement d'un feuillage sous le vent ou la mélodie mousseuse des vagues mourant sur une plage. La liste n'est pas exhaustive et chacun peut imaginer le support vibratoire

---

1. DRAPEAU E., « Édith Piaf 1915-1963 », *La Revue de l'au-delà*, avril 2007, n° 112, p. 13.

qui lui convient le mieux à condition que celui-ci ne soit pas trop bruyant et suffisamment régulier.

LES VOIX RADIOPHONIQUES DIRECTES

Il s'agit là d'une variante de la TCI. Dans ce cas, les voix paranormales sont directement reçues par radio et répondent correctement à des questions posées par l'opérateur sans qu'un enregistrement soit nécessaire. Les voix sont cohérentes et tout à fait audibles. L'Italien Marcello Bacci procède ainsi pour entrer en contact avec les défunts. Il lui suffit de brancher sa radio sur la bande des ondes courtes, à une fréquence comprise entre 7 et 9 mégahertz, dans une zone non occupée par une émission radiophonique, et d'attendre une quinzaine de minutes avant que la voix d'une entité se manifeste pour dialoguer avec lui et les personnes présentes à ses côtés. Le père Brune m'a récemment confié avoir assisté à l'une de ses séances où les messages étaient reçus sur une radio éteinte[1] !

LES VOIX DIRECTES

Enfin, pour être tout à fait complet sur ces communications avec les morts, il faut parler des

---

1. BRUNE F., *Les morts nous parlent, op. cit.*, p. 121.

voix enregistrées chez Leslie Flint, une célèbre médium anglaise. Lors des contacts qui avaient lieu à son domicile, les trépassés produisaient une « voie directe » résonnant dans l'atmosphère et les sons émis étaient si puissants qu'ils étaient audibles sans avoir recours à un quelconque instrument. Dans ce cas particulier, il ne s'agissait donc ni de TCM ni de TCI.

Dans le chapitre suivant, nous nous intéresserons au phénomène TCI tel qu'il est actuellement conceptualisé, c'est-à-dire à l'enregistrement des voix des morts.

CHAPITRE 15

LA TCI

LES CAUSES DU REJET

« *La TCI, c'est de la foutaise, je ne veux même pas en entendre parler !* »

« *La TCI, non vraiment ça ne m'intéresse pas. Je ne veux pas savoir s'il est possible de communiquer avec les morts. Et puis d'abord, si c'était possible ça servirait à quoi, hein ?* »

« *Dialoguer avec les morts, moi je trouve ça malsain. Il vaut mieux ne pas essayer de le faire.* »

« *Non, là tu déconnes complètement ; on ne peut pas être un scientifique comme toi, un médecin anesthésiste-réanimateur en plus, et croire en toutes ces conneries !* »

« *Bon, dis-moi, on se connaît depuis longtemps, je crois faire partie de tes meilleurs amis, quand tu dis qu'il est possible de parler avec les morts, toi, rassure-moi, tu n'y crois pas ? Tu fais ça pour vendre des bouquins, non ?* »

« *Je veux bien croire aux NDE, à la possibilité d'une vie après la mort, mais la TCI, non,
je suis désolée, je ne peux pas te suivre sur ce
terrain-là !* »

« *Je te préviens, si tu continues à t'intéresser à
la TCI, je t'enlève de mon site !* »

« *Non, non et non, on ne peut pas accepter dans
notre association un scientifique qui s'intéresse à
la TCI. Et d'ailleurs, un scientifique qui s'intéresse
à la TCI, ce n'est pas un scientifique !* »

Voilà un petit échantillon des réflexions susci-
tées par mon intérêt récent et affiché pour la TCI.
Ces réactions démontrent bien la tendance naturelle éprouvée pour ce mode de communication
avec l'au-delà. Et encore, je n'ai pas rapporté ici
les réactions les plus violentes, les lettres d'injure,
ni les nombreuses inimitiés occasionnées par ma
singulière démarche qui consiste simplement à
assister et à décrire un phénomène aussi incompréhensible que celui-là !

En fait, la TCI induit aujourd'hui à peu près
les mêmes réflexes d'opposition que les NDE il
y a maintenant plus de trente ans et, comme
toujours en pareille situation, on s'aperçoit rapidement que la plupart des gens qui critiquent
ou condamnent ignorent à peu près tout du
sujet !

Ils le rejettent pour deux raisons essentielles : la peur, cette fameuse peur omniprésente lorsqu'il s'agit d'aborder l'inconnu, et le mécanisme inhibiteur de dissonance cognitive dont nous avons déjà parlé (voir chapitre 2).

La dissonance cognitive agit sur la TCI à quatre niveaux (les deux premiers étant retrouvés pour les NDE) :

— La dissociation du corps et de l'esprit au moment de la mort avec la preuve de l'existence d'une conscience délocalisée.

— La réalité d'une vie après la mort.

— La possibilité d'un dialogue avec les disparus.

— La matérialisation vibratoire d'une existence dans l'au-delà.

La peur est, à mon sens, le motif principal du rejet.

Peur d'être pris pour un fou en pratiquant de telles expériences et d'être rejeté par ses proches, ses amis, ses collègue, voire même pire, par sa propre famille : son conjoint ou ses enfants.

Peur de perdre ses propres repères.

Même les personnes en recherche ne sont jamais vraiment prêtes. Il subsiste toujours un doute, une crainte provoquant une peur envahissante à l'idée qu'une entité pourrait apparaître brutalement. Cette appréhension viendrait simplement du fait qu'une telle apparition renverserait, en quelques secondes, tous les apprentissages sociaux et culturels que le temps a mis tant d'années à forger[1].

Peur de la communication avec un disparu qui va induire des questionnements multiples : Quel sera la nature de ce contact ? Que va dire l'entité ? Va-t-on être malheureux d'apprendre que le défunt « ne repose pas en paix » ? Aurons-nous le temps matériel d'obtenir toutes les réponses ? Serons-nous frustrés après ce contact qui ne sera peut-être pas reproductible ?

Peur de connaître ce qui se passera après notre propre disparition terrestre.

Peur de devenir « accro » à la TCI et de développer une véritable addiction.

Peur de perdre la raison...

On peut dire aujourd'hui que le père François Brune est à la TCI ce que Raymond Moody fut à la NDE. Ses nombreuses recherches sur la question et la publication de son ouvrage *Les morts nous parlent* en 1988 ont permis de faire connaître le phénomène TCI à un large public.

Ce moyen de communiquer avec nos chers disparus par l'enregistrement de voix venues de l'au-delà peut à première vue sembler déroutant

1. BARBE C., *Comment les morts s'expriment et se manifestent depuis l'au-delà*, éd. Kymzo, 2007, p. 87.

voire même farfelu pour le non-initié, mais les faits sont là et les voix enregistrées ont pu être analysées de façon scientifique.

Il ressort des études faites sur ce sujet, et notamment de celles réalisées dans les laboratoires italiens d'électroacoustique de Milan ou de Bologne, plusieurs éléments surprenants qui, mis en corrélation avec les données actuelles de la science, prouvent de façon formelle l'origine extraterrestre des sons enregistrés et la nature inexplicable de leur production.

1) Les voix humaines oscillent entre 80 hertz pour les plus graves et 400 hertz pour les plus aiguës, alors que les voix enregistrées en TCI peuvent dépasser 1 400 hertz, c'est-à-dire des fréquences vibratoires impossibles à atteindre avec des cordes vocales !

2) Il existe pour un même individu une similitude dépassant 85 % dans la tonalité des voix enregistrées de son vivant avec celles obtenues en TCI !

3) Des écoutes de voix sont possibles, avec des mots et des phrases entières, en faisant défiler la bande d'enregistrement à l'envers !

4) Une bande enregistrant à une vitesse constante a pu faire entendre en mode lecture quatre voix différentes : une première audible à la même vitesse que celle de l'enregistrement, une deuxième à une vitesse deux fois supérieure, une troisième à une vitesse réduite de moitié et enfin une quatrième en faisant défiler la bande à l'envers[1].

5) Plus surprenant encore : des enregistrements ont été réalisés alors que le magnétophone était en mode écoute !

6) Des « voix reverse » peuvent se manifester fréquemment, avec la possibilité d'entendre deux messages différents en faisant dérouler la bande d'enregistrement en avant et en arrière ! Sonia Rinaldi, une Mexicaine spécialisée dans l'écoute des voix recueillies en TCI, est formelle : « Il n'existe actuellement aucun procédé mathématique ou logiciel avec lequel il est possible de générer, artificiellement, en partant d'une voix, une autre par-dessus, dans le sens inverse et que toutes deux soient parfaitement intelligibles[2]. » Lorsqu'on demande au Dr Augusto Beresawkas de l'Université de São Paulo comment, tech-

---

1. BRUNE F., *Les morts nous parlent*, éd. Philippe Lebaud, 2002, p. 28.
2. BARBE C., *Le Langage de l'Invisible*, éd. Kymzo, 2006, pp. 122-123.

niquement parlant, pourrait se produire une voix reverse, il répond : « La principale explication pour la manifestation de voix reverse est d'admettre qu'il existe une fluctuation temporelle entre notre réalité et les autres réalités[1]... »

7) Plus récemment, des voix s'exprimant en langue étrangère délivrant des messages destinés à un auditoire choisi ont été entendues sur un poste de radio éteint ! L'expérience s'est déroulée le 5 décembre 2004 dans le « Centro Psico-fonia » de Grosseto, dirigé par Marcello Bacci. Durant cette séance, les précautions pour éliminer toute fraude ont été poussées le plus loin possible[2].

8) Les interférences avec d'autres sources radio (services officiels de police, SAMU, gendarmerie, radioamateurs, etc.) qui pourraient avoir été captées en TCI ne sauraient expliquer la parfaite adéquation des réponses aux questions et leurs caractères très personnels et intimes.

9) Dans le même ordre d'idées, la mystification par un tiers extérieur est exclue car le tricheur devrait parfaitement connaître la longueur d'onde d'écoute utilisée par l'expérimentateur, avoir accès

---

1. LINES Y., *Quand l'au-delà se dévoile*, éd. JMG, 2006, p. 113.
2. BRUNE E, *Les morts nous parlent*, nouvelle édition, tome 2, éd. Oxus, 2006, pp. 134-140.

à un puissant moyen d'écoute pour pouvoir répondre aux questions posées, et, enfin et surtout, donner des informations précises connues uniquement par l'écoutant[1].

10) Les expériences de TCI sont répétitives et reproductibles, argument de poids lorsqu'il s'agit de prouver scientifiquement l'existence d'un phénomène, et pourtant...

11) Des messages de l'au-delà ont été reçus simultanément en TCI et en écriture automatique ou en écriture inspirée. Dans ces conditions, le défunt communique sur deux plans vibratoires différents pendant un même contact en se servant de l'écriture d'un médium comme canal et d'une émission radiophonique comme support ; c'est ce que Christophe Barbe et Yves Lines[2] appellent « la synergie ».

HISTORIQUE

Je n'insisterai pas sur la partie historique de la TCI, car de nombreux ouvrages, en particulier ceux du père Brune, ont déjà parfaitement traité le sujet, mais j'en ai rappelé ici les grandes lignes.

---

1. RIOTTE J., *Ces voix venues de l'au-delà*, éd. France loisirs, 2003, p. 130.
2. Voir leurs travaux sur www.sourcedevietoulouse.com

Il faut simplement savoir que, dès 1915, certains spécialistes émirent l'idée qu'il devait être possible de capter des voix de défunts au moyen d'ondes électromagnétiques. Cette hypothèse se concrétisa cinq ans plus tard lorsque Ernest Roger, modeste réparateur parisien de poste de TSF à lampes, entendit la voix de sa mère disparue après la Première Guerre mondiale qui l'appelait par son diminutif, « Nono ».

Durant la Seconde Guerre mondiale, en 1943, des soldats de la Wehrmacht stationnés en Finlande le long de la frontière soviétique saisirent sur les premiers magnétophones à fil d'acier des voix de camarades tués quelques semaines plus tôt.

En 1952, à l'université catholique de Milan, le père Agostino Gemelli, physicien renommé, enregistra des chants grégoriens, secondé par son ami le père Ernetti. Il disposait à cet effet de magnétophones dont les fils se cassaient fréquemment. Lassé d'effectuer de multiples réparations, il implora machinalement son père décédé pour qu'il lui vienne en aide. En écoutant plus tard l'enregistrement, il entendit la voix de son père qui le rassurait en lui disant que dorénavant tout fonctionnerait bien.

En juin 1959, le ténor d'opéra suédois Friedrich Jürgenson entendit des voix et un solo de trompette suivi d'une fanfare alors qu'il enregistrait sur un magnétophone à bande des chants d'oiseaux dans une forêt proche de Stockholm. Il entreprit alors des recherches sur ce sujet et enregistra de nombreuses voix de disparus, y compris celle de sa mère. En octobre 1987, lors de son enterrement, il donna un magnifique signe de survivance en apparaissant sur l'écran de télévision de ses amis et collaborateurs en Suède. Jürgenson avait affirmé de son vivant que l'on aurait un jour la possibilité de voir les disparus sur les écrans de télévision et ce fut là son ultime clin d'œil.

En 1964, le psychologue Constantin Raudive qui avait laissé tourné en son absence un magnétophone pour enregistrer de la musique, eut la surprise d'entendre un message de sa mère décédée qui l'appelait par son petit nom, « Kosti », alors que l'appareil tournait dans le silence le plus complet. Dès lors, il entreprit un énorme travail et enregistra plusieurs milliers de voix de disparus. La TCI venait de prendre un nouveau tournant.

Plus près de nous, géographiquement et dans le temps, la Montpelliéraine Monique Simonet réalisa pour la première fois en 1978 l'enregistrement de la voix de son père décédé trois ans plus tôt après avoir lu une revue évoquant l'enregistrement des voix de l'au-delà. Elle travailla ensuite sur de nombreux enregistrements de disparus pour aider des personnes en deuil.

En 1982, une équipe de chercheurs américains, dirigée par George W. Meek, président de la Metascience Foundation à Franklin, obtint des résultats bouleversants dans des contacts de disparus. Par des échanges exceptionnellement longs avec des physiciens et des scientifiques décédés, il parvint à avoir des renseignements précis sur l'au-delà. L'un des membres de l'équipe de Meek, un ingénieur radioélectronicien spécialiste en ondes courtes, monta une installation acoustique et électromagnétique appelé Spiricom (Spiritual Communication). Cet appareil permit d'établir un contact avec George G. Mueller, un ingénieur en électronique décédé en 1967. Le défunt fournit alors de nombreuses indications sur sa vie passée sur Terre dont l'authenticité fut attestée après de sérieuses vérifications. En particulier, il demanda un jour de rechercher un livre intitulé *Introduction to Electronics* qu'il avait rédigé en 1947. Cet ouvrage fut bien retrouvé à la Société historique du Wisconsin, l'État où était né Mueller ! Ce dernier confirma que dans l'univers où il se trouvait la sensation terrestre de l'écoulement du temps n'existait pas et démontra à plusieurs reprises de façon objective qu'il était capable de « voir » tout ce qui se passait dans le laboratoire de George Meek.

En janvier 1983, Hans Otto König, un Allemand spécialisé en électronique, présenta aux auditeurs de Radio-Luxembourg son invention : un générateur à ultrasons servant à établir des communications à partir de fréquences ultrasoniques. Les auditeurs avaient la possibilité de poser des questions et les réponses leur parvenaient immédiatement. Les messages délivrés étaient non seulement des informations personnelles rassurant les proches du trépassé – des sortes de cartes postales envoyées de l'au-delà, comme le dit avec humour François Brune –, mais aussi des pensées d'amour de grande portée spirituelle qui insistaient bien sur une notion fondamentale : la mort n'existe pas !

La TCI prit plus tard une dimension plus technique avec des possibilités d'analyses de voix par méthode numérique dans des laboratoires d'électroacoustique en Italie et aux États-Unis. De nombreux chercheurs se sont succédé dans cette démarche de recherche : le physicien suisse Alex Schneider, les techniciens de radio et de télévision Theodor Rudolph et Norbert Unger, l'ingénieur Frantz Seidl de l'École technique supérieure de Vienne, Alex Mac Rae, ingénieur électronicien de la NASA. Ce dernier conclut après avoir fait examiner des enregistrements sur bande magnétique à plusieurs centaines d'observateurs, que l'on peut considérer comme établie l'existence des voix paranormales.

Bon nombre d'associations travaillent aujourd'hui partout dans le monde sur la TCI ; en France[1] bien sûr, mais aussi à l'étranger : en

---

1. En particulier l'association Infinitude, de Monique et Jacques Blanc-Garin, auteurs d'un magnifique ouvrage, *En communion avec nos défunts*, éd. du Rocher, 2002, ou encore

Italie, en Allemagne, au Brésil, aux États-Unis, au Mexique, en Russie... Partout, par-delà la mort, nos chers disparus parviennent à nous donner des signes qui nous prouvent leur survivance, des messages d'amour, d'encouragement et d'espérance nous démontrant bien que le fil n'est pas coupé lorsque l'on passe de l'autre côté.

MES EXPÉRIENCES EN TCI

En novembre 2003, je reçus à peu près le même choc en lisant le livre du père Brune *Les morts nous parlent* qu'en découvrant quelques décennies plus tôt celui de Raymond Moody. Le phénomène de la TCI venait d'entrer dans ma vie et il me sembla alors tout aussi bouleversant que celui des NDE. Je lus le livre en deux nuits et mis plusieurs années à le digérer. Ainsi, j'avais appris dans cet ouvrage que par-delà la mort, nos chers disparus pouvaient communiquer avec nous. Et, cerise sur le gâteau, j'avais rencontré son auteur au salon du livre de Brives où j'étais moi-même invité pour présenter mes romans. Il n'y a pas de hasard... François Brune m'avait très gentiment dédicacé son ouvrage. Une dédicace que je garde précieusement :

---

celle d'Yves Lines et de Christophe Barbe, Source de vie Toulouse.

À Jean-Jacques pour l'accompagner dans ses recherches au service de l'Amour. Le 8/11/2003. François Brune

Au moment de cet échange, nous ignorions tous les deux que nous allions faire ensemble bon nombre de conférences, de films et d'émissions radio pour faire connaître au plus grand nombre l'existence d'une vie après la mort ; lui par le biais de la TCI et moi par celui des NDE.

Dans le livre *L'après-vie existe* je relate ma visite chez Louis et Roselyne qui communiquent par TCI avec leur fils unique Laurent depuis plus de dix ans.

Étant au départ très sceptique sur cette pratique, j'étais resté sur ma réserve lorsqu'un ami chirurgien me dit un jour :

« Je connais un patient qui communique avec son fils décédé en faisant des enregistrements sur son magnétophone... Toi qui t'intéresses à tous ces phénomènes, tu devrais aller le voir pour me dire ce que tu en penses. »

À l'époque, je n'avais qu'une idée très approximative de ce mode de relation avec l'au-delà, mais ma curiosité étant piquée, je pris rapidement rendez-vous avec Louis, le malade traité par mon ami.

Laurent, le fils unique de Louis et Roselyne, avait quitté notre monde à l'âge de vingt-six ans alors qu'il était en voyage de noces. Il s'était noyé à Nouméa dans 2 mètres d'eau sous les yeux de sa femme et de ses amis restés sur le bateau. Le drame s'était produit en 1992.

Deux ans plus tard, Laurent apparaissait très distinctement sur une émouvante photo prise par sa femme, alors que bien sûr il n'était pas du tout visible au moment du cliché.

Les messages de Laurent, enregistrés en TCI par Monique et Jacques Blanc-Garin tout d'abord, puis par Louis et Roselyne, ont considérablement atténué la douleur du deuil des parents. En sonnant à leur porte, je me suis souvenu de ce que m'avait dit mon confrère à propos de Louis :

« Tu sais, ce type n'est pas fou. Il est tout à fait clair dans sa tête. Il n'a rien d'un illuminé. Je le suis pour un problème de prostate depuis de nombreuses années. Quand je l'ai vu la première fois, il venait de perdre son fils et était complètement détruit. Six mois plus tard, il était radieux avec un sourire magnifique. J'étais un peu étonné. Et c'est là qu'il m'a dit qu'il parlait avec son fils en faisant des enregistrements... »

Louis est un homme très rationnel. Son ancienne profession de pilote de ligne d'UTA en dit long sur sa personnalité. Lorsque je lui ai demandé s'il avait un doute sur l'origine de ses contacts, il m'a répondu, après avoir soufflé une copieuse bouffée de fumée de sa pipe vers le plafond :

— Sur l'enregistrement des Blanc-Garin, nous avons immédiatement reconnu les intonations et les expressions de notre fils. Pour nous, il n'y avait aucun doute, c'était bien lui qui nous parlait. Nous reconnaissions les mots et les phrases qu'il employait de son vivant. Nous ne comprenions pas pourquoi des étrangers avaient réussi à communiquer avec lui, tandis que nous, ses propres parents, nous n'étions pas parvenus à obtenir le moindre contact.

— Pendant trois mois ce fut le silence total. Je pleurais tous les soirs, poursuivit Roselyne. Nous étions prêts à abandonner tout espoir. Puis nous avons eu l'idée d'enregistrer nos propres conversations, comme l'avait fait Mme Simonet, et c'est au cours d'un repas qu'il nous a parlé pour la première fois.

— Oui, il a appelé son chien. On entend très bien : « Gipsy », dit Louis. Depuis ce jour-là, j'enregistre tous les jours un quart d'heure vers midi et il me faut environ plus d'une heure d'écoute pour obtenir des messages. Mais on passe aussi de longues périodes sans enregistrer du tout.

Louis et Roselyne m'ont fait entendre leurs enregistrements. Les voix sont suffisamment distinctes pour comprendre les phrases prononcées par Laurent. De toute évidence, un surprenant dialogue a pu être établi entre le monde des vivants et celui d'un fils regretté passé de l'autre côté du voile. En voici quelques extraits :

— Que fais-tu, Laurent dans l'au-delà ?

— Je travaille bien. Je prépare le monde, je survivrai.

— Que t'est-il arrivé ?

— C'est un accident.

— As-tu retrouvé des parents dans l'au-delà ?

— Oh oui bien sûr, je ne suis pas tout seul.

— Que penses-tu de l'au-delà ?

— C'est pas différent.

— As-tu un message pour ton épouse ?

— C'est un bonheur cassé. Moi je suis très heureux là, ah oui !

— Peux-tu prononcer ton prénom ?

— Je suis Laurent, ma p'tite famille.

— Peux-tu dire un mot à ta maman ?

— Je suis là, il n'y a pas de doute... Je suis près de vous... Je vous entends bien
Un baiser, c'est bien... Je vous aime.

On ne ressort pas indemne d'une pareille expérience ; en quittant Louis et Roselyne, j'étais bouleversé. Bien sûr, j'avais lu le livre du père Brune, entendu des enregistrements de voix de disparus sur le Net et aussi ceux que présentaient Yves Lines et Christophe Barbe dans leurs conférences. Bien sûr. Mais là c'était différent, je venais de me rendre compte de la puissance du réconfort qu'apportaient ces dialogues à un couple qui avait traversé la pire des tempêtes que l'on puisse rencontrer au cours d'une vie terrestre :

la perte d'un enfant. Ce « *Je vous aime* » bien audible qui m'avait donné la chair de poule, arrivant d'on ne sait où et prononcé on ne sait comment, valait bien les meilleurs antidépresseurs du monde. D'ailleurs, depuis qu'ils avaient découvert la TCI, Louis et Roselyne n'avaient plus besoin de médicaments pour calmer leur angoisse. En dépit de toute logique et contre toute attente, ils respiraient le bonheur. Convaincus tous les deux de l'existence d'une vie après la mort et rassurés de savoir que leur fils était heureux dans l'au-delà, ils avaient intégré cette disparition provisoire en savourant les petits plaisirs de la vie. Ils avaient compris que le plus beau jour de leur vie serait aussi celui de leur mort.

Dans cette situation, on comprend facilement que l'industrie pharmaceutique a tout intérêt à ridiculiser ce genre de phénomène, et dans cet objectif elle réussit fort bien. Connaissez-vous un seul médecin français qui s'intéresse à la TCI ? Personnellement, je n'en connais aucun.

Mon expérience à Caen, chez la sœur de François Brune, fut pour moi bien plus forte encore.

Un soir le père Brune me téléphona. Je me souviens parfaitement de notre conversation.

— *Peux-tu rester sur Caen le dimanche après notre conférence du samedi ? me demanda-t-il de sa douce voix si caractéristique.*

— Ah non, désolé, lui répondis-je. Je dois absolument partir après la conférence. J'ai un rendez-vous important sur Paris le dimanche matin et mon avion de retour sur Toulouse est déjà réservé. En plus j'ai un billet électronique qui n'autorise aucune modification d'horaire.

— Oh, c'est dommage, j'aurais vraiment aimé que tu sois là. Avec Yves Lines et Christophe Barbe on va faire une séance de TCI chez ma sœur. On espère avoir un contact avec mon frère décédé comme l'année dernière. L'année dernière c'était vraiment formidable. On a obtenu de magnifiques messages... Tu es vraiment certain de ne pas pouvoir venir ?

— Eh oui, malheureusement je ne peux vraiment pas resté le dimanche matin. Pourtant j'aurais bien aimé être avec vous. Je viendrai l'année prochaine... On peut remettre ça l'année prochaine, non ?

— Oh, je ne sais pas, je commence à être un peu vieux et fatigué, moi, tu sais, maintenant, me dit-il avec un petit rire enfantin.

— Désolé, mais je ne peux vraiment pas...

C'était sans compter les événements de la troisième nuit suivant ce coup de fil ! En effet, à 2 h 30, la lumière de ma chambre s'alluma trois fois, je ressentis une pression sur mes pieds et j'entendis dans ma tête, oui je dis bien j'entendis dans ma tête : « Va à Caen ! »

Mon épouse, réveillée par les signaux lumineux, n'avait perçu ni bruit ni parole. Elle n'avait pas non plus ressenti la moindre manifestation physique. Pas d'erreur, le message m'était bien destiné et il était pour moi très clair : je devais rester à Caen le dimanche pour assister à la séance de TCI du père Brune ! Tant pis pour le billet d'avion perdu, j'en achèterais un autre. En fait, je devais apprendre par la suite que l'acquisition de ce billet supplémentaire me fit éviter une grosse perte d'argent puisqu'il annula un rendez-vous pour une remise de manuscrit à un éditeur peu scrupuleux qui était réputé pour ne pas payer ses auteurs... Merci l'au-delà !

Dès le matin, je téléphonai au père Brune pour lui raconter lui mon aventure nocturne et annoncer que je resterais bien à Caen avec lui le dimanche matin. Après avoir écouté mon surprenant récit, il me dit en riant : « Eh bien dis donc, tu en as de la chance de recevoir de pareilles invitations de l'au-delà, moi ça ne m'est jamais arrivé ! »

Le 28 janvier 2007, le lendemain de ma conférence à Caen, nous nous rendîmes avec Jean-Claude Carton et sa compagne Sarah au domicile de la sœur de François Brune. Jean-Claude, ne voulant pas arriver les mains vides chez cette dame, décida au tout dernier moment d'amener une bouteille de champagne. Nous verrons par la suite l'importance de ce détail.

Nous arrivâmes bons derniers ; les participants étaient déjà assis autour d'une table ronde qui occupait l'intégralité du volume de la pièce principale. Le petit appartement de Claire Brune est aussi chaleureux que son occupante. Claire nous accueillit avec un généreux sourire et nous fit asseoir aux côtés des invités que nous saluâmes rapidement car les préparatifs étaient déjà en cours. Christophe Barbe et Yves Lines essayaient de trouver une fréquence correcte sur un poste de radio posé sur une nappe écrue à proximité d'un vieux magnétophone des plus rudimentaires. Tout en rangeant la bouteille offerte par Jean-Claude, Claire nous présenta Henriette et Geneviève, les deux filles du défunt. La petite assemblée alignée autour de la table attendait patiemment que la séance débute, avec à ma gauche : Armelle, la veuve de Jean-Pierre Jonquet décédé depuis plus de vingt-cinq ans, Christophe Barbe, Yves Lines, mon ami Henry Vignaud, Claire Brune, François Brune, Henriette, Geneviève, Sarah et Jean-Claude qui refermait le cercle sur ma droite.

Décidé à ne pas perdre la moindre information de cette expérience, je disposai sur mes genoux un cahier à ressort et sortis un stylo de mon sac de voyage. Christophe régla le curseur du poste de radio sur les ondes courtes d'émissions allemandes. Yves demanda ensuite à chacun d'entre nous de se recueillir pour prier. La plupart baissèrent la tête en fermant les yeux. Henry Vignaud cacha son visage dans ses mains. En ce qui me concerne, je demandai à Marie de m'aider comme je le fais chaque fois lorsque survient une grosse difficulté. Incontestablement, il se passait quelque chose de très fort dans cette pièce ; une énergie nouvelle envahissait progressivement les lieux. Une sorte de vibration spirituelle consécutive à nos concentrations respectives. Et tout cela montait, montait, de plus en plus fort et de plus en plus grand. Difficile de traduire ces instants avec des mots ou des adjectifs, tout cela est tellement indicible, tellement « inhumain », tellement... cosmique. Christophe Barbe rompit le silence en posant la première question :

Je demande l'autorisation aux guides supérieurs détablir cette communication avec Jean-Pierre Brune et je demande aussi à Jean-Pierre Brune s'il veut bien communiquer avec nous. Qu'a-t-il à dire à ses filles Henriette et Geneviève qui sont là pour le rencontrer aujourd'hui ?

Inquiets et à l'affût, nous attendîmes une trentaine de secondes avant que Christophe réitère sa demande :

— Jean-Pierre Brune, vos filles sont là, voulez-vous leur parler ?
— Papa, c'est Henriette, papa. Est-ce que tu vas bien ? Est-ce que tu es bien là-haut ?

La radio crachouillait toujours des sons inaudibles. Puis, en moins d'une minute, on perçut comme un souffle au milieu de cette cacophonie. Une sorte de chuintement grave d'une durée de deux ou trois secondes. Yves et Christophe se regardèrent en souriant. Ils avaient compris : Jean-Pierre Brune venait de répondre à sa fille.

Ensuite, les questions se succédèrent rapidement avec dans leurs intervalles toujours ce même signal sonore bizarre et tant espéré. Un signal qui deviendrait en fait par la suite un message clair lorsque Christophe ferait dérouler la bande au ralenti. Le plus stupéfiant étant que chaque message était la réponse précise à chacune des questions posées par les participants.

Voici donc ce dialogue reconstitué tel que j'ai pu l'entendre et l'écrire ce jour-là :

— *Papa, c'est Henriette, papa. Est-ce que tu vas bien ? Est-ce que tu es bien là-haut ?*

— *Je vous attends.*

Yves Lines. – *Jean-Pierre, pouvez-vous nous parler de votre évolution dans l'au-delà ? Avez-vous l'autorisation de nous le dire ?*

— *J'apprends des choses.*

Henriette. – *Papa, est-ce que tu as retrouvé maman ?*

— *On est arrivé. On est ensemble cette fois.*

Henriette. – *Est-ce que tu es bien là-haut ?*

— *C'est à côté.*

Tandis qu'un chant allemand intitulé « Les enfants de la lumière » est soudainement clairement audible à la radio, la voix de Jean-Pierre dit :

— *François.*
Christophe Barbe. – Jean-Pierre, quel message pouvez-vous donner à votre frère François et à votre sœur Clairette ?
— *Vous l'avez entendu.*

La mélodie allemande aux paroles hautement symboliques était donc destinée à François et Clairette.

Mais aussitôt, un autre message arriva pour François :

— *T'avais raison, c'est important.*

Le père Brune nous précisa que de son vivant Jean-Pierre ne comprenait pas l'importance que son frère accordait à l'au-delà et ce dernier message lui faisait comprendre qu'il avait maintenant changé d'avis.

Yves Lines passa sur un autre magnétophone un enregistrement de piano particulièrement apprécié par le défunt et demanda :

— *Jean-Pierre, est-ce que ce support de piano vous aide ?*
— *Oh, merci, merci, c'est beau.*

— *Jean-Pierre, existe-t-il une évolution dans l'au-delà ?*

— *Y'a quelqu'un qui m'apprend.*

Claire Brune – Jean-Pierre, qu'as-tu à dire à tes filles ?

— *Je les aime. La vie ne compte pas.*

Mais Claire Brune insista, car je crus comprendre que les filles du disparu traversaient une période particulièrement difficile sur le plan tant professionnel que familial :

— *As-tu un conseil à donner à tes filles concernant leur avenir ?*

— *Oui : ça s'arrangera.*

— *As-tu un message particulier pour Henriette ? précisa Claire.*

— *On la soutiendra.*

— *Jean-Pierre, as-tu un message pour Rosette ? demanda le père Brune qui s'inquiétait pour la santé de sa sœur aînée.*

— *Oui, elle est très fatiguée. N'attends pas.*

— *Oui, je vais aller la voir, elle va sans doute bientôt partir, murmura le père Brune.*

— *Jean-Pierre, étiez-vous avec nous à la conférence hier ? demanda Yves Lines.*

Nous n'obtînmes aucune réponse à cette question en TCI, mais Yves la posa car Christophe Barbe avait reçu une information quelques heures plus

tôt en écriture inspirée concernant la « présence »
de Jean-Pierre Brune à cette réunion.

*Christophe Barbe. – Est-ce que le petit verre de
whisky vous manque dans l'au-delà, Jean-Pierre ?*
*— Tu bois toujours ton petit verre de whisky ?
plaisanta François Brune.*
— La bouteille !

Cette réponse inattendue nous fit beaucoup
rire ; l'humour existe aussi de l'autre côté du voile.

*Christophe Barbe. – Je m'adresse maintenant à
un guide : est-ce que vous pouvez transmettre un
message de la part de Jean-Pierre ? Pourrait-on
avoir un message de la part de Jean-Pierre Jonquet ?
Jean-Pierre, voulez-vous donner un message à
Armelle ? Est-ce qu'un guide pourrait transmettre
un message de Jean-Pierre Jonquet à son épouse
Armelle ici présente ?*

Pas de réponse... Malheureusement pour
Armelle qui était venue de loin pour avoir un
signe de son mari disparu depuis de nombreuses
années.

*Christophe Barbe. – Avant de vous quitter, je
m'adresse à Jean-Pierre Brune. Pouvez-vous nous
donner un dernier message, s'il vous plaît ?*
— Merci de votre appel.

— On remercie les guides venus pour Jean-Pierre. On les remercie d'avoir permis ce contact. On vous remercie beaucoup, Jean-Pierre, ainsi qu'à tous vos guides. Merci beaucoup à tous.

L'enregistrement n'avait pas duré plus de vingt minutes. J'étais encore sous le choc de cette communication lorsque Christophe Barbe nous lut son texte reçu en clairaudience en début de matinée. Je reproduis ici les passages les plus émouvants « dictés » à Christophe par Jean-Pierre Brune.

Je me sens beaucoup plus léger, fluidique. Ici les apprentissages sont multiples. La connaissance est partout. François, j'ai compris maintenant ta dévotion que je ne comprenais pas avant. Bien entendu, je vous ai vu et entendu hier en conférence. Chaque photon de ma photo m'a replongé dans mon passé à Cherbourg[1].

Je n'ai rien oublié. Ici tout subsiste, même les regrets. Le retour d'Armelle est bien. Elle évolue[2]. Apprenez à vivre ensemble.

Je vous ai écouté hier. Toi aussi François. Je viendrai avec vous ce soir. Aubert est saint et

---

1. Une photo de Jean-Pierre Brune a été effectivement projetée lors de la conférence. Claire nous précisa que cette photo avait été prise à Cherbourg et qu'elle seule pouvait être au courant de ce détail.
2. Jean-Pierre fait allusion au scepticisme d'Armelle qui jusque-là ne croyait absolument pas à la TCI.

médium. Aubert était canal. Il a un jour reçu la grâce de Dieu qui de son doigt a touché le Sylvius. Jacques en a parlé hier. À cette époque, on torturait le corps pour sauver les âmes et comme pour tous ces miracles, tout a été brûlé[1].

Oui, mes filles, merci pour tous ces efforts. Je me manifeste à travers la musique et l'électricité.[2]

Ayez du discernement dans vos actions. Écoutez votre cœur. Les temps sont durs. Je vais essayer de vous dire combien je vous aime. François, tu as écouté mes conseils, tu as dû t'éloigner des rapaces[3]. Il faut que tu dormes le buste sur-élevé[4].

---

1. Le père Brune nous donna l'explication de ce passage faisant référence à l'historique du Mont-Saint-Michel, qui était la promenade programmée pour l'après-midi. Saint Aubert avait été touché à la tempe par le doigt de l'archange Gabriel pour qu'il bâtisse le Mont-Saint-Michel (détail totalement ignoré par Christophe qui ne savait même pas qui était saint Aubert). Je précisai pour ma part que la scissure de Sylvius désignait parfaitement le lobe temporal du cerveau que j'avais évoqué dans ma conférence sur les NDE ; « Jacques en a parlé hier. » (Je ne m'appelle pas Jacques, mais bon… Jean-Pierre est pardonné)

2. Confirmé par Geneviève qui nous raconta que chez elle, depuis le décès de son père, des lumières s'éclairaient spontanément et sa radio s'allumait toute seule.

3. Le père Brune nous dit qu'il comprenait ce message mais préféra rester discret sur sa signification…

4. Un reflux gastro-œsophagien consécutif à une hernie hiatale contraint effectivement le père Brune à dormir avec le buste surélevé. « Vous allez tout savoir sur mon intimité, alors ! » nous dit-il en riant après avoir confirmé ce détail de son anatomie.

Je me joins à vous par cette coupe, même s'il n'y en a pas assez[1] ! »

Quelques mois après cette magnifique journée qui fut pour moi une véritable révélation sur la réalité des contacts obtenus en TCI, j'eus l'opportunité et le grand plaisir de tourner un film avec le père Brune[2]. Dans ce documentaire, qui est en fait une discussion entre nous deux, François Brune expose les réticences rencontrées pour communiquer sur un sujet aussi complexe que la TCI. Ces difficultés ressemblent étrangement à celles que j'affronte pour informer la communauté scientifique de l'existence du phénomène NDE. Le père Brune résuma parfaitement la situation en disant :

En Occident, particulièrement en Europe, nous vivons dans un monde matérialiste, athée, déchristianisé, et de ce point de vue c'est en France que nous battons tous les records ! Ce silence assourdissant autour du phénomène de l'après-vie est incompréhensible compte tenu de ce que l'on sait déjà sur la TCI et les NDE. Dans quelques années, on se demandera comment autant d'intellectuels ont pu rester aussi longtemps « bouchés » sur la question.

---

1. Effectivement, en écoutant ce texte, Claire déboucha la bouteille de champagne amenée par Jean-Claude Carton. Et effectivement encore, il n'y avait pas suffisamment de coupes pour trinquer !

2. BRUNE F., CHARBONIER J.-J., *Science et spiritualité : NDE et TCI* Debowska Productions Film, 2007.

Nul ne peut contester le fait que la plupart des gens ont plus de mal à accepter la TCI que la NDE. Le point commun de ces deux phénomènes est d'être un puissant réconfort en période de deuil en donnant l'espoir d'une éternelle survivance.

Comme je l'ai évoqué en début de chapitre, beaucoup de mes amis m'ont lâché en apprenant mon intérêt pour la TCI. Pour donner un exemple concret, Sonia Barkallah a supprimé mon lien de son site Internet parce que je présente la transcommunication comme un phénomène digne d'intérêt. Je comprends tout à fait ses réticences. Sonia ne souhaite pas faire peur aux scientifiques qui commencent à peine à s'intéresser aux NDE en présentant des phénomènes encore plus atypiques. Sonia et moi, nous avons une action apparemment contradictoire : elle érige des barrières entre le monde scientifique et le monde spirituel, alors que, précisément, toute ma démarche consiste à faire exactement l'inverse. Mais tout cela n'est qu'une apparence car nous œuvrons en fait dans le même sens. Mais oui, absolument ! Observez par exemple ce qui se passe en ouvrant une bouteille de vin : une main tourne le goulot dans le sens opposé de la main qui tient le tire-bouchon, et il faut qu'il existe cette action combinée et apparemment contradictoire des deux mains pour que le bouchon monte ! Sonia et moi, nous contribuons à notre petit niveau de savoir-faire et de faire-savoir à l'ascension du bouchon, et un jour viendra où la survivance sera pour tout le monde une évidence absolue. Mais d'ici là, beaucoup de progrès doivent encore être accomplis, notamment sur le plan de la spiritualité.

Lors du tournage du film, j'ai demandé au père Brune si les personnes qui participent aux séances de TCI influencent les contacts. Ils me répondit par l'affirmative. Selon lui, l'éveil spirituel des participants favorise nécessairement la qualité des communications, et les contacts faits à Caen avec son frère étaient d'excellente qualité car nous étions tous des gens avertis. Il précisa qu'il suffit parfois d'une seule personne sceptique ou récalcitrante pour que la communication ne se fasse pas. Il ajouta en souriant qu'il existe aussi une influence des lieux ; l'appartement de sa sœur est un endroit où son frère aimait bien séjourner trois ou quatre jours avant de repartir chez lui.

Je dois terminer ce chapitre consacré à la TCI par une mise en garde importante soulignée régulièrement par le père Brune. Il ne faut jamais commencer tout seul ce genre de pratique. Il existe de nombreux exemples de parents traumatisés par le départ brutal d'un enfant qui, mal encadrés et pas du tout préparés, ont entendu au cours de leurs enregistrements de violentes insultes issues d'entités du bas astral qui n'ont fait qu'aggraver leur détresse. Il est plus que souhaitable dans un premier temps de demander à des équipes entraînées de faire des enregistrements pour soi, et ensuite, si l'envie est là, de commencer la TCI avec un matériel adapté en étant accompagné de compétences reconnues tout en restant vigilant sur les tentatives d'escroqueries qui sont, hélas pour cette discipline, encore trop fréquentes.

CHAPITRE 16

LA RÉINCARNATION

On me demande régulièrement à la fin de mes conférences ce que je pense de la réincarnation. Le médecin que je suis ne peut pas avoir d'avis définitif sur la question, mais, mon intuition, mon expérience et mes recherches personnelles me poussent à considérer la réincarnation comme un phénomène logique et naturel.

QUELLES PREUVES ?

En toute objectivité, il faut bien reconnaître qu'il est aujourd'hui logique d'admettre que la réincarnation relève du domaine de la foi, car les impressions de déjà-vu, les marques de naissance ou les régressions sous hypnose sont insuffisantes pour prouver de façon formelle sa réalité. Toutefois, il existe actuellement bon nombre d'arguments pour défendre cette conviction ou cette croyance partagée par les deux tiers des habitants de cette planète[1].

Deux de mes illustres confrères, les Drs Ian Stevenson et Brian Weiss, ont étudié de près et de façon scientifique le phénomène de la réincarnation.

Les travaux de Ian Stevenson

Né à Montréal en 1918, Ian Stevenson a achevé sa dernière vie terrestre à Charlottesville aux États-Unis le 8 février 2007. Ce médecin, qui a œuvré depuis 1967 à l'Université de Virginie où il dirigeait la section d'étude de la personnalité au sein du département de médecine psychiatrique, restera sans nul doute un des scientifiques qui aura le plus contribué à faire connaître le phénomène de la réincarnation à ses contemporains. Il est l'auteur de nombreux articles publiés dans des revues médicales, de travaux sur plusieurs sujets connexes comme la xénoglossie[2] et d'ouvrages majeurs incontournables[3] lorsqu'on s'intéresse à cette question très controversée par les rationalistes.

---

1. GIRARD J.P., *Encyclopédie du paranormal, op. cit.*, p. 595.
2. Xénoglossie : faculté de parler des langues jamais apprises.
3. STEVENSON I., *20 Cas suggérant le phénomène de réincarnation*, éd. Sand, 1985 ; *Les Enfants qui se souviennent de leurs vies antérieures*, éd. Sand, 1995 ; *Réincarnation et biologie – La croisée des chemins*, éd. Dervy, 2002.

Les marques de naissance attribuées à un incident survenu dans une incarnation passée tel que traumatismes, blessures ou interventions chirurgicales sont de son point de vue les preuves les plus solides pour asseoir la thèse réincarnationniste. Il rejoint par ce biais les spirites qui prétendent qu'un périsprit[1] souffrant de blessures reçues par le corps matériel garde intacts les stigmates d'une guérison incomplète dans une nouvelle réincarnation si celle-ci est trop précoce.

Son étude minutieuse et détaillée portant sur les témoignages de 2 500 jeunes enfants lui a permis de ne retenir que 20 cas qui conservaient des souvenirs précis et vérifiables de vie antérieure. Il a déduit de ses travaux qu'un enfant ne peut rapporter l'expérience et le vécu d'une précédente incarnation que sur une très courte période qu'il situait entre trois et cinq ans, car avant cet âge les moyens d'expression sont trop réduits, tandis qu'après l'oubli commence à s'installer.

En s'intéressant de plus près au développement de la personnalité, ce psychiatre s'est interrogé sur le cas de patients atteints de troubles du comportement – tels que phobies de l'enfance, sensation de ne pas appartenir à son identité sexuelle – ou de malformations congénitales ne trouvant aucune explication génétique ou environnementale, et a envisagé

---

1. Périsprit : véhicule psychique de l'être ou corps astral.

de rechercher l'étiologie de ces maladies dans les vies antérieures. En revanche, il ne croyait pas au bien-fondé des régressions sous hypnose et, lorsqu'on l'interrogeait à ce propos, il déclarait : « La plupart des personnalités qui émergent sous hypnose sont entièrement imaginaires et résultent du désir qu'éprouve le sujet d'obéir aux suggestions de l'hypnotiseur. [...] La plus grande partie de ce qui se produit sous hypnose est une fantaisie. »

À la fin de sa vie, Ian Stevenson reconnaissait volontiers qu'il n'y avait véritablement aucune preuve évidente de l'existence de la réincarnation, mais il pensait que cette réalité universelle dans le temps et dans l'espace serait un jour reconnue comme un phénomène normal à part entière.

Les thérapies de Brian Weiss

Né à New York en 1944, le Dr Brian L. Weiss est un psychiatre spécialiste de la thérapie sous hypnose. Il utilise les fondements de la psychanalyse freudienne, qui trouve l'origine des névroses dans les blessures du passé, le traitement de ces dysfonctionnements psychologiques reposant sur la prise de conscience par le patient de ces traumatismes initiaux. L'originalité de sa démarche vient du fait que les recherches des anciennes souffrances existentielles ne se font pas dans l'enfance, mais plutôt dans les vies antérieures !

Il découvrit fortuitement ce mécanisme pour le moins original alors qu'il utilisait l'hypnose pour aider une patiente à retrouver certains événements traumatisants de son enfance. Le Dr Weiss eut la surprise de l'entendre évoquer des souvenirs vieux de quatre mille ans ! La jeune femme venait de régresser vers une vie antérieure. Intrigué, le psychiatre a renouvelé l'expérience avec d'autres patients et a ainsi recueilli plusieurs centaines de témoignages troublants. Les sujets traités sous hypnose étaient non seulement convaincus de leur immortalité, mais aussi guéris de leurs différents troubles : problèmes d'addiction, obésité, dépression, désordres relationnels, etc[1]. Il propose des techniques d'auto-hypnose pour régresser dans les vies antérieures.

Les autres chercheurs

Mais avant Brian Weiss et Ian Stevenson, d'autres médecins se sont passionnés pour la réincarnation[2].

Allan Kardec (1804-1869), linguiste français et grand pédagogue, fit des études de médecine avant de devenir le codificateur et le fondateur

---

1. WEISS B.L., *Nos vies antérieures, une thérapie pour demain*, éd. J'ai lu, 2007.

2. Voir www.spiritisme-toulouse.com.

du spiritisme moderne. Sa tombe est en forme de dolmen pour rappeler aux visiteurs du cimetière du Père-Lachaise son ancienne incarnation de druide. Sur la pierre est gravée une phrase désormais célèbre : « Naître, mourir, renaître encore, progresser sans cesse, telle est la loi. » De lui encore cet aphorisme : « Tout effet a une cause, tout effet intelligent a une cause intelligente, la puissance de la cause intelligente est en raison de la grandeur de l'effet[1]. »

Cesare Lombroso (1835-1909), professeur criminologiste et psychiatre italien, disait à propos du spiritisme : « On traite cette discipline de supercherie, ce qui dispense de réfléchir. Je suis maintenant confus d'avoir combattu la possibilité des phénomènes spirites. »

Arthur Conan Doyle (1859-1930) est connu d'avantage en tant qu'écrivain créateur du personnage de Sherlock Holmes qu'en qualité d'auteur d'ouvrages spirites. Il était aussi médecin. Il affirmait avoir vu en présence de témoins sa mère et son neveu décédés. Aux sceptiques, il disait : « Je ne suis ni menteur ni fou, et je laisse à ceux qui me connaissent et à l'ensemble de mon œuvre le soin d'en décider. »

Gustave Geley (1868-1924), médecin français qui expérimenta les phénomènes ectoplasmiques, est le fondateur de l'Institut métapsychique de Paris.

---

1. KARDEC A., *Le Livre des esprits*, éd. Dervy, 2002.

À cette époque de nombreuses personnalités s'intéressaient au spiritisme et écrivaient sur le sujet. Parmi elles, on peut noter Victor Hugo (1802-1885), l'astronome français Camille Flammarion (1842-1925) ou encore le Pr William Crookes (1832-1919), chimiste et physicien britannique, membre de la Royal Society, tout comme son compatriote le Pr Olivier Lodge (1851-1940), Recteur de l'Université de Birmingham, qui écrivait : « Je m'affirme spirite parce que, après plus de vingt années d'études, j'ai eu à accepter les phénomènes comme une réalité. » Le célèbre inventeur américain Thomas Edison (1847-1931), persuadé qu'un lien était possible entre l'au-delà et nous, alla même plus loin dans la recherche spirite en essayant d'inventer une machine pour communiquer avec les esprits.

Il m'arrive d'être invité à faire des conférences dans des cercles spirites, disciples d'Allan Kardec. Au fil de nos discussions, je me suis rendu compte que les conclusions de mes recherches et de mon expérience sont très proches de ce qui est enseigné par la philosophie spirite, en particulier :

L'existence d'une vie après la mort.

L'existence d'un corps astral « habitant » un corps matériel.

Ma conception du comateux exposée aux chapitres précédents.

L'élévation du corps astral au moment de la mort.

La réincarnation.

La réalité du monde de l'Invisible.

La possibilité de communication avec l'au-delà.

Les vertus de la prière.

L'origine divine de la vie.

L'existence d'une vie extra-terrestre.

En fait, le mouvement spirite fait peur à bien des gens car, par ignorance totale de sa finalité, il est assimilé à une religion sectaire dans un raccourci facile. Il suffit de lire sans préjugé les écrits d'Allan Kardec pour se rendre compte que le spiritisme se détache avec fermeté de toutes les supputations hermétiques de l'occultisme, de l'ésotérisme ou de la magie.

Le spirite ne vit pas dans l'au-delà, dans le refus de la réalité physique, matérielle et sociale de son existence. Le spirite, conscient de son éternité et de la relativité de ses connaissances, utilise le contact avec l'Invisible dans le but de transformer sa conscience, de partager sa métamorphose dans la proposition d'une société plus juste, à dimension planétaire. Ne souffrant d'aucune sorte de dogme et de rite initiatique, le spiritisme s'adresse à tous les hommes avides de connaissance et d'émancipation morale et intellectuelle. L'homme spirite dépasse les frontières habituelles du raisonnement établi, il sait que le corps provisoire est là pour le conduire vers l'amélioration de son esprit qui n'aura pas de fin. Il sait que l'Univers est peuplé de milliers de planètes habitées et que la puissance fictive dans les sociétés de la Terre doit un jour disparaître au profit de la reconnaissance de la vie extraterrestre[1].

En ce qui concerne la réincarnation, ici encore l'absence de preuve n'est pas la preuve de l'absence, et si certains scientifiques ne veulent pas entendre parler du phénomène, d'autres ont voulu donner des explications rationnelles aux impressions de déjà-vu ou de déjà-vécu. Mais en fait, comme nous allons le démontrer, aucune des théories proposées ne permet d'éclairer l'expérience des vies antérieures.

Certains parapsychologues ont prétendu que le rappel de vies antérieures s'effectuait par des intrusions télépathiques dans la vie d'autrui, mais si on suit cette hypothèse simpliste, on peut légitimement se demander quelle serait la raison qui favoriserait cette spécificité de connexion télépathique. Les personnes disant avoir vécu des vies antérieures ne sont pas toutes réputées douées pour la télépathie, loin s'en faut !

1. CHATEIGNER K., *Le Nouveau Livre des esprits*, éd. Labuissière, 2003.

D'autres chercheurs soutiennent que le rappel de vies antérieures est un phénomène biologique qui résulterait d'une mémoire ancestrale, historique, raciale et collective s'étendant sur plusieurs siècles et sur plusieurs générations et véhiculant des informations génétiques transmissibles par nos chromosomes. Cela expliquerait certaines phobies ou répulsions innées, comme la peur des rats – une terreur bien utile à l'époque où il fallait fuir ces petites bêtes transmettant la peste, mais qui n'a véritablement plus sa raison d'être aujourd'hui. En fait, cette théorie est valable pour comprendre les comportements humains dépendants de l'environnement, mais elle ne permet absolument pas d'éclairer sur la perception des détails et des événements précis survenus dans les vies antérieures des sujets se disant réincarnés.

Des études récentes ont mis en évidence que l'impression de déjà-vu pouvait être expliquée par des décharges électriques non synchronisées d'une partie élective du cerveau qui est le siège de la mémoire visuelle. Ce même phénomène a été reproduit par la stimulation électrique de cette zone pendant une opération. Cela nous rappelle la fameuse stimulation du gyrus angulaire décrite dans les chapitres précédents qui reproduit une vision autoscopique externe, autrement dit une hallucination bien différente de la décorporation des expérienceurs. Dans le cas qui nous intéresse ici, lorsque la partie mnésique du cortex rhinal[1] est stimulée, la nouvelle information visuelle est étiquetée « nouvelle ». Si cette zone est non fonctionnelle, l'étiquetage ne se fait pas et la scène visualisée est donc assimilée comme étant « déjà vue ». Ici encore, cette explication paraît insuffisante car comment des aveugles de naissance pourraient dans ces conditions avoir reçu des images ou des films de vies antérieures ? D'autre part, les sujets se visualisant dans des époques éloignées avec des costumes, des moyens de locomotion ou dans des décors très anciens n'ont jamais eu ce genre de situation à mémoriser puisqu'ils ne les ont jamais vues, tout au moins dans leur « dernière vie ».

MON EXPÉRIENCE PERSONNELLE

Il paraît qu'à l'âge de six ans je voulais absolument me rendre au château de Montségur. Je réclamais cette visite avec une surprenante insistance. Mes parents se demandaient pourquoi je voulais aller dans ce lieu dont personne ne m'avait jamais parlé. Ma mère dit toujours la même chose lorsqu'on évoque le sujet :

« Tu nous as tellement agacés avec ça qu'un jour ton père a décidé de t'emmener là-bas. Tu

---

1. Zone particulière du cerveau.

parles d'une expédition ! Six heures de route aller-
retour ! Une mauvaise route, en plus, étroite et
sinueuse au possible ! »

Le château de Montségur

Montségur, ce haut lieu historique dernier bas-
tion de la religion cathare où furent brûlés vifs le
16 mars 1244 les ultimes cathares qui refusaient
de se plier aux dogmes de l'Église romaine. Ce
jour-là, animés d'une foi sans faille, hommes,
femmes et enfants préférèrent le bûcher à l'abju-
ration. Ils moururent en martyrs sur le champ des
Crémas au pied de la « Synagogue de Satan » pour
avoir eu l'outrecuidance de penser que l'enseignement christique était contenu dans l'Évangile de
Jean et non pas dans les recommandations du
pape Innocent IV qui les traitait d'hérétiques. Il
faut dire qu'au XIIIᵉ siècle les cathares, qui évan-
gélisaient largement la population en toute humilité et pauvreté, faisaient ombrage au pouvoir du
clergé occitan. Leur crédibilité étant renforcée par
leur pauvreté et leur participation aux travaux des
paysans et des artisans, ils disaient à qui voulait
l'entendre que le Ciel était au plus profond de
leur âme et que chaque être le découvrirait dans
la vie présente ou lors d'une autre incarnation. Le
converti devenait un nouveau « revêtu » à l'issue
d'une cérémonie appelée le « consolamentum ».
Commençait alors pour lui une longue période

de plusieurs années d'exercices spirituels dont les détails restent mystérieux. Le système philosophique cathare présente la réincarnation comme un processus ascendant avec une succession de vies terrestres qui confortent les acquis antérieurs, et certaines citations laissent penser qu'il existait des prédicateurs qui incluaient les animaux dans cette progression : « Quand ce cheval fut mort, son âme entra dans le corps d'un homme qui fut bon chrétien[1] » ou même les végétaux : « Il ne faut jamais faire souffrir un arbre[2]. » Il faut noter que la transmigration de l'âme vers n'importe quelle forme vivante, animal ou végétal, qui porte le nom de « métempsycose » ne fait pas état de cette progression obligatoire. En fait, les prédications cathares étaient plutôt optimistes : « La paix et le bonheur reviendront dans le Royaume lorsque la dernière des âmes perdues aura été sauvée[3] » et pour ceux et celles qui n'étaient pas « parfaits », il restait le sort du commun des mortels : la réincarnation.

Il y a plus de quarante-quatre ans, en arrivant au pied du pog sur lequel est érigée la forteresse, je suis sorti de la voiture de mes parents comme un diable à ressort surgissant de sa boîte. Je courais partout. J'étais comme un fou. Mes petites

---

1. BLUM J., *Les Cathares – Du Graal au secret de la mort joyeuse*, éd. du Rocher, 1999, p. 180.
2. *Id.*, *ibid.*, *op. cit.*
3. Source inconnue de l'auteur.

jambes d'enfant parcoururent le sentier qui mène au château en un temps record. J'allais si vite que personne n'aurait été capable de me rattraper, m'a raconté mon père lors de notre dernier pèlerinage dans ce lieu magique. Oui, magique, c'est le mot exact. La magie de Montségur opère dès que vous approchez ! Enfin, pour moi il en a toujours été ainsi. Je ne connais pas un seul endroit au monde où je me sente aussi bien. Pourquoi ? Mystère, c'est comme ça ! Ce lieu me ressource, me revitalise, me redonne le moral, me recharge en énergie positive. Lorsque j'ai un problème ou que je me sens fatigué, je vais là-bas. Facile, j'habite en face du château ! J'ai fait bâtir ma maison tout près. Étonnant, me direz-vous ? Non, logique ! Oui, logique, tout simplement. Pourtant, il en a fallu des « hasards » et des « concours de circonstances » avant que j'en arrive à réaliser cette construction sur ce site privilégié. Ils sont même tellement nombreux qu'il serait trop fastidieux de les rapporter ici. Le résultat est là : de l'endroit où je saisi ces lignes, je vois… le château de Montségur.

Il existe aussi des gens qui ne se sentent pas bien du tout à Montségur. Mon ami Jean-Claude Carton, qui est l'animateur radio de « Plus près des étoiles », une formidable émission parisienne axée sur la spiritualité et le paranormal à laquelle j'ai participé à plusieurs reprises, a eu l'occasion de s'en apercevoir à ses dépens. Venu me rendre une petite visite amicale chez moi et ayant un peu d'avance sur notre rendez-vous, il voulut profiter de ce délai pour escalader le piton rocheux menant au château. Bien mal lui en prit : il ne put même pas sortir de sa voiture ! Une profonde angoisse et un malaise insupportable le saisirent brutalement, le contraignant à rebrousser chemin dans les plus brefs délais.

Montségur... j'en rêve et j'en ai rêvé

Souvent le soir, avant de m'endormir ou en période de relaxation, en écoutant de la musique douce ou dans un hammam, je revois toujours la même scène : des pieds nus émergent d'une robe de bure sur un sol caillouteux. Ce sont mes pieds. Et je les observe comme si c'était moi qui marchais. De temps à autre des larmes blanches tombent sur mes orteils. Ce sont des gouttelettes de lait car je porte du lait dans une sorte de jarre de terre posée sur mon épaule droite. Le chemin grimpe, je fatigue et le récipient rempli à ras bord me pèse énormément. Il y a beaucoup de monde autour de moi, ça grouille. On me bouscule. J'ai bien du mal à me frayer un passage dans cette rivière humaine qui déferle sur moi comme si elle fuyait quelque chose de terrible. Des volailles et des cochons sont en liberté au milieu de la foule qui hurle sa terreur. Je suis dans un village à flanc de montagne. Je lève la tête pour reprendre mon souffle et face à moi, alors que je suis ébloui par le soleil, je distingue péniblement la silhouette... de la face sud du château de Montségur.

Je devais apprendre plus tard, lors d'une visite guidée, qu'il y avait effectivement un village cathare à l'endroit exact où je visualise régulièrement cette laborieuse montée.

Montségur m'inspire

Dans mon premier roman *Coma dépassé* je décrivais ainsi l'ascension du piton :

> *Dans les derniers mètres, la marche devient périlleuse, les pierres roulent sous les pieds. Pour ne pas glisser, il faut s'accrocher aux branches tourmentées et trapues des arbustes voûtés. L'abîme est partout, guettant le moindre faux pas. L'architecture spectrale grossit au fur et à mesure de la lente progression. Le gris mordoré qui définit ses contours la rend de plus en plus menaçante, de plus en plus envoûtante. Ses murs paraissent gigantesques, inaccessibles. Étrange sensation repoussante. Terrible envie de rebrousser chemin, de fuir ce monstre minéral aux tentacules de rocaille[1].*

On comprend bien qu'ici, le héros de l'histoire n'apprécie guère l'endroit !

---

1. CHARBONIER J.-J., *Coma dépassé, op. cit.*, p. 53.

Pourquoi pas une vie antérieure à l'époque des cathares ?

Ce ressenti particulier que j'ai à Montségur suscite de nombreuses questions. Pourquoi avoir voulu rejoindre cet endroit dès ma plus tendre enfance ? Comment aurais-je pu dès l'âge de six ans connaître son existence sans que personne ne m'en parle ? Pourquoi éprouver autant de bonheur à être dans ce lieu ? Pourquoi avoir eu autant de facilité pour habiter à proximité ? Pourquoi avoir ces flashs itératifs où je me trouve incarné en ce porteur de lait dans un endroit qui a existé mais dont j'ignorais tout ? Pourquoi ressentir ce poids douloureux sur une épaule qui a miraculeusement guéri après mon séjour à Lourdes ?

Lorsqu'un scientifique est soumis à des données inexpliquées, il cherche et propose un modèle théorique qui règle le problème et il propose une solution : « Tout se passe comme si… jusqu'à preuve du contraire. » Autrement dit, la théorie reste valable jusqu'à ce qu'une autre donnée vienne la contredire. Il faut bien reconnaître ici que toutes les questions précédentes sont résolues en acceptant le modèle de la réincarnation cathare. En fait, jusqu'à preuve du contraire et en toute logique, tout se passe comme si j'avais déjà vécu une vie antérieure se situant à Montségur à l'époque des cathares ! Malheureusement, je ne devais pas être suffisamment « parfait » pour mériter ce nouveau passage terrestre actuel ! Si telle est la règle du jeu, je suis certainement bon pour faire au moins un tour supplémentaire (à moins de changer radicalement de vie dès à présent, hypothèse qui me semble tout à fait improbable)... Et que ceux qui ne sont pas d'accord avec ça me prouvent le contraire !

NDE, PHYSIQUE QUANTIQUE ET RÉINCARNATION

Nous avons vu dans les chapitres précédents que la Lumière approchée par les expérienceurs pouvait être assimilée à l'univers superlumineux tachyonique ; une dimension particulière où le temps ne s'écoule plus puisque futur, présent et passé sont confondus ; une unité divine, à la fois source de toute création et de la connaissance universelle appelée « supraconscience » par certains ou « champ akashique » par d'autres. Nous avons également démontré que la délocalisation de la conscience au moment des NDE n'était pas une hallucination mais une décorporation bien réelle laissant admettre d'autant plus facilement la dissociation du corps et de l'esprit, et par voie de conséquence la survie de « l'âme » après la mort.

En allant rejoindre un univers superlumineux intemporel, l'âme du défunt « délocalisée » dans le temps et dans l'espace pourrait donc se projeter non seulement dans une vie future mais aussi dans une vie passée voire même présente ! Ainsi, en acceptant le concept de la réincarnation, nous pouvons envisager l'existence de vies antérieures – théorie classiquement admise par les spirites et les grands courants de pensée orientaux que sont l'hindouisme et le bouddhisme –, mais aussi celle de vies postérieures et même présentes ! Selon un principe de non-localité, des entités pourraient donc être réincarnées ici et maintenant simultanément à un décès tandis que d'autres viendraient... du futur ! Ainsi, les enfants indigo[1] et autres sujets surdoués ou géniaux nous apporteraient des informations, une connaissance et une sagesse acquises non pas dans une vie antérieure mais plutôt dans une vie postérieure vécue dans notre propre futur. Le jeune Mozart avait peut-être appris la musique en 2012 ! Les inventions de Léonard de Vinci laissent perplexe : où à-t-il puisé son inspiration pour dessiner des hélicoptères, des sous-marins et des automobiles ?

---

1. Le concept d'enfant indigo a été inventé par une parapsychologue, Nancy Tappe, qui affirme observer les « auras » de différentes couleurs autour de certaines personnes, dont la couleur indigo, et a été repris par des auteurs américains tels que Lee Carroll et Jan Tober, qui prétendent que ces enfants posséderaient des aptitudes psychologiques et spirituelles surdéveloppées voire même certains pouvoirs paranormaux. Beaucoup soulignent qu'il y aurait de plus en plus d'enfants indigo nés ces dernières années.

En revanche, dans le cas hypothétique d'une « réincarnation simultanée », l'entité passerait sans délai d'un corps à un autre au moment du décès. Le courrier de Marie-Rose B. évoque ce phénomène particulier :

Cher docteur,

En consultant votre site Internet, j'ai vu que vous faisiez des recherches sur les possibilités télépathiques des comateux. J'aimerais savoir s'il me serait possible de communiquer de cette façon avec mon mari qui a perdu la parole depuis un accident de la route qu'il a eu en août 2001. Il a fait dix semaines de coma et il s'est réveillé avec une grande invalidité puisqu'il est entièrement paralysé et il ne parle plus. Son frère qui était à côté de lui dans la voiture a été tué sur le coup. J'ai l'impression que cette communication télépathique est possible avec lui parce qu'il comprend des choses par la pensée avant que je lui parle, mais moi je n'arrive pas à savoir ce qu'il pense et j'aimerais bien y arriver parce qu'il y a des moments où je sens qu'il veut me faire comprendre des choses que je ne comprends pas. Je pense qu'il a été très affecté par la mort de son frère et qu'il se sent responsable de sa mort puisque c'est lui qui conduisait la voiture. Il était très proche de son frère mais aussi très différent de lui. Son frère était coléreux, nerveux, méchant, égoïste, tout l'inverse de mon mari et je ne m'entendais pas du tout avec lui. C'était un homme très dur qui a fait énormément souffrir sa femme avant son divorce. Maintenant mon mari, se comporte exactement comme se comportait son frère et je ne le reconnais plus. On dirait qu'il fait tout pour lui ressembler, il aime même manger des choses qu'il détestait avant et que son frère aimait. Pensez-vous que cette réaction est en rapport avec sa culpabilité qu'il a de l'avoir tué dans l'accident ? Pouvez-vous me dire ce que je peux faire pour que mon mari soit plus gentil avec moi et surtout avec ses enfants qu'il aimait plus que tout ? Merci, cher docteur, de bien vouloir me le dire et merci aussi pour le travail que vous faites.

En fait, dans ce témoignage, tout se passe comme si l'entité du frère était venue « habiter » le corps terrestre de Mr B. au moment de l'accident. Le changement radical de personnalité évoque fortement ce processus. De plus, à ma connaissance, un coma, même prolongé, n'entraîne jamais une modification des goûts alimentaires. Dans cette hypothèse, le nouveau mari de Marie Rose B. serait peut-être... son beau-frère décédé qu'elle détestait tant !

Sylvie est infirmière et travaille avec moi en chirurgie ophtalmologique. Au cours de la traditionnelle pause-café de 10 heures, après avoir entendu l'histoire de Marie-Rose B., elle me dit :

« J'avais l'intuition que toutes ces choses étaient possibles. J'ai dans ma famille un cas comme celui que vous venez de raconter ; une cousine qui a accouché de jumeaux, un garçon et une fille. L'accouchement s'est mal passé et seul le garçon a survécu. Toute sa vie, le fils de ma cousine a refusé sa sexualité. Il est transsexuel et a subi tout un tas d'interventions chirurgicales pour ressembler à une femme. Moi, je n'ai jamais rien dit à personne mais j'ai toujours pensé que c'était l'identité de sa sœur jumelle qui était en lui. »

Au cours des états modifiés de conscience des expérienceurs ou des médiums, il arrive aussi quelquefois que des défunts se matérialisent dans des situations totalement inhabituelles ; ils sont habillés avec un costume qu'ils ne portaient pas ou exercent un métier qu'ils ne connaissaient pas. En considérant la théorie des cordes de la physique quantique, on peut imaginer que ces visions correspondent à d'autres vies situées dans des mondes parallèles. Des mondes parallèles invisibles qui seraient confondus avec le nôtre ici et maintenant, tout en étant perceptibles par des flashs médiumniques obtenus en état de conscience modifié. Le cerveau fonctionnant alors comme un poste de radio, pour capter l'émission il faut se caler sur la bonne longueur d'onde et à défaut, elle semble inexistante. Dans ce cas, la réincarnation du défunt se produirait, mais demeurerait la plupart du temps invisible.

Ainsi, pendant sa NDE, Gisela a eu la surprise de revoir son père décédé dans « la peau » d'un berger. Le courrier qu'elle m'a adressé démontre bien qu'elle est convaincue d'avoir rencontré son père pendant son bref coma de quinze à vingt minutes et qu'intuitivement elle le sait encore vivant quelque part.

J'ai perdu mon papa à l'âge de quatre ans. Il a disparu pendant la Seconde Guerre mondiale en 1945 en Pologne nous n'avons jamais eu de ses nouvelles. En 1954 il a été déclaré décédé. Pendant toute mon enfance, mon papa ne m'a pas trop manqué j'ai eu une mère aimante qui a consacré toute sa vie pour moi, elle ne s'est jamais remariée. Pourtant elle n'avait que trente-trois ans lors de la disparition de mon père.

En 1982, à quarante et un ans, j'ai fait soudainement une tachycardie lors d'un repas de mariage. J'ai dû rester évanouie pendant quinze à vingt minutes jusqu'à l'arrivée de l'ambulance. Je ne me rappelle plus mon malaise ni comment j'ai réussi à quitter la salle de mariage. Par contre, je me rappelle et me rappellerai toujours la rencontre avec mon père. Il m'est apparu très nettement son allure était celle d'un homme de soixante-neuf ans, l'âge qu'il aurait eu en 1982. Il était habillé d'une sorte de manteau comme

un berger et tenait dans sa main droite un bâton
de berger. Il avait un visage doux et souriant
et il a calmé mon affolement provoqué par la
tachycardie. Il m'a dit : « Ne crains rien, tout
va bien. » Je lui ai demandé si je pouvais le
rejoindre et il m'a répondu : « non, c'est trop tôt
pour toi, tu dois encore attendre, mais je veille
sur toi, n'aies pas peur. » Ensuite, je me suis
réveillée par les claques que l'ambulancier me
donnait sur les joues.

Je n'ai jamais oublié cette rencontre et, encore
aujourd'hui, vingt-sept ans plus tard, je vois mon
père comme si la rencontre avait eu lieu hier.
Depuis, je n'ai plus jamais eu de nouvelles de lui,
ni de maman décédée en 2001. J'appelle souvent
mes parents, mais malheureusement je n'ai pas
de réponse. Je pense qu'ils vont bien où ils sont
maintenant. Par contre, je n'ai pas abandonné
les recherches sur la disparition de mon père et
j'exploite chaque nouvelle piste, même soixante-
trois ans après la fin de la guerre.

Peut-être qu'un jour Gisela retrouvera son père,
dans une bergerie ou ailleurs... Je lui ai conseillé
d'aller consulter un bon médium.

Mon ami Mario Beauregard m'a fait parvenir
de Montréal le courrier d'une ancienne comateuse, Chantal Lamothe, aujourd'hui bénévole
pour l'Association des traumatisés crâniens de

l'Abitibi-Témiscamingue, qui pense avoir eu accès aux données de ses multiples vies pendant les quatre-vingt-six jours de son coma.

« *J'ai subi un traumatisme crânien sévère il y a près de treize ans, lorsque j'avais quinze ans et il s'ensuivit un séjour de 86 jours dans le coma. J'y ai vu le film de ma vie : mon passé, mon présent et mon futur possible. Je ne conserve pas de souvenir précis de ces autres vies, seulement des impressions de déjà-vu et des bribes de souvenirs occasionnels et parfois embarrassants que j'associe à cette fenêtre sur mes vies antérieures qui a été entrouverte par mon passage dans « l'entre monde ».*

Je crois ne pas en être à ma première représentation dans mon personnage actuel. De plus, selon moi, les leçons apprises et les talents développés sont conservés dans l'inconscient à la naissance suivante et pourront ou non être développés au cours de la vie selon plusieurs facteurs (sociaux, physiques, psychologiques, etc.).

Évidemment, le scénario change selon les décisions que je prends. Je ne sais pas combien de fois je devrai recommencer avant d'avoir évolué suffisamment pour débuter une autre histoire (nouvelle identité, nouveau contexte, nouveaux défis et nouveaux objectifs d'évolution). C'est suite à une expérimentation de la drogue avec une cocotte de pot de fumée que quelques années

après mon coma j'ai pu avoir accès aux sou-
venirs de ce dernier. Je ne sais pas combien de
personnages j'ai campés et combien il m'en reste
à vivre avant de compléter mon évolution et
d'avoir droit au paradis ou nirvana. Mon grand-
père est mort suite à une hémorragie causée par
un traumatisme crânien sévère. C'est bizarre à
dire, mais je crois qu'il est mon ange gardien et
qu'il a peut-être quelque chose à voir avec ma
récupération presque miraculeuse, puisqu'on me
prédisait la mort ou, pire encore, une vie comme
celle de Terry Schiavo resté en état végétatif pen-
dant ses vingt dernières années.

En fait, il semble que Chantal ne se soit souve-
nue de sa période comateuse que grâce à l'action
d'une drogue hallucinogène, « la cocotte de pot
de fumée ». L'hypnose, le sommeil paradoxal, la
méditation, certaines drogues, les comas nous
donneraient-ils accès aux informations délivrées
dans nos vies antérieures ? La question reste
posée et mérite d'être approfondie à la lumière
de nos nouvelles connaissances.

CHAPITRE 17

LES SIGNES ÉLECTRIQUES

Mon père est passé de l'autre côté du voile le 4 juillet 2006. Il est parti sans faire de bruit, discrètement. Une sortie clandestine, sans tambour ni trompette. Une dernière pitrerie pour surprendre son monde.

Il est parti en faisant la sieste. Parti comme dans un rêve : un départ de rêve, oui ! S'endormir et ne plus se réveiller. Existe-t-il meilleure façon de tirer sa révérence ?

Ma mère le retrouva figé sur son lit, la tête reposant sur son bras replié. Il avait, paraît-il, le sourire d'un enfant contemplant son premier arbre de Noël.

En fait, je m'attendais à une mort prochaine, mais pas comme ça, pas d'une façon aussi merveilleusement brutale.

Une semaine avant, il m'avait dit : « Tu sais, je vais amener ta mère au Portugal. On va se faire une petite balade là-bas tous les deux », et lorsque je lui avais demandé le nom de la compagnie aérienne, il m'avait répondu : « Non, on ne va pas prendre l'avion, on y va en voiture ! » Quatre vingts ans ! Il se sentait en forme, le bougre ! En tout cas suffisamment valide pour conduire sur un parcours dépassant largement le millier de kilomètres en plein mois de juillet. Et pourtant ! Pourtant, vingt-quatre heures avant qu'il m'annonce ce projet de voyage, son cardiologue m'avait prévenu : « J'ai les derniers examens de ton père : ils ne sont pas bons du tout. Son myocarde[1] est comme du papier à cigarette. Il a une fraction d'éjection systolique[2] minable et on a vraiment dépassé le cap de toute ressource thérapeutique. Je suis désolé mais j'ai bien peur que ça se passe mal très rapidement. » Je savais bien ce que cela signifiait. Papa avait déjà fait plusieurs infarctus, avait subi de multiples pontages coronariens, prenait les meilleurs médicaments dont les dosages avaient été savamment calculés et il fallait bien se faire une raison : on cravachait un cœur qui n'en pouvait plus. Médicalement parlant, il n'y avait plus rien à espérer. Dans peu de temps, son insuffisance cardiaque l'empêcherait de marcher et son essoufflement nécessiterait un apport continu d'oxygène. Je ne voyais vraiment pas mon père finir d'une façon aussi dégradante. Lui, si

---

1. Muscle cardiaque.
2. Mesure indirecte du débit cardiaque.

actif, si gai, si bout-en train, toujours espiègle et volontiers farceur, avec des initiatives incessantes de réunions entre amis autour d'un bon repas ou d'une bonne bouteille. Et en plus ce nouveau désir fou d'aller au Portugal, en voiture, avec ma mère. Que lui dire ? Que lui conseiller ? Que lui interdire ? La nuit suivante, avant de m'endormir dans la pénombre de ma chambre, je m'adressai à Marie pour lui demander de m'aider et aussi pour la prier de ne pas laisser souffrir inutilement mon père. Je sais que Marie exauce souvent mes prières. Une fois de plus elle m'apporta son soutien. Quelques heures plus tard dans l'après-midi, mon frère me téléphona. Il était effondré. Je compris tout de suite au timbre de sa voix qu'il venait de se passer quelque chose de grave : « Papa est allé faire sa sieste et il ne s'est pas réveillé ! » me dit-il entre deux profondes inspirations d'émotion.

Magnifique ! Oui, à l'instant où mon frère m'annonça la nouvelle, ce mot m'est venu spontanément au cerveau : « magnifique ».

Mon expérience de médecin réanimateur m'autorise à penser qu'on ne peut espérer avoir un départ aussi merveilleux ! Après, bien sûr, on pleure sur soi-même, on est triste de ne plus voir ceux qu'on aime, mais le seul fait de penser à leur bonheur devrait suffire à nous rendre heureux.

Merci Marie.

En fait, mon père s'est beaucoup interrogé sur la fin de sa vie. Un an avant sa mort, il avait vu en pleine nuit le fantôme de sa cousine errer dans le couloir de sa maison, puis quelques mois plus tard celui de sa mère qui était venu lui rendre visite de la même façon. Me sachant ouvert à ce genre de manifestation, il m'en avait parlé sans retenue. Il venait assister régulièrement à mes conférences et je crois qu'il était assez fier de ce que je faisais car il collectionnait dans un classeur toutes les coupures de presse qui parlaient de moi et enregistrait les rares émissions télé où j'apparaissais. Lors d'un repas dominical, il nous fit une déclaration très solennelle : « Moi je suis comme Jean-Jacques, je pense qu'il y a une vie après la mort. En tout cas, s'il y a quelque chose, je vous le ferai savoir. S'il y a quelque chose après la mort, je vous ferai un signe avec l'horloge, là ! » nous dit-il en pointant sa fourchette vers la vieille comtoise qui trônait en face de nous. Et il tint sa parole, puisque le jour de sa dernière sieste la comtoise s'arrêta après avoir carillonné sans raison pendant plusieurs minutes !

J'ai ensuite reçu de nombreux signes de mon père : des signes électriques surtout. La première manifestation eut lieu dans notre maison ariégeoise. Un soir, alors que mon épouse et moi nous étions prêts à nous endormir, la lumière de notre chambre s'est allumée trois fois. Une poignée de secondes plus tard, l'écran de mon téléphone portable a illuminé la petite vierge en ivoire posée sur ma table de nuit. Mon père m'avait ramené ce cadeau du Gabon car il connaissait mon attachement pour Marie.

La deuxième manifestation se passa dans mon appartement toulousain dans les mêmes circonstances. Je venais de m'endormir lorsque ma femme allongée à mes côtés me réveilla pour me dire que le ventilateur du salon était en panne et qu'elle ne se souvenait plus où elle avait rangé le papier portant le numéro de téléphone de l'électricien indiqué par mon père. Aussitôt la lumière de la chambre s'alluma trois fois et je vis s'afficher huit chiffres devant moi ; des chiffres lumineux et très distincts, ils étaient de couleur jaune orangée pour être plus précis. Les deux premiers étant le 0 et le 6, je demandai à Corinne si le numéro qu'elle cherchait n'était pas celui d'un portable. Ma question l'étonna et je fus bien obligé de lui dire ce que je venais de visualiser. Elle se leva d'un bond et courut vers la cuisine en se remémorant soudain où elle avait rangé le fameux papier. Elle revint tout excitée et me fit répéter plusieurs fois les huit chiffres. Il s'agissait du numéro de téléphone de l'électricien amputé des deux derniers chiffres !

J'ai eu ensuite la chance de recevoir des messages de mon père par l'intermédiaire de médiums. Je sais qu'il va bien et qu'il veille sur moi et ma petite famille. À la fin de mes conférences, il arrive souvent qu'un médium vienne me dire qu'il avait vu un homme agité assis à côté de moi qui applaudissait souvent en hochant la tête pendant que je parlais ; ça, c'est tout à fait papa ! Oui, nos chers disparus sont bien là au moment où nous pensons à eux. J'en suis intimement convaincu.

Plus récemment encore, un autre signe fort de papa. Depuis quelques mois, il entre en communication par écriture automatique avec mon fils Laurent qui vient de souffler ses vingt-deux bougies. Laurent a séjourné pendant six longs mois à Philadelphie pour parfaire son anglais tout en approfondissant ses connaissances gastronomiques pour pouvoir devenir un restaurateur chevronné. L'apprentissage de ce métier est très dur pour un jeune, surtout à plus de 6 000 kilomètres de la maison familiale. Nous sommes tous très fiers de son courage et des sacrifices qu'il concède pour essayer de réaliser son rêve. Se trouvant souvent seul dans sa petite chambre de location et probablement enclin à un mal du pays bien compréhensible, il s'est mis à prier en s'adressant à son grand-père décédé pour qu'il lui donne la force de surmonter sa mélancolie. Mon fils raconte qu'il s'est senti guidé par une voix intérieure qui lui demandait de poser la mine d'un crayon sur une feuille de papier. Il a passé de longs moments d'attente en renouvelant ses prières jusqu'à ce fameux soir où, selon ses dires, son bras s'est mis à bouger tout seul pour dessiner la signature de mon père entourée de magnifiques cœurs. Laurent n'avait aucune information préalable sur cette signature qui a ensuite été authentifiée par ma mère avec beaucoup d'émotion. Après ce premier signe de reconnaissance, Laurent a demandé : « Papy, peux-tu me parler ? » et de nouveau sa main, poussée par une force invisible, a tracé des immenses cœurs stylisés dans un mouvement beaucoup plus appuyé et plus ample que d'habitude. Son téléphone portable lui a servi à enregistrer le bruit que faisait la mine sur le papier en traçant toutes ces arabesques et on entend très nettement : « Ne t'en fais pas... ne t'en fais pas... » plusieurs fois.

Mon petit Lolo – désormais plus grand que moi pour bien des choses (en dehors de la taille bien sûr) – est venu passer une quinzaine de jours parmi nous avant de repartir aux États-Unis pour une nouvelle période de six mois. Nous avons eu l'immense bonheur d'assister à l'une de ses séances d'écriture automatique à la fin d'un dîner familial organisé pour célébrer son retour. Formidable cadeau que cette soirée ! Je me remémore encore le regard stupéfait de Patrick, le meilleur copain de Laurent, lorsque le crayon a commencé à bouger après la question fatidique : « Papy, est-ce que tu nous vois ? » La réponse fut quasi immédiate : des immenses « oui » répétitifs couvrant toute la surface de la feuille. Le bras de mon fils semblait être guidé par une main de géant. On pouvait assimiler son membre à une fine tige métallique suspendue à des câbles. Son visage aussi s'était métamorphosé. Avec son grand front plissé et sa tête baissée, il donnait l'impression d'être totalement concentré sur des automatismes qu'il avait bien du mal à domestiquer. Damien, son frère jumeau, écarquillait de grands yeux incrédules tandis que sa mère, Corinne, pinçait ses lèvres en se demandant s'il fallait rire ou pleurer. Quant à moi, je ne me souviens pas très bien dans quel état d'esprit j'étais à ce moment précis : probablement un sentiment de doute et de bonheur ; c'était assez bizarre comme sensation, en fait...

Mais le plus incroyable arriva quelques minutes plus tard. Sur l'enregistrement de ces « oui » géants on entend très distinctement : « Corinne... Damien... Patrick... Jean-Jacques », les prénoms des quatre personnes présentes au moment du contact ! En plus, nous étions désignés dans l'ordre précis de notre disposition autour de la table ronde ! Oui, papa nous avait bien vus et il nous le prouvait ! Magnifique, non ? Après ça, il faudrait être véritablement sourd et aveugle pour ne pas croire à la réalité d'un au-delà !

Avant son nouveau départ pour Philadelphie, j'ai confié à Laurent un petit magnétophone à vitesse de déroulement modulable et la prière qu'Allan Kardec recommande avant de débuter des séances médiumniques.

PRIÈRE AUX MÉDIUMS
POUR UN COMMENCEMENT DE SÉANCE

Nous vous prions, Seigneur Dieu tout-puissant, de nous envoyer de bons esprits pour nous assister, d'éloigner ceux qui pourraient nous induire en erreur, et de nous donner la lumière nécessaire pour distinguer la vérité de l'imposture.

Écartez-nous aussi des esprits malveillants incarnés ou désincarnés, qui pourraient tenter de jeter la désunion parmi nous, et nous détourner de la charité et de l'amour.

Si quelques-uns cherchaient à s'introduire ici, faites qu'ils ne trouvent accès dans le cœur d'aucun de nous.

Bons esprits qui daignez venir nous instruire, rendez-nous dociles à vos conseils, détournez-nous de toute pensée d'égoïsme, d'orgueil, d'envie et de jalousie. Inspirez-nous l'indulgence et la bienveillance pour nos semblables présents ou absents, amis ou ennemis.

Faites enfin qu'aux sentiments dont nous serons animés, nous reconnaissions votre salutaire influence.

Baignez-nous dans la lumière et l'amour.

Allan Kardec

J'ai eu l'opportunité de recueillir de nombreux témoignages de personnes endeuillées qui ont reçu des signes électriques envoyés de l'au-delà par les défunts qu'ils chérissaient. Parmi ceux-là, celui de Georges Tussin est certainement l'un des plus émouvants. Ce sympathique animateur de radio a perdu son épouse un 17 octobre à 17 heures dans la chambre 17 d'un grand hôpital toulousain. Le 17 était le nombre fétiche du couple ; ils se sont connus un 17 juillet ; Georges est né le 17 août 1949 et sa compagne, le 17 janvier 1956. Deux jours après le décès, Georges constate un étrange phénomène dans sa maison : quinze ampoules se grillent simultanément. De multiples interrogations le submergent aussitôt. Comment expliquer rationnellement un tel prodige ? Existe-t-il une vie après la mort ? Et si ces signes électriques étaient envoyés par l'amour de sa vie passé depuis peu de l'autre côté du voile ? Dans ce cas, pourquoi quinze ampoules et non pas dix-sept ? Il compte et recompte les ampoules défaillantes. Pas d'erreur, il en manque bien deux pour que la signature soit incontestable ! Georges pense qu'il est en train de perdre toute sa lucidité. Il décide de sortir de chez lui pour se changer les idées. Il monte dans sa voiture, démarre et allume ses phares, mais là une autre surprise l'attend : les deux codes sont grillés ! Soit un total de dix-sept ampoules : le compte est bon ! Pour Georges Tussin, désormais les choses sont claires : l'après-vie existe et nos amours sont éternels.

En terminant la rédaction de ce chapitre, je remarque à l'instant qu'il porte le numéro 17...

CONCLUSION

Soyons clairs et honnêtes : à quoi serviraient toutes ces études centrées sur les états de conscience modifiés et sur les expériences de mort imminente si ce n'est à vouloir prouver l'existence ou la non-existence d'une vie après la mort ? À rien, bien sûr ! Les scientifiques qui prétendent le contraire sont des hypocrites ou des menteurs !

Le lecteur l'aura compris : en toute objectivité et compte tenu des progrès de la science, il semble aujourd'hui tout à fait logique d'admettre l'existence d'une vie après la mort.

Même les rationalistes qui ne peuvent concevoir comme réelles que les choses accessibles à leurs cinq sens devraient pouvoir admettre cela. Pour eux, tout ce qui n'appartient pas au monde visible, palpable, audible, tout ce qui ne peut être goûté ou senti, tout ce qui n'est pas mesurable par des instruments ou identifiable par des moyens techniques validés n'est pas reconnu comme appartenant au domaine du réel. Partant de ce concept « rationaliste » – contestable au demeurant sur ses principes de base –, jusqu'à présent et à défaut de preuve tangible, l'existence d'une après-vie était donc rejetée.

Or, actuellement, les preuves de survivance sont là et nous pouvons dire en étant le plus grand des rationalistes que le néant absolu après la mort est désormais du domaine de la croyance. Nous avons vu qu'il est aujourd'hui possible d'entendre des voix de disparus enregistrées sur bande magnétique, de mesurer l'activité du cerveau pour démontrer de façon tout à fait objective que, lorsque celui-ci s'arrête de fonctionner, la perception exacte de l'environnement est non seulement possible, mais aussi considérablement améliorée : vision à distance, à travers la matière et à 360°, clairaudience, télépathie, etc. En sachant que l'on définit la mort par l'arrêt du fonctionnement cérébral, la démonstration scientifique de la poursuite d'un état de conscience après la mort ne devrait pas dans ces conditions poser de problème majeur. Et pourtant, la communauté scientifique est loin d'avoir le courage de franchir le pas pour admettre cette évidence qui bouleverse tous nos paradigmes ! Alors, pourquoi ? Pourquoi ce silence assourdissant sur l'après-vie ?! Pourquoi nier l'évidence avec autant d'aplomb ?!

J'ai largement développé dans les chapitres précédents les phénomènes de peur et de dissonance cognitive qui sont, à mon sens, les raisons principales de cet aveuglement.

Le jour où l'humanité aura dépassé ces deux écueils pour admettre enfin la réalité de notre éternelle survivance, nos comportements changeront du tout au tout, nous vivrons dans un monde meilleur où tout sera partage, bonté, générosité et amour. Un monde sans haine, sans violence, sans meurtres, sans viols et sans guerres. Un monde où la définition du bonheur ne sera pas « travailler plus pour gagner plus et amasser des fortunes inutiles » !

La spiritualité est sans nul doute le seul chemin à emprunter pour nous rapprocher de ce nouvel environnement lumineux qui, dans le meilleur des cas, nous donnera un jour accès au Divin. Mais avant d'en arriver là, une longue route nous attend.

N'oublions pas que l'humanité n'a que trois ans d'existence sur l'échelle du temps des espèces terrestres et à peine quelques fractions de seconde sur celle de l'Univers cosmique !

À bon entendeur...

BIBLIOGRAPHIE

ALEXANDER C., and coll., *EEG and SPECT Data of a Selected Subject During Psi Tests : The Discovery of a Neurophysiological Correlate. Journal Of Parapsychology*, 1998 ; 62 (2).

AMBRE A., *Qui dit que la mort est une fin ?* éd. Clair de Terre, 2005.

ANTONI M.H., LUTGENDORF S.K., COLE S.W., *The influence of bio-behavioural factors on tumour biology : pathways and mechanisms. Nature Reviews Cancer*, 2006 ; 6 (3).

BABEL H., *Dieu dans l'univers d'Einstein*. éd. Ramsey / Naef, 2006.

BARAT O., *Nos perpétuels retours*. éd. Dervy, 1993.

BARBE C., *Le Langage de l'invisible*. éd. Kymso, 2006 ; *Comment les morts s'expriment et se manifestent depuis l'au-delà*, éd. Kymso, 2007.

BARQUET P., *Le Livre des morts des anciens Égyptiens*. éd. Le Cerf, 1967, 2003.

BAUDOUIN B., *Le Guide des voyages spirituels*. éd. J'ai lu. *Aventure secrète*, 2005, *Near-Death Experiences*. éd. De Vecchi, 2006.

BEAUREGARD M., O'LEARY D., *The Spiritual Brain. A Neuroscientist's Case for the Existence of the Soul*. éd. Harper Collins, New York, 2007.

BEAUREGARD M., CHARBONIER J.J., DETHIOLLAZ S., JOURDAN J.-P., MERCIER E.-S., MOODY R., PARNIA S., VAN EERSEL P., VAN LOMMEL P., *Actes du colloque de Martigues du 17 juin 2006. Premières rencontres internationales sur L'Expérience de Mort Imminente*. éd. S17 Production, 2007.

BENHEDI L., MORISSON J., *Les NDE. Expériences de mort imminente*. éd. Dervy, 2008.

BESSIÈRE R., *Les morts parlent aux vivants*. éd. Trajectoire, 2005.

BLANKE O., ORTIGUE S., LANDIS T., SEECK M., *Stimulating illusory own-body perceptions. Nature* 2002, 419 : 269-270.

BLANKE O., LANDIS T., SPINELLI L., SEECK M., *Out-of-body experience and autoscopy of neurochirurgical origin. Brain* 2004, 127 : 243-258.

BLANC-GARIN J. et M., *En communion avec nos défunts*. éd. du Rocher, 2002.

BLUM J., *Les Cathares. Du Graal au secret de la mort joyeuse*. éd. du Rocher, 1999 ; *Au travers du miroir. De Platon aux NDE : après la vie... la vie*. éd. Thélès, 2002 ; *Dieu, Einstein... et nous ?* éd. Alphée, 2006.

BRUNE F., *Les morts nous parlent*. éd. Philippe Lebaud, 2002 ; *Les morts nous parlent*. Nouvelle édition. Tome 2. éd. Oxus, 2006.

CARROLL L., *Alice au pays des merveilles*. éd. Flammarion, 1970.

CHARBONIER J.-J., *Coma dépassé*. éd. C.L.C., 2001 ; *Derrière la lumière*. éd. C.L.C., 2002 ; *Éternelle jeunesse*. éd. CLC, 2004 ; *L'après-vie existe* éd. CLC, 2006 ; *La Mort décodée*. éd. Exergue, 2008.

CHATEIGNER K., *Le Nouveau Livre des Esprits*. éd. *Cercle Spirite Allan Kardek*, 2002.

CHOPRA D., *La Vie après la mort*. Guy Trédaniel Éditeur, 2007.

COLLIER B., *Ketamine and the Conscious Mind*. *Anaesthesia* 1972, vol. 27, n° 12.

COULOMBE M., *Les morts nous donnent signe de vie*. éd. Edimag, Canada, 2005.

DRAPEAU E., *Édith Piaf 1915-1963*. *La revue de l'Au-delà*, n° 112, avril 2007 ; *Rencontre avec Pierre Pradervand*. *La revue de l'Au-delà*, n° 114, juin 2007 ; *Le départ du corps spirituel*. *La revue de l'Au-delà*, n° 118, novembre 2007.

DURANLEAU Y.-A., *La Vie le rappelle à la Vie*. éd. DyaD Qc, Canada : 1996.

DUTHEIL R. et B., *L'Homme superlumineux*. éd. Sand, Paris, 1990 ; *La Médecine superlumineuse*. éd. Sand, Paris, 1992.

EADIE B.-J., *Dans les bras de la lumière*. éd. Pocket, 2006.

FADUILHE G., *Sous l'arbre de la connaissance*. éd. de l'Auteur, 2004.

FONTAINE J., *Médecine des trois corps*. éd. J'ai lu, Aventure secrète, 2005.

FUENTE-FERNANDEZ R., and coll., *Expectation and Dopamine Release : Mechanism of the Placebo Effect in Parkinson's Disease*. Science, 2001, 293 (5532).

GIRARD J.-P., *Encyclopédie du paranormal*. éd. Trajectoire, 2005 ; *Encyclopédie de l'Au-delà*. éd. Trajectoire, 2006.

GREYSON B., *The Near-Death Experience scale construction, reliability and validity*. J. Nerv. Ment. Dis., 171, 1983.

HAWKING S., *Une brève histoire du temps*. éd. Flammarion, 1989 ; Interview. Le Journal Spirite n° 69, juillet à septembre 2007.

HOULLEBECQ M., *La Possibilité d'une île*. éd. Fayard, 2005.

JAUME J., *Vivre l'après*. éd. Dervy, 2007.

JOURDAN J.-P., *Deadline Dernière limite*. éd. Les 3 Orangers, 2007.

JOVANOVIC P., *Enquête sur l'existence des anges gardiens*. éd. Le jardin des Livres, 2008.

KARDEC A., *Le Livre des esprits*. éd. Dervy, 2002.

KÜBLER-ROSS E., *Les Derniers Instants de vie*. éd. Labor & Fides, 1989 ; *La Mort est une question vitale*. éd. Albin Michel, 1996 ; *La Mort est un nouveau soleil*. éd. Pocket, 2002.

LASZLO E., *Science et champ akashique*. éd. Ariane, 2005.

LESHAN L., *The Medium, the Mystic and the Physistic : Towards a Theory of the Paranormal.* New York, Helios Press, 2003.

LEVY M., *Et si c'était vrai.* éd. Robert Laffont, 2000.

LIGNON Y., NOLANE R.D., MORISSON J., *Les Énigmes de l'étrange.* éd. First, 2005.

LINES Y., *Quand l'Au-delà se dévoile.* éd. J.M.G., 2006.

MAURER D., *Les Expériences de Mort Imminente.* éd. du Rocher, 2005.

MCTAGGART L., *La Science de l'intention.* éd. Ariane, 2008.

MENANT M., *J'ai vécu le surnaturel.* éd. 1, Le Grand Livre du Mois, 2003.

MERCIER E.-S., *La Mort transfigurée.* éd. Bellefond, 1992.

MERCIER E.-S., VIVIAN M., *Le Voyage interdit.* éd. Belfond, 1995.

MISRAKI P., *L'Expérience de l'après vie.* éd. Robert Laffont, 1975 ; *Les Raisons de l'irrationnel.* éd. Robert Laffont, 1976.

MOODY R., *La Vie après la vie.* éd. Robert Laffont, 1977 ; *Lumières nouvelles sur la vie après la vie.* éd. Robert Laffont, 1978 ; *La Lumière de l'au-delà.* éd. Robert Laffont, 1988 ; *Voyages dans les vies antérieures.* éd. Robert Laffont, 1990 ; *Rencontres.* éd. Robert Laffont, 1994 ; *Nouvelles Révélations sur la vie après la vie.* éd. Presse du Châtelet, 2001.

MORSE M., *Des Enfants dans la lumière de l'au-delà.* éd. Robert Laffont, 1992 ; *La Divine Connexion.*

éd. Le Jardin des Livres, 2002 ; *Le Contact Divin*. éd. Le Jardin des Livres, 2005.

MORZELLE J., *Tout commence... après. Mes rencontres avec l'au-delà*. éd. C.L.C, 2007.

MOSELLY J.B. and coll., *A controlled trial of arthroscopic surgery for osteoarthritis of the knee. N.E.J.M.*, 11 juillet 2002, 347 (2).

MOTL L., *L'Équation Bogdanov. Le secret de l'origine de l'Univers ?* éd. Presses de la Renaissance, 2008.

MOULIN A.M., *Le Papillon libéré*. éd. Patrick Lannaud, 2005.

MURAKAMI K., *Le Divin Code de Vie*. Guy Trédaniel Éditeur, 2007.

NARBY J., *Le Serpent cosmique, l'ADN et les origines du savoir*. Georg éditeur, 2006.

NELSON K.R., MATTINGLY M., LEE S.A., SCHMITT F.A., *Does the arousal system contribute to Near-Death Experience ? Neurology*, 66, 2006.

PARNIA S., WALLER D.G., YEATES R., FENWICK P., *A qualitative and quantitative study of the incidence, features and aetiology of Near-Death experiences in cardiac arrest survivors. Resuscitation* 48, 2001.

PENFIELD W., *The Role of the Temporal Cortex in Certain Psychical Phenomena. Journal of Mental Science*, 1995.

PRADERVAND P., *Vivre sa spiritualité au quotidien*. éd. Jouvence, 2007.

QUESTIN M.L., *Entrez dans la cinquième dimension*. éd. Trajectoire, 2005.

QUEVAREC E., *Données médicales sur les NDE (Near-Death-Experiences) et apport à la description des derniers instants de vie*. Thèse de doctorat en médecine. Hôpital Bichat, Paris, soutenue le 6 juillet 2007.

RAGUENEAU P., *L'Autre côté de la vie*. éd. le Rocher, 1995.

RAWLINGS M., *Derrière les portes de la lumière*. éd. Le Jardin des Livres, 2006.

RING K., *Sur la frontière de la vie*. éd. Robert Laffont, 1981 ; *En route vers omega*. éd. Robert Laffont, 1991.

RING K., ELSAESSER-VALARIND E, *Lessons from the Light*. Perseus Books, Reading Mass. USA, 1998.

RING K., COOPER S., JAMES W., *Mind sigh : Near-Death and Out-of-Body Experiences in the Blind*. Center for Consciousness Studies. Institute of Transpersonal Psychology, Palo Alto, USA, 1999.

RIOTTE J., *Ces voix venues de l'au-delà*. éd. France Loisirs, 2003.

RINPOCHE S., *Le Livre Tibétain de la Vie et de la Mort*. éd. La Table Ronde, édition augmentée, 2003.

SABOM M. *Souvenirs de la mort*. éd. Robert Laffont, 1983 ; *Light and Death, One Doctor's Fascinating Account of Near-Death Experiences*. éd. Zondervan, 1998.

SALISH J.W.G., *Indian Mental Health and Culture Change : Psychohygienic and Therapeutic Aspects of the Guardian Spirit Ceremonial*, New York, Hold Rinehart and Winston, 1974.

STEVENSON I., *20 cas suggérant le phénomène de réincarnation*. éd. Sand, 1985 ; *Les enfants qui se souviennent de leurs vies antérieures*. éd. Sand, 1995 ; *Réincarnation et biologie*. éd. Dervy, 2002.

TAMMET D., *Je suis né un jour bleu*. éd. Les Arènes, 2007.

THIGHOU S., *La violence faite à l'esprit*. éd. Qetzal podi, 2002.

TYMN M.E., *Communication Post-Mortem Induite : une nouvelle thérapie contre le chagrin*. *Nexus*, n° 47, 2006.

VAN EERSEL P., *La Source noire*. éd. Grasset, 1986 ; *La Source blanche*. éd. Grasset, 1996 ; *Réapprivoiser la mort*. éd. Albin Michel, 1997.

WEISS B.L., *Nos vies antérieures, une thérapie pour demain*. éd. J'ai lu, 2007.

11350

Composition
PCA

Achevé d'imprimer en Slovaquie
par NOVOPRINT SLK
le 25 janvier 2016

Dépôt légal février 2016
EAN 9782290122990
L21EPEN000285N001

ÉDITIONS J'AI LU
87, quai Panhard-et-Levassor, 75013 Paris

Diffusion France et étranger : Flammarion